Herstellung und Verlag:
BoD – Books on Demand, Norderstedt

ISBN 978-3-7504-4134-7

Florian Fink

Animalia – Die Suche nach dem Paradies

Teil 1

1 .Kapitel

Opfer der Wilderer

Afrika – die Wiege der Menschheit besitzt einen großen Schatz. Dieser Schatz ist eine Vielfalt von verschiedenen Tieren, die dort in der Wüste, in der Savanne und im Dschungel leben. Dieses Tierreich ist aber bedroht und zwar durch den Menschen.

Wilderei kostet vielen Tieren ihr Leben und dazu kommen noch die Umweltverschmutzung und die Abholzung des Regenwaldes. Die nachfolgende Geschichte beginnt in Afrika. Dort lebte eine Hyänenfamilie in einem Bau. Diese bestand aus einem einjährigen Mädchen und einer siebenjährigen Mutter. Die Mutter war die Anführerin eines großen Hyänenrudels mit 25 Mitgliedern. Diese befanden sich aber außerhalb des Baus und hielten Ausschau nach möglichen Gefahren und nach Jagdbeute. Die Mutter blieb mit ihrem Kind im Bau.

Ihre Tochter hieß Shilia-Maria, wurde aber nur mit dem Namen Shilia angesprochen. Sie war sehr verspielt und ging gerne auf Erkundungstouren. Dies musste ihre Mutter aber einschränken, da sich in der letzten Zeit wieder vermehrt Wilderer in der Savanne aufhielten, deren Hauptbeuten Hyänen, Löwen, Zebras und Elefanten waren. Diese schossen sie ab und kassierten dafür illegal Geld. Shilia durfte sich nicht mehr vom Rudel entfernen, da es zu gefährlich war.

Es war ein sonniger und am Anfang noch friedlicher Morgen. Shilia war schon ganz früh munter und wollte ihre Mutter wecken. „Mama, aufstehen!", sagte Shilia laut. Ihre Mutter rührte sich aber noch nicht und schlief weiter.

Shilia versuchte es dann noch einmal ihre Mutter wach zu kriegen. „Mama, aufstehen. Ich bin hungrig", wiederholte Shilia laut und zog ihr am Ohr.

Kurz darauf rührte sich ihre Mutter und stand langsam auf. „Mmmmh, guten Morgen mein Schatz", sagte ihre Mutter langsam und gähnte. „Mama, na endlich! Ich habe Hunger!", sagte Shilia. „Ja, mein Schatz. Wir werden uns jetzt auf die Suche begeben und versuchen etwas Aas aufzutreiben", sagte ihre Mutter. Diese Worte gefielen ihrer Tochter aber jetzt nicht, da sie nicht immer dasselbe fressen wollte.

„Mama, warum müssen wir eigentlich immer nur Aas fressen? Es gibt doch bestimmt noch etwas Anderes, was man fressen kann", sagte Shilia. „Ach Schatz. Wir müssen aber Aas fressen, weil die Löwen uns das Beste immer wegfressen. Die Löwen sind uns nicht gut gesinnt. Deshalb haben wir auch einen schlechten Ruf, weil wir halb verdorbenes Fleisch fressen", erklärte Shilias Mutter. „Mama, warum haben wir eigentlich einen schlechten Ruf? Das verstehe ich nicht", fragte nochmals Shilia.

„Ach, mein kleiner Liebling. Das habe ich dir eigentlich eben gerade erklärt. Wir haben einen schlechten Ruf, weil wir halb verdorbenes Fleisch fressen. Man sagt, wir würden stinken und die Menschen denken, wir würden Vieh töten und dabei sind es die Löwen, die das immer tun", erklärte Shilias Mutter und ihre Augen verengten sich zu Schlitze.

„Mama, was sind eigentlich Menschen? Ist das eine bestimmte Tierart?", fragte jetzt Shilia. „Menschen sind auf jeden Fall böse und sie sind sehr gefährlich. Sie haben immer Dinger dabei, womit sie Tiere abschießen und das machen sie sogar skrupellos. Halte dich bloß von solchen Wesen fern. Momentan ist das wieder ganz schlimm und deshalb habe ich unser Rudel an einen anderen Ort geführt", erklärte Shilias Mutter.

Gerade als Shilias Mutter und Shilia den Bau verließen, um auf Futtersuche zu gehen kamen fünf Mitglieder des Rudels auf die beiden zu gerannt.

„SHANA! SHANA, SIE SIND HIER! ICH HABE SCHÜSSE GEHÖRT!", schrien die Rudelmitglieder. „OH NEIN! NEIN! Das darf nicht wahr sein!", sagte Shilias Mutter dann panisch. „Mama, was ist denn los?", fragte Shilia aufgeregt.

„SHILIA! WIR MÜSSEN HIER SOFORT WEG!!", warnte sie. „Warum denn?", fragte dann Shilia.

„WILDERER!", warnte Shilias Mutter und rannte voraus. Shilia bekam dann einen ängstlichen Blick. Anschließend begann die Flucht des Hyänenrudels.

Shana rannte voraus und gab Anweisungen. „SCHNELL! RENNT UM EUER LEBEN! WIR ZIEHEN UNS IN DEN NORDEN ZURÜCK! DORT GIBT ES EIN GUTES VERSTECK!", schrie Shana.

Die Wilderer kamen immer näher und näher. Man konnte sie durch das Gras schleichen hören. Nach einer längeren Zeit wurde das Hyänenrudel von den Wilderern entdeckt. Sie richteten nun ihre Flinten auf das Rudel und schossen.

„OH NEIN! SIE HABEN UNS GEFUNDEN! RENNT UM EUER LEBEN!", schrie Shana. Die Hyänen rannten und rannten, aber die Flucht war zwecklos. Es ertönte nun ein Schuss und dabei wurde Shana getroffen. „MAMA!!", schrie Shilia und blieb stehen. Der Rest des Rudels flüchtete weiter und ließ Shilia zurück. Sie stand nun in der offenen Schusslinie von den Wilderern. Shilia rannte dann zu ihrer Mutter, die blutend im Gras lag, aber noch am Leben war.

„MAMAAAAA!!!", schrie Shilia.

Anschließend begann ihre Mutter zu sprechen, aber der Ton war vor Schmerzen verzerrt. „Shilia... mein

Liebling", röchelte Shana. „Mama",
sagte Shilia und legte sich weinend in
ihre Pfoten.

„Rette… dein… Leben. Fliehe … bevor… sie dich… auch noch… kriegen!",
röchelte Shana und hustete.

„Mama! Du darfst nicht sterben! Du
darfst nicht sterben! Bitte steh auf!",
weinte Shilia und schüttelte an ihrer
Mutter.

„Shilia…. mein Schatz…ich werde immer… in deinem… Herzen sein. Rette… dein… Le…ben". Dies waren die
letzten Worte von Shilias Mutter. Danach war sie tot.

„Mama", weinte Shilia und schmiegte
sich an ihre tote Mutter. Danach ergriff sie weinend die Flucht.

An einem anderen Ort hatte sich das Hyänenrudel in Sicherheit bringen können. Dort wurde die Rudelanführerin in einer Abschiedszeremonie verabschiedet.

„Herr der Wildnis, wache über unsere Rudelanführerin Shana. Möge sie in Frieden ruhen", sagte das nächst ältere Rudelmitglied und schloss die Augen. Danach folgten die anderen Mitglieder und es herrschte Schweigen.

Shilias Rettung

An einem anderen Ort befanden sich drei Jugendliche und ein Kind im Urlaub. Diese lagen an einem Strand und sonnten sich. Ihre Namen waren Joey, Jessica, Dave und Debbie-Ann. Joey war der Älteste von ihnen. Er war fünfzehn Jahre alt. Joeys Haare waren braun und zu einem Mittelscheitel gekämmt. Er baute gerne verschiedene Erfindungen und erforschte die Natur. Joey liebte die Natur und war gegen alles, was der Natur schaden könnte. Ein besonderer Dorn in seinem Auge waren Wilderer, die Tiere zum Spaß töteten.

Joey hatte eine kleinere Schwester, die acht Jahre alt war. Ihr Name war Jessica. Sie war wie alle Kinder in diesem Alter sehr verspielt und ging gerne auf Erkundungstouren. Sie hatte halblange blonde Haare, die sie zu zwei Zöpfchen hochgesteckt hatte. Angezogen war sie mit typischen Mädchenkleidern, wie ein rosa Röckchen und einem violetten Oberteil, wo ein Einhorn abgebildet war. Jessica hatte in der Schule keine Freunde, da sie eine

Zahnspange trug und etwas pummelig war. Deshalb wurde sie in der Schule auch immer geärgert und ausgelacht.

Die anderen beiden Teenager waren ebenfalls Geschwister. Dave hatte dunkelbraune Haare und sein Hobby war filmen. Er hatte immer eine Videokamera dabei. Alles was er aufnahm, schnitt er bei sich zuhause wie ein richtiger Regisseur zusammen. Dave war auch noch zusätzlich im AV-Video Club und hatte dort viele Freunde, mit denen er sich auch traf.

Seine Schwester Debbie-Ann hatte lange braune Haare, war modebewusst und musste immer im Trend liegen. Aber hinter diesem modischen Aussehen versteckte sich eine Kampfexpertin in fast allen Kampfsportarten. Besonders gut konnte sie Kickboxen, Kung-Fu, Thai-Boxen und Karate. Sie war in der Schule im Karate-Club und besaß den schwarzen Gürtel. Teilweise trainierte sie in der Schule sogar selbst.

Debbie-Ann las gerade in der Zeitung. Dort stand etwas über die Wilderer drinnen.

„Diese dreckigen Schweine", fluchte Debbie-Ann. „Zeige mal bitte her", bat dann Joey. Debbie reichte ihm dann die Zeitung. Als Joey den Artikel sah und kurz drüber flog, zerknüllte er zornig die Zeitung und schmiss sie auf den Boden.

„DIESE VERFLUCHTEN WILDERER! ICH HASSE WILDERER! ES GIBT NICHTS, WAS ICH MEHR HASSE ALS WILDERER!", knurrte Joey.

„Weißt du was noch schlimmer ist?", fragte Debbie-Ann. „ES GIBT NICHTS SCHLIMMERES, ALS MENSCHEN DIE TIERE AUS SPASS TÖTEN!", erwiderte Joey mit angespannten Fäusten. „Noch schlimmer ist, dass die Regierung nichts dagegen unternimmt. Denen würde ich am liebsten einen Denkzettel verpassen!", sagte Debbie-Ann zornig. Anschließend kam Jessica dazwischen. Sie wollte endlich in die Savanne aufbrechen und Tiere sehen.

„Joey, Joey, Joey! Wann gehen wir endlich in die Savanne? Ich will Tiere sehen!", sagte Jessica hektisch „Ja, wir brechen sofort auf!", antwortete Joey noch angespannt. „Oh ja! Das wurde auch endlich Zeit!", erwiderte Jessica aufgeregt.

„Nicht so schnell. Ich muss noch einen neuen Film einlegen", sagte Dave etwas gehetzt. Er legte nun einen neuen Film in seine Videokamera. „Okay, ich habe einen neuen Film eingelegt. Jetzt können wir aufbrechen", sagte Dave. Anschließend brachen sie zu ihrer Tierbeobachtungssafari in die Savanne auf und das zu Fuß.

„Warum haben wir uns eigentlich keinen Safarijeep gemietet?", fragte dann Dave. „Weil wir ein ökologisches Herz für Tiere haben. Außerdem vertreiben diese Dinger nur die Tiere", erklärte Joey.

Shilia, die immer noch traurig davonrannte, ließ sich irgendwann weinend ins Gras fallen. „Mama! Mama! Was mach ich jetzt nur? Ich bin ganz alleine! Ich bin ganz...ALLEINE! Hiilfe!", jammerte Shilia.

Die vier Freunde stapften nun durch das hohe, ausgedorrte Gras der Savanne. Debbie-Ann beobachtete schon die ganze Zeit Giraffen, da es ihre Lieblingstiere waren. „Ach, ich liebe Giraffen. Ich finde sie einfach interessant", sagte sie. Dave hatte die ganze Zeit die Kamera vor seinem Gesicht und sprach mit sich selbst. „Afrika, Land der Mythen und Legenden. Land der Naturwunder. Es ist Mittwochmittag. Wir befinden uns gerade auf einer Tierbeobachtungssafari. Es ist sehr heiß und die Sonne brennt auf uns nieder." Dies ging Debbie-Ann irgendwann auf die Nerven und sie bat Dave damit aufzuhören. „Dave, hör bitte damit auf. Du musst nicht immer alles ansagen, was wir sehen", sagte Debbie-Ann. „Okay", sagte er schnell und filmte weiter.

Joey war damit beschäftigt Elefanten zu beobachten. Seine Schwester Jessica war so von den Elefanten begeistert, dass sie sich von der Gruppe entfernte und zu den Elefanten rannte.

„TOLL! Elefanten. Ich liebe Elefanten!", schrie Jessica laut. „JESSICA! NICHT!", forderte Joey. Die Elefanten rannten nun davon und Jessica blieb schließlich stehen.

„HEY! KOMMT ZURÜCK! ICH WILL EUCH DOCH NUR STREICHELN!", sagte Jessica dann enttäuscht. Anschließend kam Joey, der Jessica nun schimpfen musste.

„Jessica, was machst du denn für Sachen? Du kannst doch nicht einfach auf die Tiere so stürmisch zu rennen. Das erschreckt sie doch nur", schimpfte Joey. „Die sind einfach davongerannt!", ärgerte sich Jessica und schmollte.

„Jessica, das sind wilde Tiere und wilde Tiere bekommen sofort Angst. Die kann man nicht streicheln oder füttern, wie Pferde auf der Weide. Das musst du schon verstehen", erklärte Joey.

Nach etwa einer halben Stunde entdeckte die Gruppe, die erste tote Hyäne. Vor dieser toten Hyäne blieben alle dann stehen. Debbies Hände gingen sofort zum Gesicht. „OH MEIN GOTT", sagte sie entsetzt. „Was ist denn das für ein Tier?", fragte Jessica. „Das ist eine Hyäne. Sie wurde von Wilderern erschossen!", sagte Joey zornig und seine Hände wurden zu Fäusten.

„Diese gemeinen Tiermörder!", knurrte Debbie-Ann. Nach einem weiteren Marsch wurden dann mehrere tote Hyänen auf einem Fleck entdeckt.

„DAS WIRD JA IMMER SCHLIMMER!", sagte Debbie-Ann entsetzt. „Diese sind noch ganz frisch! Wahrscheinlich noch von heute früh", erklärte Joey. „Wa-

rum macht denn keiner etwas dagegen?", fragte sich Debbie-Ann zornig.

„Die profitieren doch nur davon. Die
machen aus allem Geld und dafür
muss die Natur sterben!", knurrte
Joey.

Irgendwann brach der Abend an und
die Gruppe beschloss sich ihre Zelte in
der Savanne aufzuschlagen. Während
Joey und die Anderen damit beschäftigt waren die Zelte aufzuschlagen,
schlich sich Jessica weg, da sie ein
wenig das Land erkunden wollte und
zwar auf eigene Faust. Während sie
durch das Gras marschierte, entdeckte
sie die Spuren von Shilia im Sand. Sie
beschloss sich nun dieser Spur zu folgen. Dabei kam sie nun immer näher
an Shilia heran und irgendwann konnte sie sie weinen hören.

„Hä? Da ist doch jemand traurig",
stellte Jessica fest. Jessica folgte dann
diesem Weinen, welches immer lauter
wurde. Anschließend stand sie vor
Gras, dass etwas höher war, als sie
selbst. Dieses drückte sie dann mit
beiden Händen zur Seite und schon
kam Shilia zum Vorschein.

„Oh, ein Baby", sagte Jessica gerührt.
Anschließend drehte sich Shilia um

und bekam darauf einen Schreck. Sie stand nun auf und rannte davon. „HEY! WARTE! KOMM ZURÜCK! ICH WILL DIR DOCH NUR HELFEN!", schrie Jessica. Sie beschloss sich nun der kleinen Hyäne zu folgen. Dabei rannte sie durch das hohe Gras, welches ihr ins Gesicht peitschte. Shilia konnte am Anfang noch gut vor Jessica flüchten, bis dann später ein hoher Felsen auftauchte, vor dem sie dann stehen bleiben musste.

„BITTE KOMM ZURÜCK! ICH WILL DIR DOCH NUR HELFEN!", schrie Jessica. Dann war es so weit und Jessica stand vor Shilia, die beschleunigt atmete. „Wer wird denn hier gleich wegrennen? Ich will dir doch nur helfen", sagte Jessica und versuchte damit das Vertrauen von Shilia zu gewinnen, was am Anfang noch nicht funktionierte.

Shilia legte dann die Ohren an und fletschte ihre Zähne. Jessica fühlte sich dennoch nicht von ihr bedroht und redete mit ihr weiter.

„Führe dich doch nicht so dumm auf. Ich will dir doch nur helfen", beruhigte Jessica. Sie führte nun langsam ihre Hand in Richtung Shilia, welche dann nach Jessicas Hand schnappte. Jessica zog die Hand sofort wieder zurück.

„Na, na, na! Wer wird denn hier gleich beißen. Ich will dir doch gar nichts Böses." Shilia gab dann schließlich auf und begann zu sprechen.

„Lass mich in Ruhe!", sagte Shilia und drehte sich weinend um. „Du kannst ja sprechen", sah Jessica überrascht auf. „Ich konnte schon mit fünf Monaten sprechen", erwiderte Shilia mit trauriger Stimme. „Warum bist du denn so traurig? Hast du etwa deine Mutter verloren?", fragte schließlich Jessica. Auf diese Worte ließ Shilia richtig den Kopf hängen. Jessica wurde dann auch traurig, da sie wusste, dass sie ihre Mutter verloren hatte. „Och, du hast deine Mutter verloren. Meine Mutter ist schwer beschäftigt. Sie kommt uns immer nur besuchen, wenn sie Urlaub hat und das ist nicht sehr häufig. Ansonsten arbeitet sie nur. Weißt du was? Ich werde ab jetzt deine Mutter sein und ich verspreche dir, dass ich dich nie alleine lassen werde", sagte Jessica und nahm Shilia schließlich auf den Arm.

Shilia schmiegte sich dann an Jessica
heran und schloss ihre Augen.

„Ich heiße übrigens Shilia-Maria",
stellte sich Shilia vor. „Mein Name ist
Jessica." Und so gingen beide dann
weg.

Die Suche nach Jessica

In der Savanne war es nun richtig dunkel geworden. Die Gruppe war mit dem Zeltaufbau fertig geworden. „So, das war es. Die Zelte stehen endlich", schnaufte Joey. „Mann, das hat vielleicht lange gedauert", erwiderte Dave. Am Anfang fiel der Gruppe das Fehlen von Jessica noch nicht auf, bis Debbie-Ann es irgendwann ansprach.

„Joey, wo ist denn eigentlich deine kleine Schwester?", fragte Debbie-Ann. Joey bekam dann einen Schreck und schaute verwirrt umher.

„OH NEIN! JESSICA! SIE MUSS SICH WIEDER WEGGESCHLICHEN HABEN!", sagte Joey geschockt. „Macht sie das denn öfters?", fragte Debbie-Ann. „Ja, das macht sie öfters! Wir müssen sie schnell finden, bevor sie von einem wilden Tier angefallen wird oder sich in der dunklen Savanne verirrt!", warnte Joey. „Einer muss aber bei unserem Zeltlager bleiben und aufpassen", erklärte Debbie-Ann. „Das macht am besten Dave!", sagte Joey gehetzt. „Okay, ich bleibe hier", bestätigte Dave.

Joey ging dann in sein Zelt und setzte seinen Spezialrucksack auf. Zuvor holte er aber noch eine Erfindung heraus; eine Taschenlampe mit der man weit leuchten konnte.

„Mit diesem Speziallicht werden wir sie hoffentlich schnell finden", sagte Joey. „Wie weit kann man damit denn leuchten?", fragte dann Debbie-Ann. „Auf jeden Fall weiter, als mit einer herkömmlichen Taschenlampe", antwortete Joey. Im Anschluss marschierten sie los und machten sich auf die Suche nach Jessica.

Jessica irrte nun mit Shilia in der Savanne herum. Sie wusste nicht mehr, wo Joey und die anderen waren, da es schon dunkel war.

„Oh nein! Ich glaube wir haben uns verirrt. Ich weiß nicht mehr, wo mein Bruder mit den Anderen die Zelte aufgeschlagen hat", befürchtete Jessica. „Bist du etwa mit mehreren hier?", fragte dann Shilia. „Ja, mit meinem Bruder und seinen Freunden. Vor denen brauchst du übrigens auch keine Angst zu haben. Sie haben alle ein Herz für die Tierwelt", erklärte Jessica.

Weiter weg von Jessica und Shilia stapfte Joey mit Debbie-Ann durch die Savanne und leuchtete umher.

„Hoffentlich finden wir Jessica ganz schnell! Hier ist es nachts besonders gefährlich", sagte Joey. Debbie-Ann rief dann nach Jessica. „JESSICA! JESSICA!" Anschließend folge dann auch Joey. „JESSICA! JESSICA! JESSICA WO BIST DU!!", rief er.

Jessica hörte aber nichts von den Rufen, da sie schon zu weit weg war. Die kleine Hyäne und das Mädchen bekamen nun Angst, da sie nichts mehr sahen. Beide schauten gegen die dunkle Wand der Nacht.

„Oh Shilia. Ich habe fürchterliche Angst", zitterte Jessica. „Mir geht es genauso Jessica", erwiderte Shilia und drückte sich ängstlich an Jessica heran.

Nach etwa einer Stunde befanden sich Joey und Debbie-Ann nun endlich in der Nähe von Jessica und Shilia. Joey leuchtete immer noch umher, in der Hoffnung seine kleine Schwester irgendwann mit der Lampe zu sichten.

„JESSICA! JESSICA, WO BIST DU!", rief Joey. Jessica und Shilia hörten jetzt Joeys Rufe und waren froh, dass sie gefunden wurden.

„Shilia, wir sind gerettet!", freute sich Jessica. Sie rannten nun in Richtung Rufe. Irgendwann tauchten dann Shilia und Jessica im Licht von Joeys Taschenlampe auf.

„Debbie, wir haben sie gefunden", sagte Joey erleichtert. Dabei sah dann Debbie-Ann, dass sie mit einer kleinen Hyäne zusammen war. „Oh, sie ist ja gar nicht alleine. Sie ist mit einer kleinen Hyäne zusammen", stellte sie fest.

Als Jessica bei Joey ankam, musste sie ihren Bruder erst einmal umarmen. „Oh Joey, ich bin so froh, dass du da bist. Ich und meine neue Freundin Shilia hatten furchtbare Angst", sagte Jessica und stellte dabei gleich die kleine Hyäne vor. Joey sagte aber am Anfang noch nichts und schaute Jessica böse an. Danach wurde sie von ihm geschimpft.

„Jessica, du kannst dich doch nicht einfach von unserem Zeltlager wegschleichen. Was hast du dir dabei gedacht?", schimpfte Joey. „Aber Joey, wenn ich es nicht gemacht hätte, dann hätte ich Shilia niemals gefunden. Sie hat nämlich ihre Mutter verloren und

zwar wurde sie von einem Wilderer erschossen", erklärte Jessica und zeigte
auf die kleine Hyäne, die ein wenig die
Ohren hängen ließ. Jetzt registrierte
Joey erst die kleine Hyäne und bei
dem Wort Wilderer wurde er dann rot
im Gesicht. Debbie-Ann war entsetzt,
als sie das hörte.

„Ach du meine Güte! Das ist ja noch
ein kleines Kind", sagte Debbie-Ann
entsetzt. „Debbie, sie kann sogar sprechen", sagte dann Jessica. „Ach Jessica, du hast aber eine blühende Fanta-
sie. Tiere sprechen doch nicht", dachte
Debbie-Ann. Anschließend sprach
Shilia aber dann in die Gruppe hinein.
„Ich kann aber sprechen. Das konnte
ich schon mit fünf Monaten", erklärte
sie. Joey und Debbie-Ann bekamen
dann große Augen, als sie Shilia sprechen hörten.

Im darauf folgenden Moment ertönte
aber dann ein Schuss, der die Stimmung dann zerbrach und alle auf-
schrecken ließ. Shilia versteckte sich
hinter Jessica.

„Was war das?!", fragte Jessica ängstlich. Joey ballte dann seine Fäuste zusammen, da er wusste, dass es sich
wieder um Wilderer handelte.

„WILDERER! Denen legen wir jetzt das Handwerk!", beschloss sich Joey. „DU SAGST ES!! Nieder mit diesen dreckigen Tiermördern! Ich bin bereit für den Kampf!", knurrte Debbie-Ann und ließ ihre Hände knacken. Danach folgte ein Schlachtruf und die Gruppe machte sich in die Richtung auf, wo die Schüsse herkamen.

Der Kampf gegen die Wilderer

Joey, Jessica, und Debbie-Ann schlichen jetzt durch die Savanne und lauschten nach weiteren Schüssen. Shilia wurde von Jessica getragen, weil sie müde war und weil es sicherer war. Die Nacht war klar und der Mond schien auf sie herunter. Am Anfang hörte man noch die friedlichen Geräusche der afrikanischen Savanne, wie das Galoppieren einer Zebraherde oder afrikanische Trommeln. Diese wurden aber dann von einem weiteren Schuss gestört. Dieser war aber schon näher dran, als am Anfang und dies bedeutete, dass sie dicht bei den Wilderern waren.

„Wir scheinen schon nah dran zu sein", flüsterte Joey. „Ja, dieser Schuss kam von dahinten", sagte Debbie-Ann und zeigte in Richtung Norden. Dort tauchten dann später Lichtscheine von Taschenlampen auf.

„Hey Joey! Schau mal. Das müssen diese Schurken sein!", sagte Debbie-Ann gereizt.

„So Leute, folgender Plan: Wir schleichen uns jetzt an diese Schurken heran, verstecken uns in den Büschen und wenn sie nah genug dran sind, schlagen wir zu. Als erstes müssen wir aber dafür sorgen, dass sie keine geladenen Gewehre mehr haben. Jessica, du bleibst mit deiner kleinen Hyäne bei mir", plante Joey. „Und dann komme ich ins Spiel!", sagte Debbie-Ann und nahm ihr Kampfgesicht an. „Genau! Gib dann alles, was in deiner Kampfkunst liegt", forderte Joey. „Ja, das werde ich. Ich bin jetzt in richtiger Kampfstimmung", erwiderte Debbie-Ann. „Kommt, lasst uns anfangen", sagte Joey und anschließend näherten sie sich langsam den Wilderern.

Diese waren zu dritt und unterhielten sich. „Mal schauen was wir heute Nacht noch für Fänge machen", sagte Pedro, ein großer Mann mit Augenklappe und vielen Muskeln. „Ja! Vielleicht sind sogar wieder Elefanten dabei, deren Elfenbein wir dann auf dem Schwarzmarkt verschachern können", sagte Johnny, ein etwas schlankerer Wilderer mit einem Stirnband und langen schwarzen Haaren. „Warum knallen wir eigentlich auch Hyänen ab? Die sind doch eigentlich wertlos", fragte sich Luciano, ein kleiner dicker Mann, der immer ein wenig unsicher war. Er war auch nicht gerade intelligent. „Du Vollidiot! Wir kriegen für jedes erlegte Tier Kohle auf dem Schwarzmarkt! Geht das in deine Melone rein!", zischte Pedro und schlug Luciano auf den Kopf. „Aua!", jammerte dieser.

Joey, Debbie-Ann, Jessica und Shilia, befanden sich nun in der Nähe von den Wilderern, waren aber noch so weit entfernt, dass die Wilderer sie nicht hörten. Dort versteckten sie sich dann hinter einem hohen Busch und beobachteten die Wilderer.

„Da sind diese Schufte", sagte Joey leise. „Dieser eine Dicke scheint ein bisschen dämlich zu sein. Den knöpfe ich mir als Erstes vor", beschloss sich Debbie-Ann.

Joey kramte dann in seinem Rucksack herum und holte dort einen silbernen Würfel, der blinkte heraus.

„Was ist denn das?", fragte Jessica. „Das ist eine Erfindung von mir. Ich nenne dieses Teil Molekulartasche oder anders ausgedrückt Hyperwürfel. Dieses Teil ist ein netter Reisebegleiter. Alles, was ich dort hinein tue wird mo-

lekular verkleinert", erklärte Joey.
„COOL!", staunten Shilia und Jessica.
„Wahnsinn! Und wie kommst du dann
an das Zeug heran, was du molekular
verkleinert hast?", fragte dann Debbie-
Ann. „Siehst du dieses digitale Eingabefeld. Ich tippe dort ein, was ich haben möchte und dann erscheint neben
mir dieses Gerät wieder in voller Größe. Ich liebe diese Erfindung. Sie ist so
etwas wie ein kleiner Computer", erklärte Joey. In der Folge aktivierte
Joey den Hyperwürfel und gab etwas
in das Eingabefeld ein. Danach erschien neben Joey ein großes Zebra.
„WAHNSINN!", staunten alle. „Ist das
ein echtes Zebra?", fragte dann Shilia.
„Nein. Das ist auch eine Erfindung von
mir. Das ist ein elektronisches Tier,
aber es verhält sich wie ein echtes
Zebra. Mit diesem Ding werden wir
den Wilderern eine Falle stellen. Die
Wilderer werden dann denken, dass
hier sei ein echtes Zebra und werden
versuchen es zu erlegen. Das wird ihnen aber nicht gelingen, da es unzer-
störbar ist. Und so sorgen wir dafür,
dass diese Schufte ihre Munition ver-
ballern", erklärte Joey. „Und dann
komme ich in das Spiel", erwiderte

Debbie-Ann und rieb sich schon ihre Hände.

Die Wilderer dagegen schauten nach Beute und entfernten sich dann wieder vom Versteck von Joey, Shilia, Jessica und Debbie-Ann. „Tote Hose heute", sagte Luciano. „Wir werden heute Abend noch einen Fang machen und wenn wir die ganze Nacht durch die Savanne schleichen!", sagte Pedro ernst.

Joey aktivierte nun das elektronische Zebra. Dieses begann sofort wie ein echtes Zebra zu wiehern, stellte sich auf seine Hinterbeine und galoppierte in die Savanne. „COOL! Das verhält sich ja wirklich wie ein echtes Zebra", staunte Jessica. „Ja, das ist voll cool", erwiderte Shilia.

Die Wilderer wurden nun auf das Zebra aufmerksam und schauten umher. „HEY! HABT IHR DAS GEHÖRT JUNGS! Da ist was und das kommt genau auf uns zu!", sagte Johnny. Die Wilderer zogen dann die Gewehre. „A, ha, ha, ha! Das gehört uns!", erwiderte Pedro und lachte düster. Die Wilderer schlichen sich nun mit erhobenen Gewehren durch die Savanne und im darauf folgenden Moment galoppierte das Zebra an ihnen vorbei.

„HEY! DA IST ES! Und was für ein prachtvolles Zebra! Das bringt uns ein Haufen Kohle ein! Das schnappen wir uns! Hinterher!", forderte Pedro. In der Folge begann dann die Jagd.

„Die Falle hat zugeschnappt", triumphierte Joey.

Die Wilderer hatten nun das Zebra unter Beschuss, aber sie trafen es nicht weil das elektronische Zebra sehr schnell war und die Wilderer austrickste. „Das gibt's doch nicht! Ich hab noch kein einziges Mal getroffen!", fluchte Pedro. „Das scheint so ein extra schlaues Exemplar zu sein", sagte Luciano. „DAS IST DOCH NICHT NORMAL!", zischte Pedro. So ging es dann eine längere Zeit. Auch als sie das Zebra trafen, passierte nichts. Irgendwann hatten die Wilderer dann keine Munition mehr. „VERFLUCHT NOCH MAL! KEINE KUGELN MEHR!!", fluchte Pedro und schmiss das Gewehr auf den Boden. Johnny folgte dann nach.

„DIE BEUTE IST FUTSCH!", fluchte Pedro nochmals. „Wir müssen jetzt erst mal wieder ins Lager gehen und unsere Knarren aufladen", erwiderte Johnny.

Als die Gruppe sah, dass die Wilderer keine Munition mehr hatten, beschlossen sie sich anzugreifen. „Der Plan hat geklappt! Greifen wir sie an!", forderte Joey. Anschließend folgte wieder ein Schlachtruf und dann begann der Kampf. Die Wilderer waren schon auf dem Weg zu ihrem Lager.

Debbie-Ann sprang dann aus ihrem Versteck, machte einen mehrfachen Salto und stand dann in Kampfstellung vor den Wilderern. „WAS ZUM TEUFEL...!", sagte Pedro überrascht.

„STEHENBLEIBEN GESINDEL! IHR GEHT NIRGENDSWO HIN, AUSSER INS GEFÄNGNIS!", knurrte Debbie-Ann mit verzogenem Gesicht. Pedro und Johnny zeigten aber kein einziges Zeichen von Angst. „Was ist das?" „Eine kleine Schnüfflerin, die ihre Nase in Sachen hineinsteckt, die sie nichts angehen", sagte Johnny. „Das ist doch bloß ein harmloses Mädchen. Mit der werden wir doch mit links fertig, Jungs!", erwiderte Pedro und rieb sich die Hände. Die Wilderer wollten nach Debbie-Ann schnappen, doch diese machte dann einen Rückwärtssalto über die Wilderer hinweg und stand dann hinter ihnen. „Was zum Teufel", wunderte sich Johnny. „LOS, SCHNAPPT SIE! MACHT SIE FERTIG! Es wird euch Hohlbirnen doch noch gelingen gegen ein Mädchen anzukommen!", forderte Pedro. In der Folge setzten Luciano und Johnny zum Angriff an, doch diese wurden sofort von Debbie-Ann abgewehrt. Es folgte dann eine Kombination aus Sprüngen, Drehungen, Tritten, Schlägen und anderer Kampftechniken und schließlich lagen Johnny und Luciano mit vielen Beulen, verlorenen Zähnen und blauen Augen am Boden. „WAHNSINN! Die kann ja total gut kämpfen!", staunte Shilia.

„Na! Wollt ihr Schufte noch mehr!", sagte dann Debbie-Ann streng. Die beiden Wilderer stöhnten darauf und blieben auf dem Boden liegen.

Pedro hatte außer seinem Gewehr noch ein Messer dabei. Dieses zog er dann und warf es in Richtung Debbie-Ann. Diese sprang dann fix zur Seite und das Messer flog gegen einen Baum und blieb stecken.

„DU MISTKERL!", zischte Debbie-Ann. „Mal schauen ob du gegen mich auch ankommst, Mädchen!", knurrte Pedro. „HAAA-JAAA!", brüllte Debbie und kämpfte nun gegen Pedro.

Während Debbie-Ann gegen Pedro kämpfte, holte Joey wieder seinen Hyperwürfel hervor und ließ eine Art blinkendes Seil erscheinen. Dieses besaß einen eingebauten Computer und somit konnte man dieses Seil einprogrammieren, was Joey dann auch tat.

Der Kampf verlagerte sich immer weiter in Richtung des Baumes wo Pedros Messer steckte. Von weiten sah der Kampf, wie Wrestling in Kombination von Saltos, Tritten und Kickboxen aus. Pedro war hart und dachte gar nicht erst daran aufzugeben. Bei Debbie-Ann ließ nun langsam die Kondition nach. Einmal wurde sie sogar zu Boden getreten und fiel mit dem Gesicht in das Gras.

„DAS WAR'S MÄDCHEN!", zischte Pedro. Debbie-Ann stand aber schnell wieder auf und trat anschließend den Wilderer zu Boden. Dies nutzte aber nichts, weil der Wilderer schneller wieder aufstand, als Debbie-Ann dachte.

„Gib es auf Mädchen! Irgendwann verlässt dich deine Kampfkunst!", knurrte der Wilderer. „NIEMALS, DU SCHUFT!", zischte Debbie-Ann. Pedro kam nun dort an, wo das Messer im Baum steckte, zog es mit aller Kraft heraus und zeigte aggressiv auf Debbie. Diese sprang dann schreckhaft zurück.

„A, HA, HA! Jetzt verlässt dich der Mut, Mädchen! Damit hast du jetzt nicht mehr gerechnet!", lachte Pedro finster.

In der Folge warf Joey dann das Seil, was er zuvor programmiert hatte auf Pedro. „Was zum Teufel...!" Das Seil umschlang dann Pedro in Millisekunden, machte ihn wehrlos und zum Schluss wurde Pedro mit voller Wucht an den Baum gefesselt. Sein Messer viel dann zu Boden.

„Super gemacht Joey!", lobte Debbie-Ann. Schließlich kamen Jessica, Shilia und Joey aus ihren Verstecken heraus. Pedro zappelte nun am Baum und versuchte sich von den Fesseln zu lösen. Dies gelang ihm aber nicht.

„DU VERDAMMTE GÖRE! DU HAST MICH REINGELEGT!", knurrte Pedro. Luciano und Johnny standen nun klapprig auf und nahmen dann zitternd ihre Hände hoch. „Wir ergeben uns", sagten beide Wilderer. Diese wurden dann an einen gegenüberlie-genden Baum gebunden. Pedro fluchte dann nur noch herum, weil ihre Pläne von Teenagern zu Nichte gemacht wurden.

Joeys Vision

Joey, Debbie-Ann und Jessica machten sich dann wieder auf dem Weg zu ihrem Zeltlager. Shilia war jetzt in Jessicas Armen eingeschlafen. Im Zeltlager wartete schon Dave ungeduldig auf die Ankunft von der Gruppe. Er saß vor dem Lagerfeuer und grillte Marshmallows. Irgendwann rief Joey nach Dave, als sie wieder beim Zeltlager angekommen waren.

„Hey Dave, wir sind wieder da!", rief er. Dave richtete seinen Blick dann auf die Gruppe. „Oh, na endlich seid ihr wieder da. Ich habe mir schon langsam Sorgen gemacht, wo ihr bleibt", sagte Dave erleichtert. „Es gab noch einen Zwischenfall", sagte Debbie-Ann. Dave wollte dann ganz genau wissen, was das für ein Zwischenfall war und so erzählte die Gruppe die ganze Geschichte, wie sie die Wilderer in die Flucht geschlagen haben. Dies gefiel Dave aber jetzt nicht, da er sehr ungern die Action verpasste.

„Ach nö! Jetzt habe ich das alles verpasst! Das wäre bestimmt ein tolles Video geworden. „Der Kampf gegen die

Wilderer". Na ja, aber es musste ja auch jemand auf das Zeltlager aufpassen", ärgerte sich Dave. „Ach Dave, du bekommst bestimmt noch einmal die Chance etwas Spannendes zu filmen", beruhigte Debbie-Ann und klopfte auf Daves Schulter.

Anschließend baute Joey sein Teleskop auf um ein Blick in die Sterne zu werfen. Als er es aufgebaut hatte, warf er einen Blick auf das Doppelsternsystem Alpha Centauri. Anschließend kam Jessica zu ihm herüber, um zu fragen, ob sie auch mal einen Blick in die Sterne werfen durfte.

„Joey Bruderherz, darf ich bitte auch mal gucken?", fragte sie und nahm ein grinsendes Engelsgesicht an. „Na sicherlich. Aber ich muss dir erst einmal erklären, wie das funktioniert", antwortete Joey. Kurz darauf kam dann auch Shilia gähnend zu ihnen herüber.

„Was macht ihr da?", fragte sie. „Wir werden gleich in die Sterne schauen, Shili", sagte Jessica aufgeregt. „Oh, das hört sich total cool an", freute sich Shilia.

Als Joey seiner Schwester erklärt hatte, wie das Teleskop funktionierte, durfte Jessica in die Sterne schauen. Sie war ganz erstaunt, als sie die vielen Sterne durch das Fernrohr sah.

„Wahnsinn! Das sieht ja echt toll aus! Dieser große Stern sieht total nah aus!", staunte Jessica. „Das ist der Stern Alpha Centauri A. Das ist einer der hellsten Sterne im Sternbild Centaurus. Im Fernrohr sieht er sehr nah aus, aber in Wirklichkeit ist er sehr weit weg. Dieser Stern ist 4,3 Lichtjahre von uns entfernt", erklärte Joey. „Was ist ein Lichtjahr?", fragte dann Jessica. „Ja, was ist ein Lichtjahr?", fragte dann nochmals Shilia. „Ein Lichtjahr ist die Zeit, wie lange das Licht von diesem Stern zur Erde unterwegs ist. Das Licht brauchte etwa 4,3 Jahre um von Alpha Centauri A bei uns anzukommen. Es gibt sogar Objekte, die über 1000 Lichtjahre entfernt sind oder ganz und gar über eine Millionen oder sechs Milliarden Lichtjahre weg sind. Ihr müsst euch vorstellen, dass das Universum unvorstellbar groß ist. Es wird sogar vermutet, dass es unendlich ist", erklärte Joey in voller Aufregung. „WOW!", staunten Shilia und Jessica. „Darf ich jetzt bitte auch mal schauen?", fragte Shilia. Anschließend durfte Shilia einen Blick in

44

die Sterne werfen und was sie sah, war für sie ein wundervolles Erlebnis, weil sie so etwas noch nie in dieser Weise gesehen hatte.

„Oh, es sieht wunderschön aus", strahlte Shilia und lächelte anschließend. In diesem Moment dachte sie nicht mehr an den Tod ihrer Mutter, weil sie jetzt mit viel Freude erfüllt war und Freunde gefunden hatte.

Dave und Debbie-Ann befanden sich im Zelt. Debbie-Ann hatte sich hingelegt, weil sie müde und vom Kampf erschöpft war. Dave dagegen spielte Solitär gegen sich selbst.

Joey, Shilia und Jessica befanden sich noch eine Weile draußen und schauten weiterhin in die Sterne. Diesmal schauten sie sich aber farbige Nebel und noch ein paar Galaxien an. „Cool, diese Nebel sehen einfach fantastisch aus. Dieser hat sogar die Form eines Pferdekopfes", sagte Jessica. „Zeig mal bitte her." Jetzt schaute Shilia wieder in das Fernrohr. „Wahnsinn! Der sieht aber irgendwie wie ein Zebrakopf aus", sagte Shilia. „Deswegen hat man diesen Nebel auch Pferdekopfnebel genannt", erklärte Joey. „Aus was bestehen denn eigentlich diese ganzen Ne-

bel, weil die so tolle Farben haben?",
fragte Jessica neugierig. „Diese Nebel
bestehen aus Gasen die sich bewegen
und ausdehnen und dabei bilden sie
die verschiedensten Formen", erklärte
Joey. „Aus Gasen?", fragte Jessica und
gähnte im Anschluss. Shilia musste
dann auch gähnen. „Jetzt hast du
mich mit deinem Gähnen angesteckt",
erwiderte Shilia. „Ich denke es wird
Zeit, dass ihr beide euch in die Schlaf-
säcke kuschelt. Es ist nämlich schon
sehr spät", sagte Joey.
„Ich...gähn...denke das ist eine gute
Idee", gab Shilia zu. „Shili, schläfst du
heute Nacht bei mir?", fragte Jessica.
„Natürlich schlafe ich heute Nacht bei
dir", antwortete Shilia mit Freude erfüllt und sprang Jessica in die Arme.
Danach schleckte Shila ihr kurz über
die Wange.

„Gute Nacht Joey", sagte Jessica und
verschwand dann mit Shilia im Zelt.

Joey war dann alleine draußen und
dachte über etwas nach. „Wie schlecht
diese Welt doch geworden ist. Die Natur wird zerstört, überall herrscht
Umweltverschmutzung. Wilderer und
jede Menge Gewalt. Was macht der
Mensch nur aus der Erde? Wenn das

so weiter geht, wird es hier bald kein einziges wildes Tier mehr geben und die Natur wird ein einziger Müllhaufen sein. Der Mensch zerstört sich selbst und den Planet", sprach Joey mit sich selbst. Danach schaute er nochmals in die Sterne und dachte über einen Planet nach, der das Paradies sein könnte.

„So nah, aber doch so weit weg. Es müsste da draußen doch irgendeinen Planeten geben, wo das Leben harmonisch mit Mensch und Natur im Einklang ist. Wenn man doch nur die verschiedenen Sterne und Galaxien ansteuern könnte. Das wäre ein Abenteuer und zugleich eine Mission", dachte Joey.

Anschließend bekam Joey einen Gedankenblitz. Er dachte an einen Bau von einem Raumschiff und bekam in Gedanken die Vision des Raumschiffes und die Vision einer von ihm entwickelten Energiequelle. Er sah dann auch, dass das Raumschiff ins All verschwand. Irgendwann tauchte in seinen Gedanken der Planet auf, wo Menschen und Tiere harmonisch in Frieden lebten. Danach war er aus seinen Gedanken wieder draußen und stand unter dem Sternenhimmel.

„Gedankenblitz! Das ist es! Das ist die beste Idee, die ich je hatte. Wir bauen ein Raumschiff und fliegen damit verschiedene Sterne und Galaxien an", sagte Joey aufgeregt.

Er stürmte dann in das Zelt, wo schon alle schliefen und weckte diese auf. Debbie-Ann gefiel das gar nicht, aus dem Schlaf gerissen zu werden. „Hey Leute! Wacht auf! Mir ist gerade die Idee gekommen!", hetzte Joey. Die anderen wurden dann wach. „Was ist denn Joey? Wir haben gerade so gut geschlafen", gähnte Debbie-Ann. „Wir bauen zusammen ein Raumschiff und machen damit eine lange Reise durch das All", warf Joey in die halb müde Menge. Anschließend stand Debbie-Ann auf und griff Joey an die Stirn. „Bist du auch ganz gesund?", fragte sie. „Ihr denkt jetzt bestimmt, dass ich nur Unmögliches Zeug spreche", stellte Joey in Frage. „Nein, wir doch nicht. Es ist nur so, dass es der Mensch bis jetzt höchstens zum Mond geschafft hat", erinnerte Debbie-Ann. „Ja schon, aber ihr wisst noch nicht ganz, worauf ich eigentlich hinaus möchte", erwiderte Joey. „Joey, ich weiß schon, dass es ein tolles Abenteuer wäre durch das All zu fliegen, Sterne anzusteuern und dann vielleicht auf Außerirdisches Leben zu stoßen, aber wie stellst du dir das vor? So etwas gibt's momentan nur in Science-Fiction Romanen und Filmen", fragte Debbie-Ann. „Ich stelle es mir so vor: Als erstes werde ich einen Treibstoff oder eine Energiequelle entwickeln, die es uns ermöglicht durch das All zu fliegen. Danach machen wir Entwürfe von verschiedenen Raumschiffmodellen. Wenn wir ein passendes Modell gefunden haben, beginnen wir mit dem Bau. Ich habe sogar schon einen Ort, wo wir das Raumschiff ungestört bauen können; das alte verlassene Militärgelände bei uns am Sumpf. Dort geht keiner mehr hin", erklärte Joey. „Ich weiß auch warum dort keiner hingeht. Dieses Gelände ist voll mit Mienenfeldern, wo sogar noch etliche Mienen scharf sind", erklärte Debbie-Ann. Dave dachte dann schon an sein nächstes Filmprojekt und rieb sich die Hände.

„Oh ja, das wird mein nächstes Filmprojekt: „Das verlassene Militärgelände". Ich sehe es schon vor mir…" Dave wurde aber dann von seiner Schwester unterbrochen. „Dave, krieg dich wieder ein. Ich find es zwar toll wenn es riskant wird, aber dieses Gelände könnte unser Tod bedeuten", sagte Debbie-Ann mit einem ernsten Gesichtsausdruck. „Nicht wenn wir die Mienen vorher entschärfen", erklärte Joey. „Das kann ja heiter werden", sagte Debbie-Ann. „Also, sobald wir unseren Safariurlaub beendet haben, legen wir mit unserem Projekt los", sagte Joey. Anschließend legten sich alle hin und schliefen weiter.

2.Kapitel

Der Bau des Raumschiffs

Die Planung

Joey, Jessica, Debbie-Ann und Dave kehrten nach dem Urlaub wieder zu ihrem Heimatort zurück, der eine Kleinstadt im mittleren Westen der USA war. Shilia befand sich mit Jessica drinnen in Joeys Zuhause, dass sehr groß war. Es handelte sich um eine Villa, da Joeys Familie sehr viel Geld besaß. Der Vater arbeitete bei der NASA als Astronaut und befand sich schon eine längere Zeit auf der Raumstation ISS. Joeys Mutter arbeitete als Managerin im Hotelgewerbe und befand sich momentan im Ausland. Die Pflege übernahmen deshalb in dieser Zeit ein Kindermädchen und ein Butler. Das Kindermädchen war aber sehr streng und konnte keine Tiere ausstehen. Sie besaß auch zusätzlich eine

Katzenallergie. Jessica konnte Nanny nicht ausstehen, weil sie zu streng war und ihr nicht alles erlaubte. Diese fand sie sogar noch viel schlimmer, als ihre Klassenlehrerin Mrs. Thunder. Mit James, dem Butler vertrug sich Jessica viel besser. Dieser befand sich aber in einem 4-wöchigen Urlaub und deshalb war nur das Kindermädchen in dieser Zeit da.

„Jessica, ich finde dein Zimmer und das Haus echt toll", lobte Shilia, die mit Jessica zusammen ein Brettspiel spielte. „Ja schon, aber das nützt alles nichts, wenn meine Mutter nicht hier ist", sagte Jessica trübsinnig. „Was macht deine Mutter eigentlich so, weil sie nicht da ist?", fragte Shilia und wurde im innerlichen wieder etwas traurig, da sie an ihre Mutter denken musste, die erschossen wurde. „Meine Mutter arbeitet im Burj al Arab als Managerin. Das ist das teuerste und größte Hotel der Welt", erklärte Jessica. Shilia wurde dann neugierig und wollte etwas über das Hotel erfahren. „Cool, das hört sich aber echt interessant an. Kannst du mir etwas über dieses Hotel erzählen?", fragte Shilia und lächelte Jessica in das Gesicht. „Das Hotel sieht aus wie ein riesiges

Segel, das auf einer Insel steht. Ich kann es dir sogar zeigen", sagte Jessica und lief anschließend zu einem Regal und holte eine Karte, die ihre Mutter letztes Jahr geschrieben hatte. „Meine Mutter schickt uns öfters mal Karten, Briefe und Bilder. Hier ist eine Postkarte, die sie mir letztes Jahr geschickt hatte. Hier ist dieses prachtvolle Luxushotel abgebildet", sagte Jessica und zeigte Shilia das Hotel. Shilia bekam dann große Augen und staunte.

„Wahnsinn! Das sieht voll cool aus! Das würde ich mir gerne mal von innen betrachten!", staunte sie. „Dort zu übernachten, können sich wirklich nur die reichsten Leute leisten", erklärte Jessica. „Warst du schon mal dort?", fragte dann Shilia. „Nicht das ich wüsste und wenn ich vielleicht mal dort war, dann war das bestimmt früher, als ich noch ein Baby war und daran erinnere ich mich nicht mehr. Ich hab's bis jetzt eigentlich nur auf Karten oder Bildern gesehen. Einmal hat meine Mutter mal erzählt, wie es dort im Innern aussieht. Dort sei alles sehr edel eingerichtet und mit goldenen Wänden verziert", antwortete Jessica. „Mit anderen Worten wahnsinnig teuer", sagten Jessica und Shilia dann zusammen. „Kannst du mir bitte noch welche von diesen köstlichen Schokochips rüber reichen? Die sind so köstlich! Ich kann einfach nicht mehr aufhören zu essen", fragte Shilia. „Hier sind noch welche, aber schling sie nicht so herunter", sagte Jessica. „Is okay", erwiderte Shilia und aß weiter.

Joey, Debbie-Ann und Dave befanden sich noch außerhalb des Hauses. Sie waren in einem vornehmen Garten, der noch zur Villa gehörte. Überall waren beschnittene Bäume und Hecken. Es gab Blumenbeete und sogar einen Teich mit Goldfische. In der Mitte des Gartens befand sich ein Brunnen, aus dem Wasser plätscherte. Vor dem Haus war eine große Terrasse, vor der sich ein Pool erstreckte. Alles war sehr gepflegt - bis auf eine kleinere Ecke. Dort herrschte Wildwuchs mit hohen Gräsern, Brennnesseln und anderen Unkräutern. Dort befand sich auch ein Tümpel mit sehr hohem Schilf und es stand dort ein knorriger Baum neben einer großen rostigen Blechhütte. Dies war das Labor von Joey. Debbie-Ann schaute sich dann verwundert um.

„Wie sieht es denn hier aus? Gerade eben sind wir noch durch den edlen Garten gelaufen und es war noch nicht mal ein bisschen Unkraut zu sehen und jetzt stehen wir inmitten einer Wildnis", fragte sich Debbie-Ann und kämmte sich kurz ihre langen Haare durch. „Willkommen in meinem wunderschönen Biotop", sagte dann Joey. „Biotop?", erwiderte Debbie-Ann und schaute umher. „Ja. Und diese große Hütte ist mein Labor", sagte Joey. „Ach so, diese rostige Hütte ist dein Labor. Ich dachte das wäre irgendein Schuppen, in dem sich viele Gartengeräte befinden", erwiderte Dave und richtete seine laufende Kamera auf die Blechhütte. „Hast du das jetzt etwa alles gefilmt?", fragte Joey geschockt. „Ja natürlich. Vom Marsch durch den edlen Garten, bis hin zu deinem wilden Biotop. Ich dachte, das wäre mal ein Gag, um zu zeigen, dass selbst die edelsten Gärten unkrautverseuchte Ecken besitzen", erklärte Dave locker. Debbie-Ann musste sich jetzt ein Lachen verkneifen. Joey öffnete dann das Labor. Dazu musste er auf eine Schaltfläche drücken und einen Code eingeben. Als das geschah, gingen die Schiebetüren zur Seite. Zum Vorschein kam dann ein riesiges Labor, das wissenschaftlich eingerichtet war. Allerdings vergaß Joey in den letzten Wochen ein wenig aufzuräumen und deshalb sah das Labor momentan wie eine Müllhalde aus. Überall lagen Schrauben, blaue Pläne von geplanten Erfindungen und Reagenzgläser herum. Hier und da lag auch ein offenes Buch auf dem Tisch. An der Seite standen auch noch jede Menge Säcke mit massenweisem Metall, Schrott von einem Schrottplatz und vielen Aluminiumdosen herum.

„Ähm Joey, wie wäre es mal mit Aufräumen. Hier sieht es ja aus, als ob ein Tornado durchgefegt ist", riet Debbie-Ann. „Entschuldigt wegen der Unordnung, aber ich bin in letzter Zeit nicht mehr zum Aufräumen gekommen", entschuldigte sich Joey. Selbst im Innern des Labors filmte Dave fleißig weiter. Dies störte Joey jetzt und er bat Dave damit aufzuhören. „Dave, kannst du jetzt bitte aufhören zu filmen. Ich möchte nicht, dass du mein Labor filmst, wenn es hier momentan so aussieht, wie im Schweinestall." Dave war dann vernünftig und steckte seine Kamera weg.

„Ich denke, wir räumen hier erst mal zusammen auf, denn so wie es hier momentan aussieht, können wir nicht mit der Arbeit anfangen", erklärte Debbie-Ann. In der Folge nahm sich jeder einen Müllsack und einen Besen und es wurde mit dem Saubermachen begonnen.

Währenddessen in Jessicas Zimmer:

Shilia hatte sich nun auf Jessicas Bett gelegt und rieb sich ihr Bäuchlein. Sie hatte zu viele Schokochips gegessen und bekam davon Bauchschmerzen.

„Oh Mann, tut das weh", jammerte Shilia. Jessica rieb ihr nun das Bäuchlein. „Ich habe dir doch gesagt, dass du die Chips nicht so herunter schlingen sollst. Du bist jetzt selber daran schuld, dass dir dein Bauch weh tut", erklärte Jessica. „Ich dachte Hyänen bekommen keine Bauchschmerzen", sagte Shilia. „Jeder kann Bauchschmerzen bekommen, sogar Hyänen", erklärte Jessica und streichelte über Shilias Köpfchen. „Ich esse nie wieder so viele von diesen Chips", schwor sich Shilia. „Keine Sorge, ich weiß wie die Bauchschmerzen schnell wieder weggehen. Ich bin gleich wieder da", sagte Jessica und marschierte in die Küche.

Dort füllte sie dann eine Wärmflasche mit heißem Wasser. Danach ging sie wieder in ihr Zimmer zurück.

„Hier, halte dir das an dein Bauch und du wirst sehen, dass die Bauch- schmerzen schnell wieder weggehen", sagte Jessica fürsorglich. „Was ist denn das?", fragte dann Shilia. „Das ist eine Wärmflasche. Immer wenn ich Bauchschmerzen habe, gibt mir Joey eine Wärmflasche. Danach sind die Bauchschmerzen schnell wieder weg", antwortete Jessica. Sie legte Shilia nun die Wärmflasche über den Bauch. „Ah, das ist ja ganz warm", fühlte Shilia und schloss ihre Augen. Sie merkte dann, dass die Bauchschmer- zen langsam wieder weg gingen.

Nach mehreren Stunden hatten Joey, Debbie-Ann und Dave das Labor ein wenig aufgeräumt. Es war schon spä- ter Nachmittag. „So, jetzt sieht es hier schon viel besser aus. Jetzt müssen hier nur noch diese Säcke voll Unrat weg", sagte Debbie-Ann und deutete auf die vielen Säcke, die mit Schrott und Dosen voll waren. Joey erklärte dann, dass die Säcke nicht weg durf- ten, da das Materialien waren, die er für seine Erfindungen benötigte.

„Nein, nein, nein! Nicht die Säcke!"
„Wieso denn? Das ist doch alles nur Müll", fragte Debbie-Ann. „Nein, für mich ist das kein Müll sondern Material. Ich brauche diesen Kram zum Bauen meiner Erfindungen", erklärte Joey. „Heißt das jetzt, deine Erfindungen bestehen aus Müll?", fragte Debbie-Ann entsetzt und verzog das Gesicht. „Klingt ja eklig, aber auch interessant", sagte Dave. „Ja, sie bestehen aus Müll, aus verwandeltem Müll", erklärte Joey. Er wurde danach von fragenden Gesichtern angeschaut. „Was meinst du mit Müll, der verwandelt wurde?", fragte Debbie-Ann. „Ich zeige es euch. Kommt mal mit", sagte Joey. Er führte Dave und Debbie-Ann zu einem rechteckigen Kasten mit mehreren Antennen, drei Knöpfen, einer Tastatur und einem Bildschirm. Unten hatte es zwei Fächer, die wie von einem Backofen aussahen. „Das ist eine meiner neusten Erfindungen. Ich habe dieses Ding vor einem Jahr fertig gestellt. Dieses Gerät ist sehr praktisch", sagte Joey in die Runde. „Was ist denn das?", fragte Debbie-Ann. „Das sieht irgendwie wie ein überdimensionaler Backofen aus", vermutete Dave. Ihm fiel es jetzt besonders schwer, nicht zu

filmen, da es nun richtig spannend wurde. Seine Hand, in der sich die Kamera befand zitterte unruhig. „Dave, was ist denn los? Hast du etwa den Drang zu filmen?", fragte Debbie-Ann. Dave stritt dann ab. „Nein, nein. Ich – ich bin nur ganz gespannt auf das, was uns Joey jetzt erzählen wird", log Dave und grinste. „Ja, ja und ich bin der Heilige Geist. Gib es doch zu, dass du diesen Drang hast", fand Debbie-Ann heraus. Jetzt musste Dave die Wahrheit sagen. „Na gut! Du hast mich kalt erwischt. Ich halte es nicht mehr aus! Ich muss jetzt filmen!", sagte Dave und nahm sofort die Kamera vor das Gesicht. Joey gab Dave dann die Erlaubnis zu filmen. „Na gut. Jetzt kannst du filmen", erlaubte Joey. Dave schaltete sofort die Kamera an und Joey begann dann zu erklären, um was für eine Erfindung es sich handelte.

„Mit dieser Erfindung kann ich Müll und Schrott wieder in brauchbare Teile umwandeln", antwortete Joey. Bei diesen Worten mussten Debbie und Dave jetzt staunen. Dave nahm dann sogar seine Kamera runter.

„WAHNSINN!", sagten Debbie-Ann und Dave wie aus einem Mund. Es dauerte aber nicht lange und schon hatte Dave wieder seine Kamera vor dem Gesicht.

Joey beschloss sich dann zu demonstrieren, wie seine Erfindung funktionierte. „Jetzt zeige ich euch, wie das Gerät funktioniert", sagte Joey. Er ging nun zu einem Sack und holte dort eine alte zerknitterte Dose heraus. Danach schaltete er seine Erfindung an. Alles fuhr langsam, wie bei einem Computer hoch. In der Folge ertönte eine Roboterstimme, die sagte „Willkommen". Anschließend machte er die linke Klappe auf und legte dort die alte, zerknitterte Dose herein. Danach drückte er auf einen gelben Knopf und tippte auf der Tastatur herum. Nachdem dies erledigt war, betätigte er den roten Knopf. Anschließend begann die Maschine zu rattern. Die zerknitterte Dose verschwand dann im linken Fach und im rechten Fach tauchte die Dose dann als ein brandneuer Schraubenschlüssel auf. Danach drückte Joey einen blauen Knopf und es gab ein Klingeln wie bei einer Mikrowelle. Jetzt entnahm Joey den brandneuen Schraubenschlüssel.

„Und schon hat man aus einer alten Dose einen neuen Schraubenschlüssel gezaubert", sagte Joey stolz. „Das ist ja absoluter Wahnsinn!", staunten Debbie-Ann und Dave. „Mit dieser Maschine werden wir uns dann auch die Teile für das Raumschiff besorgen. Wir müssen nur auf den Schrottplatz gehen und dort wertlosen Metallplunder sammeln. Danach wandeln wir den Schrott in die Einzelteile des Raumschiffes um. Wenn ich einen Treibstoff oder eine Energiequelle gefunden und entwickelt habe, welche es uns ermöglicht wie in Science-Fiction Filmen durch das All zu reisen, dann kann unser Abenteuer beginnen", sagte Joey aufgeregt. Anschließend begann die Arbeit. Sie setzten sich an den Tisch und begannen Entwürfe von Raumschiffen zu zeichnen.

Jessica und Shilia befanden sich immer noch im Zimmer. Shilias Bauchschmerzen waren nun wieder weg und sie war wieder auf den Beinen. Beide spielten jetzt das Spiel „Ich sehe was, was du nicht siehst".

„Shilia, ich sehe was, was du nicht siehst und das ist rosa", sagte Jessica. Shilia schaute sich nun um und sah, dass sehr vieles in Jessicas Zimmer in rosafarben strahlte. „Ähm, hier ist aber alles rosa. Das ist richtig schwer", sagte Shilia. „Es ist ein ganz bestimmter Gegenstand", erklärte Jessica. Shilia grübelte nun herum. „Ist es vielleicht meine Zunge, bääh", dachte Shilia und streckte ihre Zunge heraus. „Nein, deine Zunge ist es nicht", sagte Jessica. Shilia grübelte und grübelte, kam aber nicht auf den Gegenstand. „Och männo! Das ist voll fies!", motzte Shilia und verschränkte ihre Pfoten. „Shilia, du hast gerade mal einen Versuch hinter dich gebracht und bist schon eingeschnappt. Rate doch weiter", erklärte Jessica. „Das ist aber voll fies! Hier ist fast alles rosa. Kannst du nicht einen anderen Gegenstand nehmen?", fragte Shilia ein wenig eingeschnappt. „Shilia, ich gebe dir mal einen kleinen Tipp. Es ist ganz nah dran", sagte Jessica. Shilia beruhigte sich dann wieder und versuchte noch einmal auf eine Lösung zu kommen. „Ist es vielleicht das Ding, was diese Puppe da trägt?", fragte Shilia und deutete auf ein rosa Kleid, was eine Puppe trug, die auf einem Stuhl saß. „Der Gegenstand ist richtig, aber es ist nicht dieses Kleid", sagte Jessica.

Schließlich bekam Shilia einen kleinen Wutausbruch und drehte sich mit verschränkten Pfoten um. „Och männo! Du bist echt gemein!", motzte Shilia. Nun gab Jessica die richtige Lösung. „Shilia, beruhige dich wieder. Ich sage es dir jetzt. Es war genau vor deiner Nase. Es war mein Kleid. Entschuldigung, dass ich es dir ein wenig schwer gemacht habe", entschuldigte sich Jessica. Shilia drehte sich dann wieder um. „Ist schon gut. Das war aber wirklich sehr schwer. Jetzt bin ich dran. Ich sehe was, was du nicht siehst und das ist dunkel", sagte Shilia. „Sind es deine Flecken?", fragte Jessica. Sie hatte es nun beim ersten Versuch erraten. „Ja, es sind meine Flecken. Wie bist du denn so schnell darauf gekommen?", fragte Shilia dann überrascht. „Ich habe gesehen wie du auf deinen rautenförmigen Fleck am Hinterbein geschaut hast", sagte Jessica. „Och nö, ich habe mich verraten. Jetzt spielen wir mal was Anderes. Ich bin die Hyäne und du das Opfer", sagte Shilia und sprang Jessica zu Boden. Danach wurde sie überall abgeleckt.

„Oh Hilfe, sie hat mich! Bitte habe Gnade!" Anschließend lachten sich beide kaputt.

„Ich bin so froh, dass ich dich gefunden habe", sagte Jessica und drückte Shilia ganz feste. „Ich auch. Wenn du nicht aufgetaucht wärst, wäre ich vielleicht gar nicht mehr am Leben", erwiderte Shilia. Danach schmusten sie gemeinsam und Shilia gab Jessica einen Schleckkuss.

Nun war es spät am Abend und alle aßen zusammen. Dave und Debbie-Ann aßen mit, da Joey eine extra große Salamipizza bestellt hatte. Shilia schlug wieder richtig zu aber diesmal mit Vorsicht, da sie noch an ihre Bauchschmerzen dachte.

„Mmmh, das wird ja immer köstlicher, aber diesmal stopfe ich mich nicht so voll", schwor sich Shilia. „Was bin ich vielleicht satt", sagte Jessica. Debbie-Ann und Dave gingen nach dem Abendessen nach Hause. „Wir sehen uns dann wieder morgen", verabschiedete sich Debbie-Ann. „Bis morgen", erwiderte Dave und danach gingen sie hinaus auf die Straße. „Bis morgen früh", rief Joey nach. Debbie und Dave winkten zum Schluss und verschwanden dann hinter einem Hügel. Shilia und Jessica beschlossen sich jetzt ins Bett zu verschwinden. „Ich gehe mit

Shilia schlafen", sagte Jessica müde. „Gute Nacht ihr beiden. Vergesst aber nicht die Zähne zu putzen", erwiderte Joey. „Ist gut. Gute Nacht", rief Jessica und war dann mit Shilia verschwunden. Sie befanden sich jetzt in einem großen Badezimmer mit einem vergoldeten Spiegel der verziert war und einem Whirlpool.

„Zähne putzen? Wie geht denn das?", fragte dann Shilia. „Keine Sorge, ich putze dir dann deine kleinen Zähnchen. Ich zeige dir auch, wie das funktioniert", erklärte Jessica und nahm sich dann eine Tube Zahncreme und ein Zahnputzglas mit zwei Zahnbürsten. „Wie gut, dass ich zwei Zahnbürsten habe. Eine ist jetzt für dich und die andere für mich", sagte Jessica. Anschließend putzten sie sich ihre Zähne. Shilia lernte es ganz schnell und konnte es zum Schluss alleine. Danach legten sie sich gemeinsam ins Bett und schliefen.

Joey war noch ganz spät im Labor. Dort entwickelte er noch weitere Raumschiffentwürfe. Neben sich hatte er einen kleinen Computer mit vielen kleinen Knöpfen liegen, der wie ein großer Taschenrechner aussah. Dort

waren alle Sterne, Nebel, Astronomi-
sche Objekte und Galaxien, die es gab
abgespeichert. Man konnte ihn auch
als Navigationssystem für den Weltraum verwenden. Joey wurde während
der Arbeit immer müder und müder.
Irgendwann ließ er sich auf den Tisch
fallen und schlief im Labor ein.

Die Energiequelle

Nach etwa einer Woche waren die Teenager schon einen Schritt weiter mit der Entwicklung des Raumschiffs. Sie konnten sich jetzt für einen Raumschiffentwurf entscheiden und hatten diesen jetzt im Labor vor sich liegen. Dieser Entwurf des Raumschiffes hatte die Form eines Hyänenkopfes, nur die Ohren sahen etwas anders aus, da sie die Tragflächen des Raumschiffs waren. Eine Sache fehlte aber noch und das war eine Energiequelle, die das Raumschiff so antreiben konnte, damit es mit Lichtgeschwindigkeit durch das All fliegen konnte.

„Also, wir werden das Raumschiff so konstruieren, wie ich es hier auf die Blaupausen gezeichnet habe. Jetzt fehlt uns nur noch die Energiequelle. Wir müssen jetzt noch herausfinden, wie wir das Raumschiff später auf Lichtgeschwindigkeit und schneller beschleunigen können. Das benötigt noch jede Menge Zeit und Testphasen", erklärte Joey. „Ist doch nicht so leicht, wie es sich alles anhört", erwiderte Dave. „So ist nun mal die Wissenschaft", sagte Joey.

Nach einer weiteren Woche fand Joey nun heraus, welche Energiequelle in Frage käme. Seine Freunde befanden sich in der Schule. Joey musste nicht mehr in die Schule gehen, da er sie schon abgeschlossen hatte. Er bekam sogar an seiner Abschlussfeier eine Urkunde überreicht, auf der geschrieben war, dass er der intelligenteste Junge der Schulgeschichte ist. Er saß jetzt in seinem Labor und las in seinem schlauen Taschencomputer über die Sonne. Er war gerade bei dem Kapitel, wie die Sonne ihre Energie produzierte und dies brachte ihn auf die Idee. „Das ist es! Wir benötigen Fusionsenergie. Wenn es mir gelingt, diese Energie in einen Motor umzuwandeln, dann kann die Mission beginnen", sagte Joey triumphierend. Anschließend schaute er auf eine Simulation, wie die Sonne Wasserstoff zu Helium verbrannte und sah, wie sich daraus Energie entwickelte. Danach begann er gleich mit dem Projekt.

Währenddessen befand sich Jessica in der Schule. Die Schüler und Schülerinnen befanden sich in der Klasse und warteten auf die Lehrerin Mrs.Thunder. „Oh je, das gibt wieder eine harte Stunde", sagte Jessica zu sich selbst. Was Jessica diesen Morgen noch nicht bemerkt hatte war, dass sich Shilia in ihrem Ranzen versteckt hatte. Diese schaute dann kurz aus dem Ranzen. „Hey, hey Jessie", sagte Shilia leise. Anschließend schaute Jessica zu ihrem Ranzen und war überrascht. „Shilia, was machst du denn hier? Deshalb war mein Ranzen heute früh so schwer", sagte sie überrascht. „Ich hatte es satt, jedes Mal am Morgen alleine zu bleiben. Deshalb habe ich mich in deinem Ranzen versteckt. Außerdem wollte ich mal wissen, was du in der Schule alles machst", erklärte Shilia. Ein paar Schülerinnen begannen dann schon über Jessica zu lästern. „Hey, mit wem die da wohl spricht", stellte Marie lästernd in Frage. Marie war die Anführerin einer kleinen Bande, hatte eine fransige Frisur und war grell angezogen. Sie war mit ihren beiden Freundinnen eine Unruhstifterin. Ferner gehörte sie zu den Personen, die Jessica immer beleidigten, auslachten und ärgerten. „Die hat bestimmt eine unsichtbare Freundin. Was Anderes wird sie auch bestimmt nie kriegen hi, hi, hi, hi", kicherte Maries Freundin. Anschließend gingen sie kichernd zu Jessica herüber. „Oh nein, nicht die", stöhnte Jessica. „Wer sind die?", fragte Shilia. „Tauch bitte ab", bat Jessica. Shilia gehorchte und verschwand wieder im Ranzen. Marie kam dann bei Jessicas Tisch an und klopfte dort drauf.

„Hallo Jessica. Ist dir vielleicht etwas heruntergefallen oder sprichst du mit deinen stinkigen Füßen", höhnte Marie. Ihre beiden Freundinnen mussten dann lautstark kichern. „Kannst du mich nicht endlich mal in Ruhe lassen!", zischte Jessica. „Habt ihr das gehört? Wir sollen unser kleines Jessicalein in Ruhe lassen." Danach kicherten alle drei ganz heftig. Shilia wurde im Innern des Ranzens ganz zornig. „Diese miesen Mädchen", sagte sie leise.

„Du bist doch unser kleines Opferlein und das wirst du auch immer bleiben, Mondgesicht", höhnte Marie. Anschließend zog sie den Stuhl weg, wo Jessica drauf saß und diese fiel dann zu Boden. „AUAA!", jammerte Jessica. Darauf lachte jetzt die ganze Klasse.

„Och, hat Jessica plumps gemacht. Das tut mir aber jetzt leid", höhnte Marie.

Jetzt war Shilia richtig wütend. Sie wäre am liebsten aus dem Ranzen gesprungen und hätte sich in Marias Bein festbeißen können. Sie hielt sich aber zurück, da sie nicht gesehen werden durfte. Am Anfang lachte noch die ganze Klasse, bis dann später eine große und kräftige Person vor der Tür mit einem Stock in der rechten Hand auftauchte. Diese Person trug eine Brille und hatte einen Knoten in den dunkelbraunen Haaren. Angezogen war sie mit einer grünen Bluse und einem ockerbraunen Rock. Diese Person war Jessicas strenge Lehrerin Mrs. Thunder.

„Was zum Teufel ist hier los?", fragte sie mit strenger Miene und kratziger, tiefer Stimme. Auf einmal war die ganze Klasse still und nahm Platz. „Hast du wieder Stunk gemacht, Marie?", fragte Mrs. Thunder streng. „Ähm nein, Miss. Wie kommen Sie denn darauf?", log Marie. „Du elende Lügnerin", sagte Jessica heimlich. Marie warf dann einen bösen Blick auf Jessica.

„So, holt die Mathebücher heraus und schlagt sie auf der Seite 49 auf. Rechnet dort die Aufgaben 1-3. Ich werde in der Zeit herumgehen und die Hausaufgaben kontrollieren", befahl Mrs. Thunder. Dies taten die Schüler dann auch, außer Marie. Sie warf Jessica immer noch böse Blicke zu und schrieb einen Zettel. Diesen warf sie dann an Jessicas Kopf. Jessica nahm ihn dann und las: ‚MONDGESICHT, DRAHTMUND!' Danach knüllte sie den Zettel wieder zusammen und warf ihn wütend zu Boden. Schließlich kam Mrs. Thunder an Maries Tisch.

„Wo sind deine Hausaufgaben?", fragte sie streng. „Ähm, meine Hausaufgaben? Die hat, ähm - mein Hund gefressen. Ich werde sie morgen nachzeigen, Miss", log Marie. „Gar nichts wirst du! Das ist jetzt schon das sechste Mal, wo du deine Hausaufgaben vergessen hast! Die Ausrede mit dem Hund zieht bei mir nicht mehr! Das letzte Mal hat deine Schlange die Aufgaben gefressen! Wenn das so weiter geht, verpasse ich dir ein F in deinem Zeugnis und du bleibst sitzen!", knurrte Mrs. Thunder und stampfte weg. Jetzt war Marie richtig zornig und diese Wut ließ sie bei Jessica aus. Sie schrieb wieder einen Zettel und warf ihn an Jessicas Kopf. „Hey", sagte Jessica dann. Sie nahm den Zettel und las: ‚MACH DICH IN DER PAUSE AUF WAS GEFASST!' Anschließend musste Jessica schlucken und danach zerknüllte sie den Zettel und warf ihn auf den Boden. Marie schaute dann mit einem miesen Grinsen zu Jessica herüber.

Am Ende des Unterrichts war Jessica schnell aus der Klasse verschwunden. Sie rannte über den überfüllten Schulhof und verschwand dann in ihrem Versteck. Dort ließ sie dann Shilia aus dem Ranzen.

„Was war das denn eben gerade für eine gemeine Person?", fragte Shilia. „Das war Marie. Sie ist die Tyrannin meiner Klasse und macht immer Ärger. Vor allen Dingen ärgert sie mich immer mit ihren blöden Freundinnen", erklärte Jessica. „Grrr, die würd' ich am liebsten zerreißen!", knurrte Shilia, nahm einen Stock in ihr Maul und rüttelte ihn so durch, dass dieser zerbrach.

Maria befand sich mit ihren beiden Freundinnen jetzt auch auf dem Schulhof und suchte nach Jessica.

„Wo steckt denn jetzt unser kleines Opferlein?", fragte sich Marie. „Die hat sich garantiert irgendwo versteckt!", vermutete ihre Freundin. „Los! Suchen wir unser kleines Mondgesicht!", forderte Marie und lief durch den ganzen Schulhof und schaute in jedes mögliche Versteck hinein. Nach einer längeren Zeit kam sie mit ihren beiden Freundinnen bei Jessicas Versteck an.

„Oh nein, sie sind hier", flüsterte Jessica zu Shilia herüber. Anschließend entwickelte Shilia einen Plan. „Ich hab eine Idee. Pass mal auf, was ich jetzt mache." Shilia spuckte sich dann in ihre beiden Pfoten und zerzauste ihre komplette Mähne. Danach spuckte sie in Jessicas Hand. „Iiih, das ist ja obereklig. Was hast du vor?", fragte Jessica etwas angeekelt. „Los, schmier mir alles ins Fell und zerzause es richtig", forderte Shilia. Jetzt wusste Jessica, was Shilia vorhatte. „Aha, jetzt weiß ich was du vorhast", sagte Jessica. Sie schmierte jetzt Shilias Spucke in Shilias Fell und zerzauste es. Zum Schluss schäumte Shilia noch ihren Mund ein und war dann bereit die bösen Mädchen zu vertreiben. „Pass auf, was jetzt gleich passieren wird", sagte

Shilia in einen spannungserfüllten Ton.

„Wo könnte die nur stecken?", fragte sich Maries Freundin. „Irgendwo wird sie sich schon versteckt haben! Wir werden sie schon irgendwann finden und dann ist sie fällig!", knurrte Marie und rieb sich ihre Hände. Im darauf folgenden Moment sprang Shilia aus den Büschen und stellte sich knurrend vor die drei Mädchen. Ihr Fell stand dabei zu Berge und vor ihrem Maul befand sich Schaum. Die drei Mädchen bekamen dann einen Schreck und rannten davon.
„AAAAAAH, EIN TOLLWÜTIGES TIER!! NICHTS WIE WEG HIER!", schrie Marie. Shilia knurrte dann noch kurz und danach musste sie heftig lachen. „Ha ,ha, ha, ha ha, ha! Feiglinge!", lachte sich Shilia kaputt und krümmte sich auf dem Rücken. Anschließend ging sie lachend zu Jessica zurück.

„Das war echt spitze Shilia", lachte Jessica und schlug mit Shilia ein. „Die sind gerannt wie eine Herde Zebras", lachte Shilia. „Oh ja, die sind voll blöde", erwiderte Jessica. Danach nahm sie Shilia hoch und drückte sie. „Wir sind ein super Team", sagte Shilia und

leckte Jessica danach kurz über die
Wange.

Das strenge Kinder- mädchen

Nach der Schule, als Jessica zuhause ankam, erwartete sie eine ungewollte Überraschung, denn nach zweiwöchiger Erholungspause war Nanny wieder aus ihrem Kurzurlaub zurück. Ihr Auto, ein etwas älterer Mercedes stand auf dem Hof.

„Oh nein, bitte nicht", ärgerte sich Jessica. „Was ist denn los?", fragte dann Shilia. „Sie ist wieder da. Sie ist einfach nur ein Alptraum", erwiderte Jessica. „Von wem sprichst du denn eigentlich jetzt?", fragte nochmals Shilia. „Nanny ist wieder da. Sie ist das schlimmste Kindermädchen, was man sich vorstellen kann. Bei ihr muss immer alles perfekt sein. Sie erlaubt mir fast gar nichts und bei ihr muss ich immer Broccoli essen und ich hasse Broccoli. Und das schlimmste ist, dass sie Tiere hasst", erklärte Jessica. „Was, sie hasst Tiere. Das hört sich aber nicht gerade gut an", sagte Shilia ängstlich. „Letztes Jahr habe ich von James einen kleinen Hamster geschenkt bekommen. Als er dann in seinen 4-wöchigen Urlaub ging, hat Nanny meinen Hamster gesehen, ihn geschnappt und dann die Toilette herunter gespült. Ich war danach richtig traurig", erzählte Jessica.

Anschließend ließ Shilia die Ohren hängen. Was würde wohl passieren wenn Nanny sie entdecken würde? Shilia malte sich nun die schlimmsten Gedanken auf. „Wenn die schon einen kleinen Hamster auf dem Gewissen hat, was wird sie dann wohl tun, wenn sie eine kleine Hyäne wie mich erwischt?", fragte Shilia ängstlich. „Keine Sorge Shilia, ich passe schon auf, dass sie dich nicht kriegt", sagte Jessica in beruhigenden Worten. Shilia kroch dann wieder in Jessicas Ranzen. Danach betrat Jessica nervös einen großen Flur, wo links eine Treppe in die erste Etage führte. Ihr stiegen wieder wohlbekannte Düfte in die Nase. Es war der Duft von kochendem Broccoli der sich mit dem Geruch von Putzmittel vermischt hatte. Jessica wurde von diesem Geruch schlecht und hielt sich die Nase zu. Im Flur war wieder alles blitzblank, sogar der große goldene Kronleuchter schimmerte im Sonnenlicht. Die großen Fenster waren geputzt und die Vorhänge gewaschen.

Jessica lief nun heimlich den Flur entlang und schaute umher, in der Hoffnung sie würde das Kindermädchen nicht sehen. Doch dann kam sie ihr in großer, fürchterlicher Gestalt entgegen. Sie hatte ein wenig Ähnlichkeit mit Mrs. Thunder, war nur etwas dünner als sie. Ihre Haare hatte sie zu einem Knoten zusammengebunden. Sie trug eine Brille und besaß eine längliche Harkennase und ein spitz zu laufendes Kinn. Momentan trug sie eine weiße Schürze. Unter dieser Schürze befand sich ein kurzer Rock.

„Aha! Erwischt! So ist das also, kommt einfach ohne anklopfen hier rein! Das gehört sich nicht!" Sie holte dann ein Klemmbrett hervor und schrieb diese Tat auf. „Jetzt lade dein Zeug ab und komm ins Esszimmer! Wir essen in fünf Minuten! Hopp! Hopp!", forderte Nanny auf und klatschte zweimal in die Hände. „Ja Miss", erwiderte Jessica stöhnend und ging dann die Treppe hinauf und verschwand in ihrem Zimmer. In ihrem Zimmer herrschte noch Unordnung. Das Kindermädchen räumte Jessicas Zimmer mit Absicht nicht auf, da sie lernen sollte auch alleine für Ordnung zu sorgen. Jessica setzte sich dann auf ihr Bett und ließ Shilia wieder aus dem Ranzen heraus.

„Oh Backe, die ist ja wirklich schlimm", sagte Shilia. „Sie ist der absolute Alptraum in Person", erwiderte Jessica. „Was mache ich jetzt? Ich habe voll Angst vor diesem Kindermädchen", zitterte Shilia. „Keine Sorge, ich passe auf, dass dir nichts passiert." Sie streichelte dann Shilias Köpfchen. „Du bleibst jetzt erst einmal hier oben und rührst dich nicht aus dem Zimmer, okay", erklärte Jessica. „Okay", bestätigte Shilia. „Nach dem Essen bin ich schnell wieder bei dir", beruhigte Jessica. Anschließend verließ sie wieder ihr Zimmer und machte es zu.

Joey dagegen befand sich noch im Labor und arbeitete. Diese Arbeit musste er aber dann unterbrechen, da das Kindermädchen zum Mittagessen läutete. Genauso wie Jessica konnte auch Joey Nanny nicht ausstehen. Er hielt sie für eine Haustyrannin und Sauberkeitsfanatikerin. Besonders hasste er sie, weil sie keine Tiere mochte. Er stand dann stöhnend auf und marschierte durch den Garten ins Haus.

Im Esszimmer war der Tisch ganz sauber und ordentlich gedeckt. In der Mitte standen die Töpfe nach Größe und Form geordnet. Zum Essen gab es Gemüse, Salat und Hackbraten mit pikanter Soße. Joey und Jessica durften sich das Essen noch nicht einmal selber nehmen und bekamen das Essen gleich auf den Teller.

„So! Und das wird alles aufgegessen; bis zum letzten Krümel! Ich möchte die Teller leer sehen, ansonsten gibt's Strafpunkte! Und jetzt – wünsche ich guten Appetit und das mir ja nicht gerülpst oder geschmatzt wird!", befahl das Kindermädchen und begann dann zu Essen. Jessica hatte jetzt keine andere Wahl und musste den Broccoli, den sie absolut nicht mochte herunterwürgen. Während sie aß, nahm sie sich heimlich eine Servierte, schnitt ein Viertel vom Hackbraten ab und versteckte dieses hinter ihrem Rücken. Danach fragte sie das Kindermädchen, ob sie auf Toilette durfte. „Miss, darf ich bitte mal auf die Toilette gehen?" „Nein! Erst wird der Teller leer gegessen und dann kannst du auf die Toilette gehen!", sagte das Kindermädchen dumpf. „Aber wenn ich doch mal ganz dringend muss. Ich halt's echt nicht mehr aus", erwiderte Jessica. Diesmal musste das Kindermädchen nachgeben und ließ sie gehen. „Na schön! Dann geh! Aber sei sofort wieder bei Tisch!", befahl das Kindermädchen. Jessica erhob sich dann vom Stuhl, nahm den eingepackten Hackbraten mit und verschwand ganz schnell nach oben. Dort ging sie dann in ihr Zimmer um Shilia das Stück Hackbraten zu geben.

„Shilia, hier ist was zum Essen für dich", sagte Jessica. „Oh, danke Jessica", bedankte sich Shilia und begann zu fressen. Anschließend verschwand Jessica wieder aus ihrem Zimmer, ging auf die Toilette und zog einmal. Danach stolzierte sie wieder die Treppe herunter. „Ich bin wieder da", sagte Jessica. „Nehme Platz und esse dein Gemüse fertig und zwar auf der Stelle!", befahl das Kindermädchen. „Ja Miss", erwiderte Jessica und verzog ihr Gesicht ein bisschen. „Igitt", flüsterte sie zum Schluss.

Nach dem Essen musste Jessica ihr Zimmer aufräumen und dann ihre Hausaufgaben machen. Shilia schaute ihr dabei zu.

„Oh, das sieht aber ziemlich schwer aus", sagte Shilia. „Na ja, es geht schon. Wenn man es verstanden hat, kriegt man das ganz gut hin, aber Mrs. Thunder gibt immer so viele Hausaufgaben auf", erklärte Jessica. „Kann ich das vielleicht auch lernen?", fragte Shilia. „Ich kann dir gerne alles beibringen wenn du möchtest", antwortete Jessica. „Oh, das wäre natürlich toll", freute sich Shilia.

Joey ging wieder in sein Labor zurück und arbeitete am Triebwerk vom Raumschiff weiter. Dabei redete er mit sich selber über das Kindermädchen. „Diese ätzende Haustyrannin! Wann sind wir die endlich mal los?", fragte sich Joey.

Der Test der Energie-quelle

Nach weiteren Wochen war es nun endlich so weit. Joey hatte die Energiequelle entwickelt und beschloss sich, sie seinen Freunden zu demonstrieren. Es war Abend und alle hatten sich in Joeys Labor versammelt.

„Es ist so weit. Ich präsentiere euch nun den Weg ins Weltall", sagte Joey und hob ein großes Tuch hoch und zum Vorschein kam ein längliches Etwas, das silbern glänzte und vorne eine rote Spitze besaß. Es hatte die Form einer schmalen Rakete. „Wahnsinn!", staunten Debbie-Ann und Dave. Dave zuckte nun seine Kamera und filmte.

„Musst du denn wirklich immer alles filmen?", fragte dann Debbie-Ann. „Ja, auf jeden Fall. Ich will alles festhalten, was wir erleben und das ist mir sehr wichtig", erwiderte Dave. „Hast du Joey überhaupt gefragt, ob du filmen darfst?", fragte Debbie-Ann. „Nein, noch nicht. Aber ich werde ihn jetzt

fragen. Joey, darf ich das vielleicht filmen?", fragte dann Dave. „Ja, natürlich. Ich finde das sogar gut", erlaubte
Joey. Anschließend holte Joey ein
kleines Modell vom Raumschiff hervor.

„So, hier habe ich schon ein kleines Modell von unserem Raumschiff angefertigt. So wird es dann auch in groß aussehen", sagte Joey. Der Gruppe verschlug es die Sprache. „Wahnsinn, das sieht ja noch besser als auf dem Entwurf aus", staunte Dave. „Hast du auch schon die Energiequelle getestet?", fragte Debbie-Ann. „Nein, noch nicht, aber ich habe einen Flug mit dem Raumschiffmodell in meinem Taschencomputer simuliert. Das hat sehr gut funktioniert. Ich kann es euch ja noch einmal zeigen", antwortete Joey. Er holte nun seinen Taschencomputer hervor und zeigte seinen Freunden die Simulation. „Hier ist das Raumschiff. Als Ziel nehme ich jetzt mal den Stern Alpha Centauri. Der Computer kann mir ganz genau die Dauer des Fluges dort hin ausrechnen. Passt auf, und ihr werdet staunen", sagte Joey.

Er startete nun die Simulation und sie sahen wie das Raumschiff auf den Stern, schneller als Lichtgeschwindigkeit zuflog. Der Stern kam näher und näher und irgendwann flog das Raumschiff direkt in den Stern hinein und verbrannte. „Oh mein Gott! Wenn das jetzt in Echt passieren würde, wären wir jetzt Asche", sagte Debbie-Ann und erschauerte bei diesem Gedanken. Anschließend zeigte der Computer eine Dauer von zwanzig Minuten. Debbie-Ann und Dave staunten. „Wahnsinn, nur zwanzig Minuten", staunte Dave. „Mit Simulation funktioniert eigentlich immer alles. Es muss aber auch in Wirklichkeit funktionieren. Vor allen Dingen darf nicht das passieren, was wir eben gerade gesehen haben", erklärte Debbie-Ann mit ein wenig Zweifel in ihrer Stimme. „Hey Debbie, wenn wir da rein fliegen würden, würden wir das gar nicht mehr bemerken", sagte Dave ein wenig ironisch. „Ha, ha. Sehr witzig Dave", erwiderte Debbie-Ann.

Anschließend gingen sie raus, um den Treibstoff zu testen. Draußen war es Nacht und die Sterne funkelten am Himmel. Joey positionierte das kleine Testraumschiff so, dass es auf den Stern Alpha Centauri zeigte. Dann holte er eine große Fernsteuerung hervor. „Cool! Sag nur du steuerst dieses Ding mit dem Kasten", staunte Dave und richtete seine Kamera auf die Fernsteuerung. Nun wurde das Testraumschiff eingeschaltet und es begann zu surren. „Ich habe die Energiequelle in dieses kleine Testraumschiff eingebaut", sagte Joey. Anschließend starte-

te er das Raumschiff, indem er mehrere Hebel umlegte. Im darauf folgenden
Moment zischte das Raumschiff in
Richtung All. Anschließend sah man
nur noch einen kleinen Funken.
„WAHNSINN!", staunten Debbie-Ann
und Dave. „Es funktioniert!", triumphierte Joey. Nun klappte Joey einen
kleinen Bildschirm auf, welcher das
Raumschiff wie bei seinem Taschencomputer zeigte. Man konnte nun sehen, wie das Raumschiff durch den
Weltraum flog. „Cool! Das sieht ja fantastisch aus", staunte Debbie-Ann.
Der Stern Alpha Centauri kam nun
immer näher und näher. Irgendwann
erstreckte sich auf dem Bildschirm ein
riesiger gelber Feuerball. „Cool, das
sieht ja aus wie die Sonne", staunte
Dave und filmte nun kurz den Bildschirm.

„Joey! Gleich fliegt dein Testraumschiff
wie bei der Simulation in den Stern!",
schrie Debbie-Ann. Joey verlangsamte
nun das Raumschiff und lenkte es von
Alpha Centauri weg. „Soll ich einmal
um den Stern herumfliegen?", fragte
Joey. Die anderen antworteten dann
mit ja. Er flog das Testraumschiff nun
um den Stern und anschließend kehr-

te er es um, so dass es wieder in Richtung Erde zurückflog.

Nachdem er das Testraumschiff wieder in seinem Garten landen ließ, kam von ihm die erste Frage: „Und, wie fandet ihr es?" „Das war einfach nur megacool!", staunte Debbie-Ann. „Können wir das noch einmal bei einem anderen Stern machen?", fragte Dave. Anschließend kam die nächste Frage. „Mit was fliegt das Raumschiff denn eigentlich?", fragte Debbie-Ann. „Das Raumschiff fliegt mit der Energie, wie die Sonne ihre Wärme produziert", antwortete Joey. „Also fliegt das Raumschiff mit Sonnenenergie", dachte Dave. „Nein, nicht direkt. Es fliegt mit Fusionsenergie", erklärte Joey. „Dann fliegt das Raumschiff ja mit Atomenergie", erwiderte Debbie-Ann. „So kann man es auch nennen, nur es besteht nicht die Gefahr einer Bestrahlung oder Explosion", erklärte Joey.

Während Joey, Dave und Debbie-Ann noch im Garten verweilten, lag Jessica mit Shilia im Bett. Shilia wurde aber dann wach und ging an das Fenster. Dort sah sie dann Joey und die anderen im Garten. Sie beschloss sich dann Jessica zu wecken. „Jessie, Jessie wach bitte auf", sagte Shilia und schüttelte Jessica wach. „Shili, was ist denn?", fragte Jessica verschlafen. „Wach bitte auf. Joey und die anderen sind im Garten und machen dort irgendwelche Experimente. Ich würde gerne wissen, was das für welche sind", sagte Shilia hektisch. „Was, und das ohne uns", erwiderte Jessica und schwang sich aus dem Bett. Danach zog sie sich etwas über. „Wir müssen aufpassen, dass wir nicht Nanny aufwecken", warnte Jessica. „Warum muss die eigentlich über Nacht bleiben?", fragte Shilia. „Das ist leider immer so. Morgens klingelt sie dann einen schon um halb fünf aus dem Bett", stöhnte Jessica. „Na hoffentlich sieht die mich nicht irgendwann", hoffte Shilia. Jessica schlich nun mit Shilia durch das Haus. Die Tür von Nannys Schlafzimmer stand auf Spalt. Jessica und Shilia schlichen sich dann dort vorbei. Anschließend rannten sie die Treppen hinunter und traten aus dem Haus.

„Morgen starten wir den Bau des Raumschiffs", beschloss sich Joey. „Was macht ihr denn da?", kam es dann von Weitem. Joey blickte auf und sah Jessica mit Shilia. „Was macht ihr denn hier? Warum seid ihr nicht im Bett?", fragte Joey. „Wir wollten wissen, was ihr hier experimentiert", sagte Jessica. „Ähm, wir beobachten bloß die Sterne", log Joey. „Ach komm schon Joey, was habt ihr jetzt hier wirklich gemacht?", fragte Jessica. Jetzt musste er seiner Schwester die Wahrheit sagen. „Na schön, wir haben eine Energiequelle getestet, weil wir ein Raumschiff bauen wollen. Und damit wollen wir dann ein Abenteuer ins Weltall aufbrechen", gestand er. Jessica bekam dann große Augen. „Wir fliegen wirklich ins Weltall? Das hört sich total super an! Wann starten wir? Wann starten wir?", fragte Jessica und sprang aufgeregt auf und ab. „WAHN-SINN!", staunte Shilia. „Der Start wird noch viel Zeit beanspruchen. Vielleicht ein oder zwei Jahre. Wenn nichts dazwischen kommt, dauert es nur ein Jahr", erklärte Joey. „Ich kann es kaum abwarten!", strahlte Jessica. Joey sagte jetzt nichts, weil er sich nicht sicher war, ob er seine Schwester mitnehmen sollte, da sie noch ein Kind war. Dasselbe galt auch für Shilia. „Was ist denn Bruderherz?", fragte dann Jessica. „Ach – nichts. Gehe bitte wieder mit Shilia ins Bett. Es ist morgen wieder Schule", sagte Joey hastig und vergaß, dass der nächste Tag ein Samstag war. „Morgen ist doch Samstag", erwiderte Jessica. „Oh, du brauchst aber trotzdem deinen Schlaf", redete sich Joey raus. „Kann ich das Experiment bitte vorher noch einmal sehen?", fragte Jessica und nahm ein grinsendes Gesicht an. Shilia tat es ihr dann nach. Schließlich zeigte Joey noch einmal das Experiment mit dem Modellraumschiff.

Jessica und Shilia waren ganz begeistert. Sie verschwand aber dennoch mit Shilia wieder im Haus. Sie legte sich dann mit Shilia auf das Bett und redete mit ihr über das kommende Abenteuer. „Shilia, ich kann das Abenteuer kaum abwarten. Stell dir mal vor, wir landen auf einem fremden Planeten und können den dann gemeinsam erforschen. Das wäre total supercool", strahlte Jessica. „Oh ja! Das wäre echt super!", erwiderte Shilia. Nun schliefen beide.

Joey und die anderen befanden sich immer noch im Garten. „Ähm Joey, du siehst so besorgt aus. Gibt es irgendein Problem?", fragte Debbie-Ann. „Ja, allerdings. Ich weiß nicht, ob wir Shilia und Jessica auf unsere Mission überhaupt mitnehmen können. Sie sind doch noch Kinder", sagte Joey besorgt. „Ach Joey. Wenn du deine Schwester und Shilia nicht mitnähmest, wären sie total traurig", erklärte Debbie-Ann. „Ich weiß", erwiderte Joey. „Als du ihr das mit dem Abenteuer gesagt hast, war Jessica wie Feuer und Flamme", erklärte Debbie-Ann. „Das Problem ist nur, dass Jessica genauso ist, wie ich als Kind war. Wild, verwegen und abenteuerlustig. Es gab keinen Zeitpunkt, wo ich nicht in Schwierigkeiten war", gestand Joey. „Und, nehmen wir sie jetzt mit?", fragte Debbie-Ann. „Also gut, wir nehmen sie beide mit, aber man muss sie gut im Auge behalten", sagte Joey und bekam einen warnenden Blick. „Das werde ich dann übernehmen", versprach Debbie-Ann. Nach letzten Gesprächen, gingen später Debbie-Ann und Dave nach Hause. Danach legte sich auch Joey schlafen.

Die verlassene Militär-
basis

Am nächsten Morgen stand Jessica schon sehr früh auf um Shilia etwas zum Fressen zu bringen. An Wochenenden schlief selbst das Kindermädchen etwas länger als üblich, stand aber dennoch trotzdem schon um sieben Uhr auf. Jessica schlich durch das Haus und schaute wachsam umher. Als sie in der Küche ankam, ging sie an den Kühlschrank und holte dort fünf kalte Hähnchenkeulen heraus. Anschließend schlich sie sich aus der Küche wieder raus. Dabei wurde sie durch schwere Schritte aufmerksam. Nanny war gerade eben aufgestanden und verschwand im Bad. „Oh nein", sagte Jessica erschrocken. Sie eilte nun wieder die Treppen hinauf und verschwand in ihrem Zimmer. Dort weckte sie dann Shilia.

„Shilia! Wach auf!", hetzte Jessica und rüttelte sie wach. Shilia war dann nicht sehr erfreut, als sie aus ihrem Schlaf gerissen wurde. „Was ist denn? Lass mich doch noch ein bisschen dösen", sagte Shilia verärgert. „Nanny ist

wach! Du musst dich verstecken", erwiderte Jessica warnend. Sofort spitzte
Shilia ihre Ohren. „Auweia! Warum
hast du das nicht gleich gesagt." Anschließend hämmerte es an die Tür
und eine raue Stimme ertönte. „JES-
SICA! Mit wem redest du denn da?",
fragte das Kindermädchen ernst. „Ähm
– mit mir selber", antwortete Jessica.
„Aufstehen! Es gibt gleich Frühstück!
Mach dich fertig und komm dann in
den Speisesaal!", forderte das Kindermädchen. Danach stampfte sie weg.

„Die verhält sich noch viel schlimmer,
als Hyänen im Fresswahn", sagte
Shilia ernst. „Hier, ich gebe dir jetzt
schnell was zum Fressen. Verstecke
dich in deinem Versteck. Ich komme
gleich wieder", sagte Jessica. Shilia
gehorchte, nahm die Hähnchenkeulen
und versteckte sich im Anschluss. Danach verließ Jessica den Raum. „Irgendwann wird sie mich trotzdem finden", dachte Shilia und begann zu
fressen.

Unten im Speisesaal war alles ordentlich gedeckt. Es gab Butter, Früh-
stücksei, Brötchen und Belag in allen
Varianten. Joey und Jessica hingen
dann halb verschlafen in den Stühlen.

„HIER WIRD NICHT GESCHLAFEN!", zischte das Kindermädchen. Sofort waren alle hellwach und begannen zu frühstücken. Dabei viel kein einziges Wort. Irgendwann wurde diese Stille durch mehrmaliges Niesen unterbrochen. „Hatschi! Hatschi! Hatschi! Hatschi!" Das Kindermädchen putzte sich dann die Nase, gefolgt von einem weiteren Niesen. „Hier befindet sich ein Tier!" Sie stand dann auf und suchte das Tier. Jessica schluckte. Anschließend musste das Kindermädchen nochmals Niesen und verschwand in der Küche. Jessica wandte sich dann zu Joey. „Oh nein! Sie wird Shilia finden!", sagte Jessica entsetzt. „Geh schnell nach oben in dein Zimmer und warne sie. Sage ihr, sie soll sich in meinem Labor verstecken. Ich halte das Kindermädchen auf, damit es nicht nach oben geht", forderte Joey. Jessica gehorchte und teilte Shilia die Nachricht mit. Sie öffnete ihr Fenster und ließ Shilia heraus. „Also, geh schnell zu Joeys Labor. Dort wird sie dich nicht finden", sagte Jessica. Shilia kletterte dann aus dem Fenster und machte sich auf dem Weg zu Joeys Labor.

Als das Kindermädchen Besenkammer und Küche durchsuchte und nichts fand, ging sie zurück in das Esszimmer. Sie wollte gerade nach oben, als Joey sie zurückhielt. „Miss, eben gerade ist eine Horde Mäuse in den Keller gelaufen", log Joey. „Was!", schrie das Kindermädchen. Sie verschwand sofort mit Besen in der Hand im Keller. Joey schloss dann die Tür zu. Anschließend kam Jessica herunter. „Shilia ist im Garten. Wo ist Nanny?", fragte dann Jessica. Joey zeigte dann auf die Kellertür. „Hast du sie eingeschlossen?", fragte nochmals Jessica. „Ja. Ich habe ihr gesagt, dass eine Horde Mäuse in den Keller gelaufen ist und dann ist sie in den Keller gestürmt", antwortete Joey. Darauf musste Jessica lachen. „Lass sie da drinnen noch ein wenig schmoren", sagte Jessica und rieb sich ihre Hände. Die Minuten vergingen und es klopfte dann an die Kellertür. „Hey! Was soll das! LASST MICH AUF DER STELLE RAUS!", forderte das Kindermädchen. Joey und Jessica ließen sie dann klopfen. „LASST MICH RAUS! IHR ROTZLÖFFEL!", zischte das Kindermädchen. „Ich glaube, die hat lange genug geschmort", dachte Jessica. Joey ließ Nanny dann wieder heraus. Das Kindermädchen verzog ihr Gesicht wie eine Löwin, die kurz davor war, ihre Beute zu erlegen. „IHR! IHR! WAS FÄLLT EUCH EIN!!", zischte das Kindermädchen. „Oh, Verzeihung. Das Schloss von der Tür muss wohl eingerastet sein", sagte Joey ein wenig grinsend. Das Kindermädchen schwieg dann nur, zuckte ihr Klemmbrett und notierte alles. „ZURÜCK IN DAS ESSZIMMER! MARSCH! HOPP! HOPP! UND DANN VERSCHWINDET IHR IN EURE ZIMMER! ARREST! DEN GANZEN TAG!", zischte das Kindermädchen. Joey und Jessica hielten sich dann die Ohren zu und gingen ins Esszimmer. Nach dem Frühstück marschierten beide in ihre Zimmer. „So eine elende Hexe!", knurrte Joey. Als sie eine längere Zeit im Zimmer waren, schlich sich Jessica heraus und klopfte an Joeys Zimmertür. Joey ließ sie dann hinein. „Oh Mann, die wird ja immer schlimmer", sagte Jessica. „Ist Shilia schon draußen im Garten?", fragte dann Joey. „Ja, sie wartet vor deinem Labor", erwiderte Jessica. „Gut. Wir sind auch gleich draußen", sagte Joey. „Wie sollen wir denn hier unbemerkt raus kommen?", fragte Jessica. „Wir klettern aus dem Fenster, aber wir müssen still sein", antwortete Joey. Joey holte dann seinen Bettlaken plus die Bettdecke hervor, die er zusammengeknotet hatte. Dies hing er dann aus dem Fenster. Danach kletterten sie langsam aus dem Fenster. Als sie unten ankamen, rannten sie zu Joeys Labor, wo Shilia mit einem Schmetterling spielte. „Oh, seid ihr jetzt auch geflüchtet", sagte Shilia. „Wir bleiben doch nicht bei dieser elenden Haustyrannin", sagte Jessica. Joey ging dann in sein Labor, steckte Raumschiffmodell, Baupläne, Bauteile, Mienendetektor, Zelte und Werkzeuge in seinen Hyperwürfel. „So, Debbie-Ann und Dave kommen in ca. zehn Minuten zum Tor. Wenn sie da sind, dann gehen wir zu der verlassenen Militärbasis", sagte Joey. „COOL!", freuten sich Shilia und Jessica zusammen. „Mädchen, denkt dran. Die verlassene Militärbasis ist kein Spielplatz. Dort gibt es einen gefährlichen Wald und dort befindet sich ein Sumpf. Und auf der Basis wimmelt es nur von versteckten Mienen und Blindgängern. Diese Blindgänger sieht man auch nicht auf den ersten Blick. Es ist sehr gefährlich. Was ihr auch tut, bleibt bei mir und meinen Freunden", warnte Joey. Shilia und Jessica nickten kurz.

Schließlich gingen sie heraus. Am Tor wurden sie dann von Debbie-Ann und Dave empfangen. Anschließend machten sie sich auf den Weg zur Militärbasis.

Diese war abgesperrt und es stand dort ein Schild mit Totenschädel davor. Über dem Zaun war jede Menge Stacheldraht gespannt. Auf dem ersten Blick sah es dort aus, wie auf einem Schrottplatz, nur das dort verlassene Baracken standen. Man konnte von weitem den alten Übungsplatz der ehemaligen Soldaten sehen. Dort war das Gras und das Unkraut schon so hoch, dass es unmöglich war Mienenfelder mit bloßem Auge zu erblicken. „Wahnsinn!", staunte Jessica. Dave nahm dann seine Kamera und filmte. Dabei sprach er wieder, wie ein Erzähler. „Die verlassene Militärbasis. Seit 60 Jahren steht sie schon leer...", erzählte Dave. „Dave, höre bitte auf. Hoffentlich verlieren wir nicht unser Leben, wenn wir sie betreten", hoffte Debbie-Ann. Joey holte dann seinen handlichen Mienendetektor aus seinem Hyperwürfel heraus und schaltete ihn an. Darauf begann dieser sofort heftig zu piepen. Joey nahm dann einen Stein und warf ihn an die Stelle wo der Detektor hin zeigte. Sofort gab es einen Knall und zehn Mienenfelder gingen auf einmal hoch. „Du meine Güte!", sagte Joey dann geschockt. „Oh mein Gott!", erwiderte Debbie-Ann, ebenfalls geschockt. Shilia biss vor Angst ihre Zähne zusammen. „Es gibt gar keine Möglichkeit hier unbeschadet durchzukommen", sagte Debbie-Ann ernst und zeigte auf das hohe Unkraut. „Nur die Ruhe bewahren", riet Joey. „Du hast gut Reden, Joey", sagte Shilia. Sie betraten nun mit langsamen Schritten die Basis. Dabei bemerkte Debbie-Ann nicht, dass sie neben einer noch scharfen Miene stand. „DEBBIE! VORSICHT!", schrie Joey. Debbie-Ann machte dann einen Seitwärtssalto und die Miene ging mit einem lauten Knall hoch. „Oh mein Gott! Das war verdammt knapp", schnaufte sie. „Super Seitwärtssalto", kommentierte Dave. „Wenn wir nicht aufpassen, sind wir bald echt tot", warnte Debbie-Ann. Sie gingen nun vorsichtig weiter. Dabei schlug der Detektor mehrmals aus und Joey brachte die Mienenfelder zum Explodieren.

Sie befanden sich nun vor der Wildnis, was mal der Übungsplatz der Soldaten war. Dieser war sogar noch wilder, als er schon von weitem aussah. „So weit so gut, aber wie kommen wir jetzt hier unbeschadet durch?", fragte Shilia und zeigte auf das hohe Gras. „Ihr bleibt jetzt dicht hinter mir. Wir gehen jetzt da hinein", sagte Joey. Er drehte dann an seinem Detektor herum, damit dieser Mienen erkannte, die weiter weg waren. Anschließend betrat er das hohe Gras. Als sie schon ein Stück im hohen Gras gegangen waren, schlug der Detektor aus. Joey warf wieder einen Stein und es gab einen lauten Knall. Vor ihnen erstreckte sich dann ein kreisrundes Loch. Sie gingen nun weiter. Der Detektor schlug noch ein paar Mal aus, bis sie dann endlich das Ende des Übungsplatzes erreichten. Vor ihnen erstreckte sich dann noch eine Reihe von verlassenen Baracken. An der Seite befand sich ein dichter Wald. In diesem Wald wurden früher Kriegssituationen getestet. Es stand dort sogar noch ein Warnschild.

„So, hier bauen wir unser Raumschiff", sagte Joey. „Ist dieser Platz nicht ein bisschen offen für ein Versteck?", fragte Dave. „Keine Sorge. Hier geht doch

niemand außer uns hin", antwortete
Joey. „Werden wir hier auch übernachten?", fragte Debbie-Ann. „Auf jeden Fall, aber nicht immer", antwortete Joey. „Cool!", erwiderte Jessica.
„Komm Jessie, wir gehen mal den
Wald hier erkunden", schlug Shilia
vor. „Oh ja! Dann mal los", sagte Jessica abenteuerlustig und wollte mit
Shilia schon losrennen. „Moment mal,
meine Damen! Wir haben aus gemacht, dass keiner die Gruppe verlässt", erinnerte Joey. „Ach Joey,
komm schon. Sei doch kein Spiel-
verderber", motzte Jessica. „Nein! Du
gehst nicht mit Shilia in den Wald.
Das war so abgemacht gewesen. Ich
hätte dich und Shilia sonst zuhause
gelassen", erklärte Joey ernst. Shilia
und Jessica motzten dann. Joey holte
dann jede Menge Baumaterialien aus
seinem Hyperwürfel heraus. Irgendwann lag ein riesiger Berg mit verschiedenen Blechteilen und Schrauben
vor der Gruppe. Debbie-Ann schaute
dann dumm aus der Wäsche, als sie
den riesigen Berg von Einzelteilen sah
und sprach: „Ähm – okay. Und aus
diesen vielen Teilen willst du das
Raumschiff bauen?", stellte Debbie-
Ann in Frage. „Ja. Das sind aber jetzt

nur die Teile für das Grundgerüst",
antwortete Joey. „Nur das Grundgerüst? Und wie viele Teile hat jetzt das
ganze Raumschiff?", fragte Debbie-
Ann. „In Zahlen ausgedrückt etwa
zehntausend", antwortete Joey locker.
„Ist das jetzt aufgerundet oder ganz
genau die Zahl?", fragte Debbie-Ann
mit großen Augen. „Wenn man
Schrauben und Muttern dazu zählt,
sind es sogar zwanzigtausend", antwortete Joey. „Zwanzigtausend! Damit
werden wir nie im Leben nach einem
Jahr fertig! Da kannst du höchstens
mit fünf Jahren rechnen", sagte Debbie-Ann unglaubwürdig. „Wenn wir
zusammenarbeiten und das jeden Tag,
dann sind wir nach einem Jahr fertig.
Ich habe es präzise mit meinem Taschencomputer ausgerechnet", sagte
Joey. „Für mich klingt das total ab-
surd", erwiderte Debbie-Ann.

Verirrt

Debbie-Ann hatte sich in der Hinsicht von den fünf Jahren aber getäuscht, denn schon nach drei Monaten stand das Grundgerüst des Raumschiffes. „Wahnsinn, das ging ja doch schneller, als ich dachte", stellte Debbie-Ann fest. „Noch neun Monate und dann ist der große Tag", freute sich Joey. Anschließend kam Jessica dazwischen. „Joey! Joey! Wie lange dauert es denn noch bis zum großen Start?", fragte Jessica aufgeregt. „Du kannst es wohl kaum abwarten. Da musst du dich aber leider noch neun Monate gedulden", erklärte Joey. „Och schade. Ich will jetzt schon fremde Planeten erforschen", erwiderte Jessica etwas trotzig. „Moment mal. Wenn wir fremde Planeten entdecken, dann erforschen wir sie zusammen. Auf Alleingang dies zu tun ist sehr gefährlich", warnte Joey. „Wo ist eigentlich Shilia?", fragte dann Jessica. „Ich bin hier Jessie", rief Shilia von einer Wiese her. Jessica ging dann zu ihr. Shilia war schon etwas größer geworden. Ihre hoch stehende Mähne wurde langsam zu einem kleinen Pony und ihre Beine

waren schon etwas länger. „Kaum zu
fassen, wie unzertrennlich sie schon
geworden sind. Sie weichen sich gar
nicht mehr von der Seite", stellte Debbie-Ann fest. „Shilia ist wie eine kleine
Schwester für Jessica. Seid sie mit ihr
so gut befreundet ist, werde ich nicht
mehr für ihre Experimente miss-
braucht", sagte Joey. „Was denn für
Experimente?", fragte Debbie-Ann.
„Ähm – nicht so wichtig", hielt sich
Joey zurück. „Ach, komm schon. Erzähle doch mal. Ich schwöre, dass ich
dich auch nicht aufnehmen werde",
sagte Dave und erhob seine Hand. „Na
gut, ich erzähle es euch, aber versprecht mir bitte, dass ihr nicht lacht",
bat Joey. „Okay", erwiderte Debbie-
Ann. „Jessica hat mir immer Kleider
angezogen, eine Krone aufgesetzt und
mir Haargummis in die Haare gemacht. Das sah dann etwa so aus",
erzählte Joey und zeigte im Anschluss
ein altes Foto. Sofort brachen die anderen in Gelächter aus. „Hey! Ihr habt
mir versprochen, dass ihr nicht lacht",
erwiderte Joey etwas verärgert. „Tut
uns leid Joey, aber das sieht zu lä-
cherlich aus um sich ein Lachen zu
verkneifen", lachte Debbie-Ann. „Hey
Joey, willst du's noch einmal sehen.

Ich spule es gerne noch einmal für dich zurück", sagte dann Dave. Jetzt wurde Joey ganz rot im Gesicht. „Du hinterhältige Ratte! Du hast es doch aufgenommen!", zischte Joey. „Oh, ich habe wohl vergessen die Kamera auszuschalten", erwiderte Dave und grinste. „Lösch sofort das Band!", forderte Joey. „Kannst du etwa keinen Spaß vertragen?", fragte dann Dave. „Bei so etwas nicht! Das ist total peinlich!", knurrte Joey. „Jungs, hört auf euch zu streiten!", forderte Debbie-Ann.

Währenddessen befanden sich Jessica und Shilia am Waldrand. „Shilia, Joey hat doch gesagt, dass wir nicht in den Wald dürfen", erinnerte Jessica. „Ach Jessie, komm schon. Was kann hier schon Großartiges passieren?", fragte Shilia. „Na ja, eine ganze Menge und wenn Joey rauskriegt, dass wir uns weggeschlichen haben, dann dürfen wir am Ende nicht mit in den Weltraum", antwortete Jessica. Shilia war aber dann schon weg. „Shili? Shili, wo bist du!" „Ich bin hier! Komm schon oder willst du bis Weihnachten warten", rief Shilia zu Jessica. Sie rannte dann zu Shilia und ging mit ihr in den Wald.

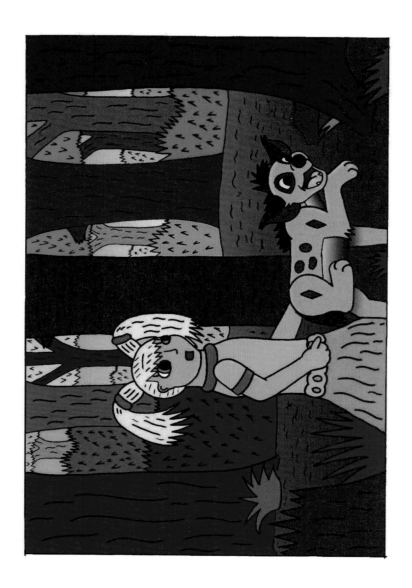

„Habt ihr jetzt euren Streit beendet?",
fragte Debbie-Ann. „Ja, haben wir. Ich
habe es gelöscht", sagte Dave, aber mit
einem nicht erfreulichen Ton. „Das ist
auch gut so", erwiderte Debbie-Ann.
„Komm wir bauen weiter, sonst dauert
es umso länger, bis wir in den Weltraum können", sagte Joey. Anschließend bauten sie weiter.

„Shilia, geh da bitte raus. Das ist garantiert ein Fuchsbau", sagte Jessica.
Shilia ging dann wieder raus. „In so
einer ähnlichen Höhle wurde ich gebo-
ren. Sie war nur viel größer als diese",
erzählte Shilia. „Shilia, du hast mir
noch nie von deiner Mutter erzählt",
sagte Jessica. Sofort ließ Shilia ihren
Kopf hängen und sie begann zu weinen. „Oh Shili, das tut mir jetzt aber
leid. Ich wollte dich nicht traurig machen", entschuldigte sich Jessica. „Is'
schon in Ordnung. Es ist jetzt nicht
deine Schuld. Ich musste eben gerade
an sie denken", sagte Shilia traurig.
„War deine Mutter so nett wie du?",
fragte Jessica. „Meine Mutter war die
Größte. Sie war die Königin unseres
Rudels", antwortete Shilia. „Wow! Eine
Königin!", staunte Jessica. „Meine
Mutter war immer für mich da. Sie hat
mir immer genug zum Fressen ge-

bracht, sie hat mir Geschichten von der Savanne erzählt und hat mich in den Schlaf gesungen", erzählte Shilia. Während sie sich unterhielten, gingen sie immer tiefer in den Wald hinein. „Wie viele Mitglieder hatte denn dein Rudel?", fragte Jessica. „Sehr viele. Mein Rudel gibt es ja noch, aber nachdem meine Mutter tot war, sind sie alle in ein anderes Revier gezogen und dabei bin ich zurückgeblieben. Ich bin zu meiner verletzten Mutter gerannt und wollte sie retten, aber sie konnte nicht mehr. Ihre letzten Worte waren, ‚Rette dein Leben' und ‚Ich werde immer in deinem Herzen sein'. Es war furchtbar", weinte Shilia. Jessica musste jetzt auch weinen. „Das ist ja total traurig", weinte Jessica. Sie gingen immer tiefer in den Wald hinein. Man sah nichts mehr, als dichtes Laub, Büsche und alte, hochstämmige Bäume. Als die beiden stehen blieben, stellten sie fest, dass sie sich verlaufen hatten.

„Oh nein! Wo sind wir jetzt denn eigentlich?", fragte Shilia und schaute verwirrt umher. Jessica schaute sich dann um. „Oh oh, ich fürchte wir haben uns verlaufen", befürchtete Jessica. „Sag, dass das nicht wahr ist", erwiderte Shilia ängstlich. „Oh doch", sagte Jessica ernst. „Mach mir jetzt bitte keine Angst", bat Shilia. „Es ist aber so. Wir haben uns jetzt in diesem gefährlichen Wald verlaufen", erklärte Jessica. „Und was machen wir jetzt? Wie kommen wir hier wieder raus?", fragte Shilia panisch. „Du bist doch eine Hyäne. Ihr Hyänen habt doch eigentlich einen guten Orientierungssinn", dachte Jessica. „Der nützt mir hier aber leider nichts, weil ich mich hier nicht auskenne", erklärte Shilia. „Okay, dann versuche ich es. Joey hat mir mal gesagt, umso dunkler es im Wald wird, desto tiefer wird es. Wenn wir in Richtung hell laufen, kommen wir wieder raus", dachte Jessica. Anschließend raschelte es in den Büschen. Beide erschraken. „Was war das?", fragte Shilia nervös. „Das war bestimmt nur ein Kaninchen – hoffe ich", sagte Jessica ängstlich. „Warum hoffst du das? Was gibt es hier denn noch für Tiere?", fragte Shilia. „Na ja, hier in der Gegend gibt es sehr viele Wildschweine", erklärte Jessica. „Und – sind diese Tiere gefährlich?", fragte Shilia nervös. „Oh ja. Besonders in der Zeit, wenn sie Junge haben", erklärte Jessica. Shilia schluckte dann. Anschließend raschelte es nochmals und sofort sprang ein ausgewachsener Eber aus den Büschen. „Oh Backe! Ein ausgewachsener Eber! Renn um dein Leben Shilia!", schrie Jessica. Schließlich nahmen sie die Beine in die Hand und rannten davon. Der Eber rannte schnaufend hinterher. Am Anfang konnten sie ihm noch gut entkommen, bis Jessica in einem Schlammloch stecken blieb und in den Matsch fiel. „JESSIE!", schrie Shilia. „Hilfe! Ich stecke fest! Shili!", schrie Jessica. Der Eber holte dann immer mehr auf.

In Shilia stieg nun eine riesige Energie auf. Diese Energie ließ sie ihre Angst überwinden. Nun fletschte sie ihre Zähne, dann begann sie zu knurren und wurde aggressiv. Sie drehte sich sofort um und sprang weg.

„SHILIA! TU ES NICHT! DER WIRD DICH UMBRINGEN!", schrie Jessica entsetzt. Sie reagierte aber nicht. „SHILI!" Dann war es auch schon zu spät. Der Eber und die jetzt aggressive Shilia standen sich nun schnaubend gegenüber. Der Eber griff sofort an, bekam aber Shilia nicht zu fassen, weil sie zu schnell war. Es gab ein längeres hin und her, bis dann plötzlich Shilia mit weit aufgerissenem Maul ihre mächtigen Zähne entblößte und damit auf den Eber sprang. Der Eber sprang aber weg und Shilia biss in den Boden. „SHILIA! LASS DAS DICKE SCHWEIN UND HILF MIR!", schrie Jessica. Von Shilia kam aber immer noch keine Reaktion. Stattdessen sprang sie nochmals auf den Eber. Aber diesmal erwischte sie ihn und knallte ihn gegen einen Baumstamm. Der Eber war kurz bewusstlos. Dann kam er aber wieder zu Bewusstsein. Shilia lachte dann wie eine Hyäne, die kurz davor war ihre Beute zu verspeisen. Danach knurrte sie ganz heftig. Der Eber quiekte ängstlich und zischte ab. „Shilia?", sprach Jessica. „Eine Sekunde bitte", sagte Shilia dann schnaufend. Nun rappelte sie sich langsam auf und ging zu Jessica. „Was war denn auf einmal los mit dir? Ich habe dir gerufen und du hast nicht reagiert", fragte sich Jessica. „Das war mein Instinkt", antwortete Shilia. „Ich stecke hier aber immer noch fest", sagte Jessica laut. „Keine Sorge, ich ziehe dich raus. Lege deine Hand in mein Maul", bat Shilia. „In dein Maul?", fragte dann Jessica unsicher. „Ja, damit ich dich rausziehen kann", antwortete Shilia. „Das wird doch jetzt hoffentlich nicht weh tun", zweifelte Jessica. „Mach schon, oder willst du die Nacht in diesem Schlammloch verbringen?", fragte Shilia und grinste. „Nein. Aber was ist, wenn du doch aus Versehen zu feste zubeißt?", fragte nochmals Jessica. „Sag nur, du vertraust deiner eigenen besten Freundin nicht", dachte Shilia und war ein wenig enttäuscht. „Shili, das ist es nicht. Kannst du es nicht mit deinen Pfoten probieren?", fragte Jessica. „In meinem Maul habe ich aber viel mehr Kraft. Lege jetzt bitte deine Hand in mein Maul", bat Shilia und öffnete dann ihr Maul. „Na gut", sagte Jessica und zögerte ein wenig. Sie legte nun ihre Hand in Shilias Maul. Shilia zog sie dann mit aller Kraft aus dem Schlammloch. Dabei verlor sie aber einen ihrer Schuhe.

„Das hat noch nicht einmal weh getan", sagte Jessica. „Das habe ich doch gesagt. Und noch etwas; ich hätte dich auch mit meinen Pfoten rausziehen können. Ich habe dich nur auf die Probe gestellt", sagte Shilia und grinste Jessica nun an. „Oh Shilia. Du bist mir vielleicht ein Schlingel", erwiderte Jessica und streichelte Shilias

Köpfchen. „Wenn du jetzt nicht deine Hand in mein Maul gelegt hättest, dann wäre ich ein wenig enttäuscht gewesen", erklärte Shilia. „Ich sehe jetzt aus wie ein Schwein und meinen Schuh habe ich auch verloren", sagte Jessica und hob ihr Kleid an. „Du siehst aus, wie mit Schokolade überzogen", kicherte Shilia. „Ach ja?" Jessica nahm nun Schlamm und warf ihn in Shilias Gesicht. „Hey! Das ist unfair!" „Schlammschlacht!", brüllte dann Jessica. „Ich mach dich fertig, Jessie", schrie Shilia lachend. Nun bewarfen sich beide mit Schlamm. Dabei näherten sie sich einem großen Sumpf wo Jessica beinahe hinein trat. „Jessie Vorsicht!", warnte Shilia. „Oh, danke Shili. Das muss dieser gefährliche Sumpf sein, von dem Joey gesprochen hat", sagte Jessica. „Der sieht ja total eklig aus", sagte Shilia. „Wer weiß, was da schon für Chemikalien hineingeschüttet wurden", erwiderte Jessica. „Komm, wir gehen hier weg", sagte Shilia.

Jessica schaute sich dann um und sah keine hellen Stellen mehr. „Oh nein, wir haben jetzt noch ein viel größeres Problem. Durch die Schlammschlacht und den Eber haben wir uns jetzt richtig verirrt", erklärte Jessica ernst.

Der Rest der Gruppe war noch so mit dem Arbeiten beschäftigt, dass sie die Abwesenheit von Shilia und Jessica noch nicht bemerkten. „Puh, bin ich geschafft", stöhnte Joey und ließ sich zu Boden sinken. „Ich glaube, wir müssen mal eine Pause einlegen", schlug Debbie-Ann vor. „Das denke ich auch", erwiderte Dave und trank eine Dose Cola. „Dave, wie viele Dosen Cola hast du denn schon getrunken?", fragte Debbie-Ann. „So ca. 10", antwortete Dave. „Also Dave! So viel Koffein ist total ungesund", erklärte Debbie-Ann. „Ich habe nur so viel Cola getrunken, damit ich fit mitarbeiten kann und jetzt drückt es mir auf die Blase. Ich muss mal kurz weg", sagte Dave und flitzte weg. „Selbst dran schuld. Wo ist denn eigentlich deine kleine Schwester mit ihrer Freundin?", fragte Debbie-Ann im Anschluss. „Die sind dahinten", sagte Joey und zeigte auf die Wiese, wo sich aber keine Personen mehr befanden. Schließlich bekam er einen Schreck. „Oh nein! Sie sind weg!", sagte Joey entsetzt. „Vielleicht spielen sie gerade auch nur verstecken", versuchte Debbie-Ann zu beruhigen.

Sie rannten nun zur Wiese und sahen dann Shilias und Jessicas Spuren auf einem Schlammweg, der in den Wald führte. „Oh nein! Sie sind trotz meines Verbotes in den Wald gegangen! Wir müssen sie finden! In diesem Wald wimmelt es nur so von Gefahren! Einer muss aber bei unserem Lager bleiben", sagte Joey und richtete seinen Blick zum Lager, wo Dave dann auf sie zu rannte. „Was macht ihr denn hier Leute?", fragte Dave. „Jessica und Shilia haben sich weggeschlichen. Wir müssen uns auf die Suche nach ihnen machen und sie schnell finden, bevor es dunkel wird", sagte Joey ernst. „Diesmal bleibe ich aber nicht beim Lager", erwiderte Dave. „Tut mir leid, Debbie. Dann musst du diesmal beim Lager bleiben", erklärte Joey. „Ist schon okay. Dann macht euch auf die Suche und ich hoffe, dass ihr sie schnell findet", sagte Debbie-Ann und marschierte zum Lager zurück. „Okay. Dann nichts wie los!", forderte Joey und rannte mit Dave in den Wald.

Jessica und Shilia irrten weiterhin durch den jetzt schon dunklen Wald.

„Oh Jessie, ich friere und ich habe Hunger", jammerte Shilia. „Mir geht's genauso, meine Kleine", sagte Jessica und nahm Shilia hoch. „Ich möchte hier wieder raus", sagte Shilia jammernd. „Ich auch. Hoffentlich hat Joey bemerkt, dass wir weg sind und sich auf die Suche nach uns gemacht", hoffte Jessica. „Dann kriegen wir aber mächtigen Ärger", erwiderte Shilia. „Ich weiß. Und wenn wir richtig Pech haben, dürfen wir am Ende nicht mit in den Weltraum", befürchtete Jessica.

Joey stapfte mit der Taschenlampe in der Hand durch den Wald. Dave folgte ihm mit der Kamera in der Hand. „JESSICA! SHILIA! WO SEID IHR!" rief Joey. „Wir befinden uns gerade in einem der gefährlichsten Wälder hier in der Gegend. Die Schwester von Joey ist mit ihrer kleinen Freundin spurlos verschwunden", sprach Dave mit sich selbst. „Dave, hör bitte auf damit! Meine Nerven liegen schon blank", sagte Joey ernst.

Sie suchten und suchten und nach etwa vier Stunden befanden sie sich in der Nähe von Jessica und Shilia. Im Wald war es nun stockdunkel.

„Oh Jessie, ich habe Angst", zitterte Shilia und klammerte sich an Jessica. „Ich auch und mir ist kalt", zitterte Jessica. „JESSICA! SHILIA! WO SEID IHR!", schrie Joey. „Das ist Joey. JOEY! WIR SIND HIER!", schrie Jessica. „Das ist Jessica! Wir folgen der Stimme und dann haben wir sie gefunden", sagte Joey erleichtert. „Komm Shilia, wir folgen der Stimme und dann sind wir hier bald draußen", erklärte Jessica. Sie rannten nun in Richtung Rufe. Als Jessica ihren Bruder und Dave sah, fiel sie ihrem Bruder in die Arme. „Oh Joey, ich bin ja so froh, dass du da bist", sagte Jessica erleichtert. „Jessica! Warum machst du immer solche dummen Sachen? Ich habe dir doch gesagt, dass du nicht in den Wald gehen sollst! Du hättest verletzt werden können - oder noch viel schlimmer, dein Leben verlieren können!", schimpfte Joey. „Joey bitte schimpfe nicht Jessica. Wenn du jemanden schimpfen musst, dann mich. Es war meine Schuld", gab Shilia zu. „Du?", fragte dann Joey. „Ja, ich habe Jessica dazu gebracht mit mir in den Wald zu gehen. Äh, ich habe gedacht, dass hier nichts Großartiges passieren kann und dann haben wir uns verirrt.

Es tut mir Leid", entschuldigte sich
Shilia und begann zu weinen. „Shilia,
warum nimmst du jetzt alle Schuld
nur auf dich? Wir waren beide daran
beteiligt und außerdem hast du mir
das Leben gerettet", sagte Jessica. „Also, ich werde es kurz und schmerzlos
sagen", fing Joey an. „Das war's Shili.
Jetzt dürfen wir nicht bei der Weltraummission mit. Wenn man es so
sieht, haben wir das ja auch beide
verdient", stöhnte Jessica und verzog
ihr Gesicht. Shilia tat es ihr nach. „Also, ein Monat Hausarrest für euch!",
sagte Joey laut. „Okay", sagten Shilia
und Jessica mit einem Ausdruck von
Enttäuschung. „Lasst uns jetzt gehen",
forderte Joey. „Tut mir Leid Jessica",
entschuldigte sich Shilia. „Ist schon in
Ordnung Shilia", erwiderte Jessica.
„Aber wegen mir haben wir jetzt Hausarrest", sagte Shilia traurig. „Das ist
auf jeden Fall besser, als das wir nicht
an der Weltraummission teilnehmen
dürfen", erklärte Jessica. „Ach Jessica,
bevor ich es vergesse. Mit Hausarrest
habe ich auch Fernsehverbot gemeint",
sagte Joey ernst. Schließlich gingen sie
zu ihrem Lager zurück.

Das Abenteuer beginnt

Die Tage verronnen und ein Monat war schon fast vergangen. Jessica und Shilia hatten den Arrest schon leid. Sie saßen in ihrem Zimmer und spielten zusammen Karten. Shilia hatte schon mehrmals hintereinander verloren und war nun trotzig. „Das ist nicht fair! Ich habe keine Lust mehr auf dieses blöde Spiel!", motzte Shilia. „Da ist wohl jemand eine schlechte Verliererin", höhnte Jessica. „Ich bin keine schlechte Verliererin!", zischte Shilia und verschränkte ihre Pfoten. „Bist du doch", erwiderte Jessica. „Wenn du das noch einmal sagst, dann rede ich heute kein Wort mehr mit dir!", drohte Shilia. „Du wirst immer gleich bockig, wenn es nicht nach deinem Kopf geht", sagte Jessica. „Das war's! Jetzt rede ich kein Wort mehr mit dir", erwiderte Shilia trotzig und drehte sich um. „Shilia, hör schon auf", bat Jessica. Von Shilia kam dann keine Reaktion. „Shilia, das ist jetzt total kindisch von dir", sagte Jessica. Shilia sagte aber immer noch nichts. „Na schön! Dann lass ich dich eben motzen! Ich werde jetzt auf jeden Fall gehen!", zischte Jessica und verließ das Zimmer. Es dauerte nicht lange und Shilia stand auf. Sie rannte dann hinter Jessica her. „Jessie, warte auf mich!", schrie Shilia. „Oh, auf einmal redest du wieder mit mir", sagte Jessica in einem merkwürdigen Ton. „Entschuldigung, dass ich gemotzt habe", entschuldigte sich Shilia. „Du bist manchmal richtig dickköpfig", erwiderte Jessica. „Du gewinnst jedes Mal und ich habe überhaupt keine Chance gegen dich", beschwerte sich Shilia. „Man muss auch einmal verlieren können", erklärte Jessica. „Das ist schon klar, aber wenn man ständig verliert, ist das doof", sagte Shilia.

Währenddessen auf dem Militärgelände arbeiteten Joey und seine Freunde am Raumschiff, welches immer mehr Gestalt annahm. „Wenn wir in diesem Tempo weiterarbeiten, dann sind wir sogar früher fertig, als geplant", sagte Joey. „Oh Mann, ich bin fix und fertig", sagte Debbie-Ann und ließ sich in das Gras fallen. Dave ging dann zu Debbie-Ann und filmte sie. „Und hier sehen wir ein Mädchen, was von der Arbeit geschafft ist. Mal schauen was sie zu sagen hat", sagte Dave wie ein Reporter. „Halte die Klappe!", erwiderte

Debbie-Ann laut. „Oh, das klingt aber sehr gereizt", kommentierte Dave.

Nach weiteren Monaten war es nun endlich so weit. Es war Sommer des nächsten Jahres. Das Raumschiff war fertig gestellt und stand abgedeckt auf der Wiese. Alle hatten sich zur Enthüllung versammelt. Shilia war nun schon fast ausgewachsen und reichte bis Jessicas Knie. „Oh, ich kann es kaum abwarten", sagte Shilia gespannt. „Mir geht's genauso", erwiderte Jessica und rieb sich ihre Hände. „Ich präsentiere euch nun unser fertiges Raumschiff", sagte Joey und enthüllte das fertige Raumschiff. Dave nahm dann das fertige Raumschiff mit seiner Kamera auf. „Wahnsinn, das ist ja gigantisch geworden", staunten Jessica und Shilia. Nun beschlossen sie sich das Raumschiff zu taufen.

„Jetzt werden wir das Raumschiff taufen. Hat jemand einen Vorschlag?", fragte Joey. „Ich habe einen Namen. Wie wäre es mit ‚Die Shilia'?", fragte Shilia. „Wir können das Raumschiff doch nicht mit deinem Namen taufen", sagte Jessica. „Schade", erwiderte Shilia etwas enttäuscht. „Ich habe einen Vorschlag. Wir nennen es ‚Raumschiff Dave"', schlug Dave vor. „Wir können das Raumschiff doch nicht nach dir benennen. Wir brauchen einen völlig neuen Namen, der kraftvoll klingt", erklärte Joey. „Wie wäre es denn mit ‚Die Hyäne'? Dieser Name klingt kraftvoll und stark", schlug Shilia vor. „Der Name ist aber zu einfach. Es muss etwas Besonderes sein", erwiderte Joey. „Ich hab's! Wir nennen es Raumschiff Kassiopeia", schlug Debbie-Ann vor. „Der Name hört sich eigentlich nicht schlecht an, aber wie wäre es mit Raumschiff Animalia?", fragte dann Joey. Die anderen dachten dann über diesen Vorschlag nach und waren sich einig. Und so wurde das Raumschiff Animalia getauft. „Wir taufen dich auf den Namen Raumschiff Animalia", sagte Joey und warf eine Flasche, die dann zerbarst. Danach stellten sie sich all gemeinsam vor dem Raumschiff auf.

„Das wäre ein tolles Bild für ein Foto",
sagte Dave. „Ja, das wäre es", bestätigte Debbie-Ann und legte den Arm um
die Schulter von ihrem Bruder.

Anschließend öffneten sie die Luken und betraten das Raumschiff. Dieses war so eingerichtet wie Joeys Haus, nur ein wenig kleiner. Es gab Küche, Wohnraum, eine zweite Etage usw. Selbst ein Fernseher war dort eingebaut. „Cool, hier sieht es ja aus, wie zuhause", staunte Jessica. „Nicht ganz. Wir haben es so eingerichtet, dass unsere Reise komfortabel ist. Ein Labor habe ich auch eingerichtet. Wenn wir auf fremden Planeten landen, dann möchte ich diese auch untersuchen und vor allen Dingen auf menschliche und tierische Existenzen", erklärte Joey. „Ich kann es kaum abwarten!", strahlte Jessica. Shilia war ebenfalls aufgeregt. Dave war schon verschwunden und machte einen Rundgang durch das Raumschiff. Natürlich filmte er auch dabei. „Wo ist denn Dave?", fragte Debbie-Ann. „Da vorne", erwiderte Joey. „Der kleine Regisseur muss immer alles filmen", erwiderte Debbie-Ann. Nun machten sie einen Rundgang durch das Raumschiff. Zum Schluss befanden sie sich in der Kommandozentrale, wo sich die Steuereinheit in Form von Bildschirmen, Hebeln und Knöpfen befand. „Und hier werde ich sitzen", sagte

Joey. „Okay", erwiderte Debbie-Ann langsam. „WOW! Ein gigantisches Videospiel!", staunte Jessica. „Jessica, das ist kein Spielzeug", sagte Joey ernst. „Das kannst du echt steuern?", stellte Debbie-Ann in Frage. „Die Bedienung ist genauso, wie auf der Fernsteuerung, als wir damals das Experiment gemacht haben. Zusätzlich habe ich noch einen Autopiloten eingebaut und ein Navigationssystem", erklärte Joey. „WAHNSINN!", staunte Shilia. Joey zeigte dann das Navigationssystem. Er gab als Ziel Alpha Centauri ein und anschließend erschien auf dem Bildschirm eine Sternenkarte, die den Weg zu diesem Stern anzeigte. „Joey, du bist ja ein Naturwunder!", staunte Debbie-Ann. „Worauf warten wir noch? Lasst uns starten", sagte Shilia aufgeregt. „Wir starten erst heute Nacht. Es gibt noch ein paar Sachen zu erledigen", erklärte Joey.

Als es Nacht wurde, befanden sie sich alle im Raumschiff. „Ich kann es kaum abwarten", sagte Jessica aufgeregt. „Ich auch", erwiderte Shilia. Dave kontrollierte noch einmal alles, ob er auch seine Kamera dabei hatte. „Gut, meine Kamera ist da", sagte er. Joey sagte jetzt den Start an. „Alles anschnallen, wir starten." Er schaltete nun alles an. „Das könnte jetzt ein wenig holprig werden, also keine Panik, wenn wir ein wenig durchgeschüttelt werden", sagte Joey.

Nun startete er. Der Start verlief reibungslos und schließlich zischte das Raumschiff ins All.

3. Kapitel

Planet Centauri – gestrandet im Sumpf

Ein fremder Planet

Nun hatte die Gruppe die Erde verlassen und befanden sich im All. Sie konnten sogar auf die Raumstation ISS schauen. „Auf dieser Station arbeitet mein Vater als Astronaut", sagte Joey. „Beam me up", sagte Dave mit tiefer Stimme. „Dave, hör schon auf", erwiderte Debbie-Ann. Jessica und Shilia starrten aus dem Fenster. „WAHNSINN! Wir sind im Weltraum", staunte Jessica. „Das sieht voll cool aus", erwiderte Shilia. Dann warfen sie einen Blick auf die Erde, die in all ihrer Pracht erstrahlte. „Die Erde sieht aber von oben prachtvoll aus, mit ihren ganzen Ozeanen und Kontinenten", staunte Jessica. „Einfach zum Träumen", erwiderte Shilia und schloss leicht ihre Augen. „Man meint gar nicht, dass es so schlechte Dinge dort gibt", sagte Jessica. Anschließend kam Debbie-Ann zu ihnen. „Na, genießt ihr den Anblick?", fragte sie. „Die Erde sieht von oben einfach nur schön aus", sagte Jessica. „Dann genießt ihren Anblick noch, solange ihr könnt, denn ich glaube wir werden sie nicht wieder zu Gesicht bekommen", erklärte Debbie-Ann. „Heißt das jetzt, wir werden nie mehr zur Erde zurückkehren?", fragte Jessica geschockt. „Ich glaube nicht", antwortete Debbie-Ann. „Ich dachte, wir erforschen den Weltall und fliegen gleichzeitig wieder zur Erde zurück", erwiderte Jessica. „Nein, leider nicht. Wir sind jetzt auf der Suche nach einer neuen Erde, die nicht so verseucht und gewalttätig ist, wie die alte Erde. Hoffentlich gibt es auch dieses so genannte „Paradies", wo Joey angeblich in seiner Vision gesehen hat", sagte Debbie-Ann. „Na ja, wenigstens sehe ich dann nicht mehr Maria und ihre Bande, Mrs. Thunder und Nanny. Aber meine Mutter werde ich vermissen, auch wenn sie so gut wie gar nicht da war", sagte Jessica.

Die Tatsache, dass sie ihre Mutter nicht mehr sah machte Jessica traurig, aber als sie an das hervorstehende Abenteuer dachte, vergaß sie ihren Kummer wieder.

Nun passierte die Animalia den Planeten Venus. Diese war eingehüllt in orangen, braunen und gelben Wolken. „Cool, da ist die Venus", staunte Jessica. „WAHNSINN!", staunte Shilia. Jessica stürmte dann zur Kommandozentrale, wo Joey saß und das Raumschiff steuerte. „Joey, Bruderherz. Können wir bitte mal auf der Venus landen?", fragte Jessica mit einem Grinsen. „Ach Jessica, da gibt's doch nichts außer Wüste und Vulkane", antwortete Joey. „Bitte. Ich möchte mir aber trotzdem die Landschaft anschauen", bat Jessica mit einem Grinsen. „Also gut", sagte Joey und setzte zur Landung an. Als sie die Wolkendecke durchbrachen, erblickten sie eine orange Wüsten und Staublandschaft mit vielen Kratern und Vulkanen. „COOL!", staunte Shilia. „Die Landschaft sieht ja total kahl aus", stellte Jessica fest. Dave zuckte dann sofort seine Kamera. „Ich muss sofort raus und das alles filmen", hetzte Dave und wollte aus dem Raumschiff stürmen.

„Dave, warte! Du kannst hier nicht ohne Schutzraumanzug aussteigen. Du würdest sofort verbrennen!", warnte Joey. „Wieso denn?", fragte dann Dave. „Auf der Venusoberfläche herrschen Temperaturen von bis zu 497° C", sagte Joey. „Das ist ja heißer als im Backofen", erwiderte Dave. „Wenn wir unsere Raumanzüge anziehen, dann können wir ruhig mal einen kleinen Spaziergang auf der Venus machen", sagte Joey. „OH SUPER!", freuten sich Shilia und Jessica.

Alle zogen dann ihre Raumanzüge an und stiegen aus dem Raumschiff heraus. Jessica sprang sogar, weil sie dachte sie wäre schwerelos. Sie flog aber auf die Nase. „Hey! Warum wiege ich denn hier genauso viel, wie auf der Erde?", fragte sich Jessica. „Weil die Venus fast genauso groß ist, wie die Erde", antwortete Joey. Sie liefen dann durch die Landschaft der Venus. Dave, der wieder alles filmte sprach wieder mit sich selbst. „Wir sind die ersten Menschen, die jemals die Venus betreten haben. Wir befinden uns gerade auf der Suche nach dem mystischen Venusmonster. Bis jetzt haben wir aber nichts, als Staub, Krater und Wolken entdeckt. Vielleicht wollen sie uns auch damit nur täuschen." Debbie-Ann schüttelte dann leicht ihren Kopf. „Oh Dave, es gibt hier kein Venusmonster oder irgendetwas in dieser Art", erwiderte Debbie-Ann mit einem Schmunzeln. „Das weiß ich doch. Ich möchte nur ein wenig dick auftragen", sagte Dave.

Shilia und Jessica liefen nun voraus. „Hey Jessie, wie wäre es mit einem Wettrennen zu diesem Berg?", fragte Shilia. „Ich gewinne!", sagte Jessica und rannte sofort los. „Hey, das ist unfair!", erwiderte Shilia und rannte dann auch los. „Hey Mädchen! Bleibt bei der Gruppe! Die Venus ist kein Spielplatz!", rief Joey. Während Jessica rannte, übersah sie einen Krater und stürzte dort hinein. „AAAH HILFE!", schrie Jessica. „Jessie!" Shilia rannte dann zu diesem Krater hin und sah, dass Jessica in der Patsche war. „Hilfe! Ich komm hier nicht mehr hoch!", schrie Jessica. Der Rest der Gruppe war dann auch da. „Schnell, lasst mich zu ihr runter und passt auf, dass ich nicht stürze", sagte Joey. Er kletterte nun zu Jessica hinab. „Schnell, klettere auf meinen Rücken", sagte Joey. Jessica gehorchte. Joey kletterte dann wieder hinauf und wurde zum

Schluss hochgezogen. „Jessica, warum hast du nicht auf mich gehört?", fragte dann Joey. „Entschuldigung Joey, aber ich habe dieses Loch nicht gesehen", entschuldigte sich Jessica. „Ich würde mal sagen, wir gehen lieber wieder zu unserem Raumschiff zurück", sagte Joey. „Aber, wir sind gerade erst losgegangen", erwiderte Jessica etwas enttäuscht. „Also gut, wir bleiben noch ein wenig, aber ihr beide bleibt bei der Gruppe. Die Venus ist nicht die Erde. Hier ist es gefährlich. Das hast du ja gerade gesehen, was hier alles passieren kann", erklärte Joey. „Ja Joey", sagte Jessica ein wenig stöhnend.

Nachdem Joey noch ein paar Gesteinsproben gesammelt hatte, gingen sie zum Raumschiff zurück und flogen zurück ins All. Dabei passierten sie den Merkur und sahen die Sonne als einen großen Feuerball. Debbie erinnerte sich dann wieder an die Simulation und schluckte. „Joey, pass bloß auf, dass wir nicht in die Sonne fliegen", warnte sie. „Keine Sorge, das passiert schon nicht", beruhigte Joey. Alle setzten sich nun eine starke Sonnenbrille auf. „Ich wusste ja gar nicht, dass die Sonne so gigantisch ist", staunte Jessica. „Es gibt noch viel größere Sterne, als die Sonne. Im Vergleich zu einem Roten Riesen ist die Sonne ein Zwerg", erklärte Joey. „Was ist denn ein Roter Riese?", fragte Jessica. „Das würde ich auch gerne mal wissen", erwiderte Shilia. „Das ist ein Stern an seinem Lebensende. Sterne haben auch nur ein begrenztes Leben und können nicht ewig scheinen. Wenn ein Stern schon sehr alt ist, fängt er an sich auszudehnen. Dabei kann er um das 100 bzw. 1000 fache wachsen. Danach explodiert er. Die Sonne wird auch mal so enden, aber das dauert noch über 5 Milliarden Jahre", erklärte Joey. „Hört sich ja total interessant an", sagte Jessica. Diese ging dann in ihre Kabine und spielte mit Shilia.

Die Animalia verließ dann das Sonnensystem und schwebte durch das dunkle Weltall. Man sah nur noch die Sterne, die wie bei einer Autofahrt vorbeihuschten. „Okay, gleich haben wir den Stern Alpha Centauri erreicht", sagte Joey und schaute auf seine Sternenkarte. „Ich habe Hunger. Wo ist denn das Essen?", fragte Debbie-Ann. „Es befindet sich in der Küche in einem großen Schrank", sagte Joey.

Debbie-Ann ging dann in die Küche
und öffnete den besagten Schrank.
Dort fand sie aber dann nur jede Menge Tuben in verschiedenen Farben.
„Was ist denn das?", fragte Debbie-
Ann und nahm eine rote Tube aus
dem Schrank heraus. Damit ging sie
dann zu Joey. „Ähm Joey, in diesem
Schrank befindet sich aber kein Essen. Da sind nur lauter verschieden-
farbige Tuben drinnen", sagte Debbie-
Ann. Joey drehte sich dann um. „Ach
so, das habe ich vergessen euch zu sagen. Das ist Konzentrat. So etwas wie
Astronautenessen, nur verbessert.
Man braucht sich davon nur ein wenig
auf den Teller zu machen und in die
Mikrowelle zu stellen. Dann hast du
ein ganzen Teller voll mit richtigem
Essen", erklärte Joey. Debbie-Ann
machte sich dann einen Tropfen von
dem roten Konzentrat auf den Teller
und stellte diesen dann in die Mikrowelle. Nach kurzer Zeit klingelte die
Mikrowelle und Debbie hatte dann einen vollen Teller mit Spagetti. „Das ist
ja cool." Sie nahm sich dann einen Löf-
fel und eine Gabel und aß. „Köstlich,
die schmecken wie von zu Hause",
sagte Debbie-Ann.

Shilia und Jessica spielten zusammen Karten. Shilia versuchte aber irgendwie unauffällig zu schummeln. Dies gelang ihr auch und sie gewann gleich beim ersten Mal. „HA! Ich habe gewonnen", freute sich Shilia. Jessica wunderte sich dann. „Wie hast du denn das gemacht?", fragte Jessica. „Tja, Glückssache. Auch ich kann doch mal Glück haben", sagte Shilia und lächelte dabei ein wenig. Auch die nächsten Spiele gewann nur Shilia. Jetzt wurde Jessica stutzig. „Wie machst du das nur? Du gewinnst ja jetzt ständig. Das kann doch irgendwie nicht sein", ärgerte sich Jessica. „Ich kann doch auch mal eine Glückssträhne haben", erwiderte Shilia. „Ich verlange eine Revanche. Wir spielen jetzt noch einmal", forderte Jessica auf. „Okay", sagte Shilia und lachte heimlich. „Shili, was war das eben?", fragte Jessica streng. „Ähm, ich habe nichts gehört", erwiderte Shilia unschuldig. „Ich habe eben gerade eine fiese Lache gehört, so wie sie manchmal Bösewichte von sich geben, wenn sie etwas Fieses planen", sagte Jessica ernst. „Da musst du dich verhört haben." „Es klang wie eine gemeine Hyänenlache", erwiderte Jessica und schaute Shilia in die Augen, die dann grinste. „Das warst du! Gib es zu", sagte Jessica streng. Shilia sagte darauf kein Wort mehr. „Du hast geschummelt! Das ist nicht fair!", zischte Jessica. „Ich habe nicht geschummelt. Ich habe vielleicht nur zufällig deine Karten gesehen", sagte Shilia unschuldig. „Und das ist geschummelt! Das hätte ich nie von dir gedacht! Das ist richtig hinterhältig von dir!", knurrte Jessica und drehte sich motzend um. „Ach Jessie, komm schon. Ich habe bis jetzt nie gewonnen und wenn, dann nur einmal", erklärte Shilia. „Deshalb muss man nicht gleich schummeln", sagte Jessica ernst. „Komm, wir spielen jetzt noch ein Spiel und ich verspreche dir, diesmal nicht zu gucken, Hyänenehrenwort", versprach Shilia und erhob ihre rechte Pfote. „Also gut, aber wenn du dein Versprechen brichst, gibt's Krieg!", warnte Jessica.

Bei den nächsten Spielen schummelte Shilia diesmal nicht und gewann auch zweimal. Die Animalia erreichte nun den Stern Alpha Centauri. Mit dem Stern tauchte auch dann ein in dichten Wolken gehüllter Planet auf, der etwas kleiner als die Erde war.

„WAHNSINN! Ein fremder Planet!",
staunte Debbie-Ann. Dave zuckte sofort seine Kamera und war vor Ort.
„Ob es dort wohl außerirdische Le-
bensformen gibt?", fragte Debbie-Ann.
„Alles anschnallen! Diesen Planeten
schauen wir uns jetzt genauer an", rief
Joey. Alle waren nun aufgeregt und
konnten es kaum abwarten auf den
fremden Planeten zu kommen, besonders Jessica und Shilia. Das Raumschiff flog nun auf den Planeten zu,
durchbrach die Wolkendecke und landete später in einem heftigen Sturm.
Man konnte vor lauter Nebel, Sturm
und Regen nichts mehr erkennen.
„Ach du meine Güte!", schrie Joey. Er
konnte das Raumschiff kaum noch
steuern, weil der Wind zu stark war.
Plötzlich wurde es von einer Windböe
mitgerissen und Joey konnte es nicht
mehr halten. Es wurde wie ein Milch-
shake durchgeschüttelt und stürzte
dann in die Tiefe. „AAAAAAHH!!",
schrien alle. Anschließend krachte es
in einen dichten Sumpfwald, schlitter-
te auf dem Boden entlang und blieb
schließlich im tiefen Morast stecken.

Dies war absolut gar nicht gut für die Gruppe. Würden sie es jemals schaffen, ihr Raumschiff aus dem Sumpf zu bergen. Alle Tiere, die sich dort vorher noch befunden hatten flüchteten.

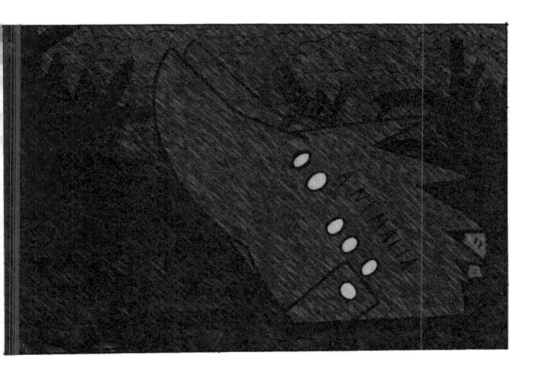

Gestrandet im Sumpf

Es vergangen einige Stunden, bis alle wieder zu sich kamen. Als erstes wurde Joey wach. „Oh... oh, was für' ne Landung", stöhnte Joey und strich sich über seine zerzausten Haare. Als nächstes wurde dann Debbie-Ann wach. Diese hatte eine dicke Beule am Kopf. „Oh Mann, mein armer Schädel. Das fühlt sich so an, als ob ich dort einen Tritt dagegen bekommen habe", sagte Debbie-Ann und griff sich an ihren Kopf. „Alles okay?", fragte Joey. „Na ja, es geht so. Hab nur eine dicke Beule am Kopf", erwiderte Debbie-Ann. „Dave, Jessica und Shilia! Ist mit euch alles in Ordnung?", rief Joey in das verwüstete Raumschiff. Es kam aber keine Reaktion. „Oh nein! Keiner antwortet. DAVE!", schrie dann Debbie-Ann. Sofort wurde das Raumschiff durchsucht. „Shilia! Jessica!", schrie Joey. Dave wurde dann anschließend wach und erlaubte sich einen Spaß. Er schlich sich an die verzweifelte Debbie-Ann heran und erschreckte sie. „DAVE! Oh großer Gott, er wird doch wohl nicht..." „BUUUH!" „AAAAH! DAVE! Warum tust du so etwas! Ich schreie mir die Lunge aus dem Hals, denke du wärst schwer verletzt oder gar tot und du machst so etwas!", fluchte Debbie-Ann. „Ich hab nur ein paar Schrammen, mehr nicht", sagte Dave. Anschließend wurde er dennoch von seiner Schwester gedrückt.

Shilia und Jessica lagen beide bewusstlos im hinteren Teil des Raumschiffes. Shilia wurde dann aber wach. „Jessie? Jessie, ist mit dir alles okay?", fragte Shilia. Jessica rührte sich aber noch nicht. „Jessie?" Jetzt leckte ihr Shilia ein paar Mal mit ihrer warmen Zunge über das Gesicht, bis sich Jessica langsam rührte. Anschließend begann sie zu lachen. „I, hi, hi, hi, hi, Shili. Shilia hör auf, das kitzelt und fühlt sich so rau an", kicherte Jessica. „Oh Jessie, ich bin so froh, dass dir nichts zugestoßen ist", freute sich Shilia und leckte Jessica weiter ab. „I, hi, hi, hi hi. Shilia. Bitte hör auf damit. Das fühlt sich jetzt richtig eklig an. Ich habe genug von deiner Spucke. Shilia. Bitte hör jetzt auf damit", kicherte Jessica. Joey wurde dann durch das Lachen aufmerksam und war froh, dass seiner Schwester nichts zugestoßen war. „Das ist Jessica. Ihr ist nichts zugestoßen", sagte er erleichtert. Er kämpfte sich dann durch das Durcheinander zu seiner kleinen Schwester durch, die immer noch fleißig von Shilia abgeleckt wurde. „Joey! Hilfe! Die frisst mich auf!", schrie Jessica. Joey musste darauf kurz auflachen. „Sie hat dich wohl zum Fressen gern", sagte er und lachte dabei. Shilia hörte aber dann auf Jessica abzulecken und drückte sie stattdessen. „Deine Haut hat richtig gut geschmeckt", kicherte Shilia und gab Jessica zum Schluss noch einen Kuss.

Danach gingen alle zur Ausgangsluke des Raumschiffes. Joey wollte nachschauen, ob das Raumschiff auch außerhalb Schäden trug. Er wollte die Luke nun öffnen, aber sie rührte sich nicht. „Verdammt! Sie klemmt!" Er versuchte es nochmals und drückte mit noch größerer Kraft, aber sie rührte sich immer noch nicht. „Sie lässt sich nicht öffnen", schnaufte Joey. „Komm wir probieren es zusammen", schlug Debbie-Ann vor. Dave war damit beschäftigt seine Kamera zu suchen. „Dave, wir wäre es denn damit, wenn du uns jetzt erst einmal helfen würdest", sagte Debbie-Ann ernst. Schließlich fand er seine Kamera, unbeschädigt und küsste sie darauf ab. „Gott sei Dank, dir ist nichts zugestoßen, Baby", sagte er erleichtert. „DAVE!", schrie dann Debbie-Ann. „Ich komme ja schon." Nun versuchten sie die Luke gemeinsam zu öffnen. Als es ihnen dann schließlich gelang, kam ihnen eine grünbraune Schlammbrühe wie eine Flutwelle entgegen und allesamt fielen in den dicken Morast. „Igitt! Das ist ja ekelhaft! Meine Frisur und meine Klamotten!", fluchte Debbie-Ann und schüttelte sich den Schlamm aus den Haaren. Sie wateten nun durch den Morast in Richtung bewachsenes Ufer. Als sie das Ufer erreichten stiegen sie an Land. Dort sahen sie dann, dass das Raumschiff schräg im Morast steckte und ein paar Tragflächen verloren hatte. „Oh je, das dauert jetzt, bis wir das Raumschiff repariert und geborgen haben", befürchtete Joey. „Und, wie lange?", fragte Debbie-Ann. „So ungefähr einen bis zwei Monate. Eigentlich wollte ich ja nur ein paar Tage hier bleiben, um den Planeten ein wenig zu erforschen und zu erkunden, aber das gibt jetzt doch einen längeren Aufenthalt. In der Zeit müssen wir wohl in unserem Spezialzelt wohnen", sagte Joey. „COOL! Zelten auf einem fremden Planeten", freuten sich Shilia und Jessica. „Das ist jetzt ein richtiges Abenteuer", erwiderte Shilia und schlug mit Jessica ein. „Nicht so voreilig, meine Damen! Ihr werdet hier auf keinen Fall alleine auf Erkundungstour gehen. Das hier ist ein fremder Planet. Wir wissen in diesem Moment nicht viel über den Planeten hier, nur dass es hier anscheinend sehr viel regnet und das es hier Sümpfe und Morast ohne Ende gibt. Wir werden den Planeten gemeinsam erkunden", erklärte Joey in ernsten Worten. „Ja, Joey", erwiderten Shilia und Jessica stöhnend.

Schließlich baute Joey das Spezialzelt auf. Dieses war auch sehr groß und geräumig. „Wenigstens sind wir zusammen in einem Zelt", sagte Debbie-Ann erleichtert. Dave sprach wieder mit sich selbst und filmte sich dabei. „Montag, 28. Juli 2009. Wir hatten gerade eine heftige Bruchlandung. Diese fand aber nicht auf der Erde statt. Wir sind die ersten Menschen, die einen fremden Planeten außerhalb des Sonnensystems betreten haben..." Debbie-Ann schüttelte wieder leicht den Kopf. „Ähm Dave, wozu machst du das denn überhaupt? Du wirst es doch sowieso

niemanden von der Erde zeigen können", erklärte Debbie-Ann. „Ich mache
es einfach nur zum Spaß und für
mich. Du machst doch auch deinen
Kung-Fu Kram jeden Tag", erklärte
Dave. „Das ist kein Kung-Fu Kram.
Das nennt man Kampfsport. Es ist für
mich Sport und Selbstverteidigung zugleich. Es hält fit und rettet einem irgendwann mal das Leben. Ich habe
sämtliche Wilderer platt gemacht und
diese waren mit Gewehren und Messern bewaffnet", sagte Debbie-Ann mit
einem verzogenen Gesicht. Da Debbie-
Ann ihren Bruder wieder an die Sache
mit den Wilderern erinnerte, war dieser wieder etwas sauer. „Musst du
mich wieder daran erinnern? Ich habe
die gesamte Action verpasst, weil ich ja
beim Zelt bleiben musste", brummte
Dave. „Na ja, hier wirst du bestimmt
noch genug Action kriegen", beruhigte
Debbie-Ann.

Die erste Erkundung

Am nächsten Tag begann die Gruppe ihre erste Erkundung des fremden Planeten. Jessica und Shilia waren deshalb schon aufgeregt. „Ich kann es kaum abwarten raus zu kommen", strahlte Jessica. „Ich auch", erwiderte Shilia mit vollem Mund. „Shilia?" „Was ist denn?", sagte Shilia und schluckte ihr Essen herunter. „Was habe ich dir immer zuhause gesagt?", fragte Jessica mit einem ernsten Blick. „Ähm – nicht mit vollem Mund sprechen", sagte Shilia grinsend. „Du hast es erfasst", sagte Jessica. „Entschuldigung", entschuldigte sich Shilia. „Das ist immer eklig, wenn man dein zerkautes Essen sieht", erwiderte Jessica angeekelt. Nun sprach Joey auf die Expedition an. „Also, heute machen wir unsere erste Erkundung. Wir dürfen uns auf gar keinen Fall trennen, das gilt vor allen Dingen für euch beide", warnte Joey und schaute mit ernsten Blicken auf Jessica und Shilia. „Ja Joey", erwiderte Jessica stöhnend. Anschließend winkte Shilia Jessica zu sich hin. „Der hält uns ständig Moralpredigten. Ich dachte dein Bruder wäre ein verwegener Abenteurer", beschwerte sich Shilia. „Ist er ja eigentlich auch, aber er macht sich Sorgen um uns beide", erklärte Jessica. „Zu viele Sorgen. Meine Mutter war nicht so schlimm. Ich habe mich aber auch gerne mal weggeschlichen", sagte Shilia.

Anschließend befand sich die Gruppe draußen. Das Wetter war an diesem Tag relativ trocken, aber dennoch wolkig. Joey nahm ein paar Wasserproben vom Sumpf und sammelte ein paar Pflanzen. Dann nahm er Erdproben.

152

Zum Schluss gingen sie in einen Sumpfwald. „Mann, ist das hier vielleicht matschig und muffig", stellte Debbie-Ann fest. „Das kommt von den vermoderten Pflanzen", erklärte Joey. Weiter hinten befanden sich Shilia und Jessica. Diese heckten einen Plan aus, wie sie sich von der Gruppe entfernen konnten. „Okay, so machen wir es", sagte Shilia und flüsterte Jessica etwas in ihr Ohr. Danach trennten sie sich von der Gruppe. Dabei wurden sie aber erwischt. „Jessica! Ihr werdet doch wohl jetzt nicht das machen, wo vor ich euch gewarnt habe", stellte Joey in Frage und stellte sich mit verschränkten Armen in Richtung Shilia und Jessica. „Ähm – wir doch nicht, stimmt's Shilia?", redete sich Jessica heraus. „Äh ja – das stimmt schon. Wir wollten uns nicht wegschleichen", log Shilia und grinste. „Dann ist ja alles in Ordnung. Wie gesagt, dass ist ein fremder Planet und jede Verirrung kann tödlich enden", warnte Joey.

Jessica und Shilia waren dann ein wenig verärgert, weil ihr Plan nicht funktioniert hatte. „So ein Mist! Der hat uns erwischt", ärgerte sich Shilia. „Mein Bruder ist schlau. Wir kriegen aber noch unser Abenteuer, keine Sorge", beruhigte Jessica. „Das glaube ich nicht. Er wird uns immer dabei erwischen, wenn wir versuchen uns wegzuschleichen", erwiderte Shilia. „Als wir noch auf der Erde waren, konnten wir uns auch heimlich entfernen", erinnerte Jessica. „Ja, schon. Da war er aber nebenher noch viel beschäftigt und hat am Raumschiff herum geschraubt." Dann dämmerte es Shilia und ihr fiel ein, dass er auch dort, wo sie sich momentan befanden mit Arbeiten beschäftigt sein wird. „Ich hab's! Beim Raumschiff gibt es doch einige Schäden zu reparieren und wenn er mit der Reparatur beschäftigt ist…" „Dann können wir uns wieder wegschleichen", sagte Jessica und beendete Shilias Satz. Anschließend schlugen sie beide ein.

Die Entdeckung

Nach einem längeren Marsch kam die Gruppe in einen sehr dichten Winkel des Sumpfwaldes. In diesem Wald stießen sie dann auf größere Fußabdrücke. „Du liebe Güte", sagte dann Joey. „Oh mein Gott", erwiderte Debbie-Ann. Dave richtete sofort seine Kamera darauf. „Cool! Dieser Planet scheint wohl Monster zu bergen", dachte er und war mit Spannung erfüllt. „Von was für einem Tier auch immer diese Spuren stammen, es war prähistorisch und stammte aus dem Zeitalter des Karbon", sagte Joey. „Woher willst du das so genau wissen? Es kann doch von einem anderen Tier stammen, wie z.B. einem Krokodil", erklärte Debbie-Ann. „Ich habe festgestellt, dass es hier genauso aussieht, wie es auf der Erde vor 350 Millionen Jahren aussah und da gab es noch keine Krokodile. Damals gab es Reptilien und Amphibien im Frühstadium ihrer Entwicklung. Hier sieht es aber so aus, als ob sich diese Reptilien und Amphibien, die früher auf der Erde lebten, hier weiterentwickelt haben und das bedeutet, dass wir es hier bestimmt mit Wesen zu tun haben, die die Größe von Sauriern haben", erklärte Joey.

Sie marschierten dann immer weiter in den Wald hinein. Dabei stießen sie auf eine große blubbernde Teergrube mit einem gigantischen Geripppe. Dieses versetzte die Truppe in Erstaunen. „WAHNSINN!", staunten alle. „Das Ding muss die Größe eines Tyrannosaurus Rex gehabt haben", stellte Joey fest. Debbie-Ann schluckte dann. „Dann haben wir es ja wirklich mit solchen riesigen Wesen zu tun", erwiderte Debbie-Ann ängstlich. „Was ist denn ein Tyrannosaurus Rex?", fragte dann Shilia. „Das war das größte Raubtier zu seiner Zeit", erklärte Joey und zeigte auf seinem Taschencomputer ein Bild des Tieres, das Shilia dann in Schrecken versetzte. „Ach du Schreck, der sieht ja fürchterlich aus", sagte sie und schluckte. „Ich muss jetzt noch ein paar Knochenproben nehmen", sagte Joey. „Joey, bist du verrückt? Da kommst du nie dran", dachte Debbie-Ann. Joey holte dann ein dickes und stabiles Seil mit einem Harken am anderen Ende hervor und warf dieses auf die andere Seite. Das Seil harkte sich dann in einen umgeknickten Baumstamm. Zum Schluss testete Joey noch die Stabilität des Seils und als er feststellte, dass es stabil genug war, hing er sich dort ran. Es sah sehr gefährlich aus. „Oh Joey! Pass bloß auf!", warnte Debbie-Ann. „Stark! Er macht jetzt einen auf Stuntman", sagte Dave und richtete seine Kamera auf den hangelnden Joey. Dieser hatte das Geripp nun erreicht. Anschließend brach er eine morsche Rippe ab und warf diese in Richtung Gruppe. Was er nicht bemerkte war, dass sich der Harken ein wenig gelöst hatte. „Joey! Komm schnell zurück! Der Harken! Er löst sich raus!", schrie Debbie-Ann. Joey sah nun zu, dass er wieder an Land kam, aber er schaffte es nicht ganz. Kurz bevor er es erreichte, riss sich der Harken los und Joey klatschte in die blubbernde Teergrube. „Joey!", schrie Debbie-Ann. „Schnell! Wir müssen ihn da sofort rausholen", schrie Shilia. „Wir nehmen das Seil!", schrie Debbie-Ann. Sie nahm das Seil und warf es zu Joey runter. „Joey! Schnapp dir das Seil! Wir ziehen dich heraus!", forderte Debbie-Ann. Joey packte dann nach dem Seil. Wegen dem klebrigen Teer war es aber umso schwerer. Die

Gruppe zog dann mit aller Kraft. Nach einer längeren Zeit gelang es ihnen Joey wieder an Land zu ziehen. Dieser lag dann komplett schwarz vor ihnen.

„Joey, ist mit dir alles in Ordnung?", fragte Debbie-Ann besorgt. „Ja, meinem Taschencomputer ist nichts geschehen", sagte Joey stöhnend. „Joey!" Er wischte sich dann den Teer aus dem Gesicht und sprach weiter. „Teer sieht nicht nur eklig aus sondern schmeckt auch noch so", ekelte sich Joey und spuckte den Teer aus.

Als es nun Abend wurde und alle im Zelt waren, untersuchte Joey die Rippe, die er vom Skelett in der Teergrube abbrach. Dazu scannte er es in seinen Taschencomputer ein und erschuf ein 3-D Bild der Rippe. „So jetzt überprüfen wir die Rippe und dann wissen wir, was es für ein Tier war, dass in der Teergrube verendete", erklärte Joey.

Er bearbeitete nun alles und nach einer längeren Zeit entstand auf dem Taschencomputer eine Rekonstruktion des Tieres, was in der Teergrube verendete. Es war eine weiter entwickelte Urechse mit langem Schwanz und einem panzerartigen Rücken. Es hatte keine Zähne im Maul sondern Hornplatten und war ein Pflanzenfresser. „Du meine Güte. Hier haben wir unser verendetes Tier. Seht ihr. Wie ich gesagt habe, es handelt sich um ein saurierähnliches Tier, was damals im Karbon gelebt hat. Nur dieses ist über Generationen weiterentwickelt", erklärte Joey.

„Das ist ja der Wahnsinn!", staunte Debbie-Ann. „Meinst du, hier gibt es auch noch Furcht erregende Raubtiere mit langen Zähnen?", fragte Dave. „Mit Sicherheit", erwiderte Joey.

Shilias Plan

Die Gruppe befand sich jetzt schon eine längere Zeit auf dem Sumpfplaneten. In den letzten 12 Tagen hatte es nur geregnet und das Raumschiff drohte, ganz im Sumpf zu versinken. Selbst die Reparaturarbeiten konnten nicht begonnen werden. Joey gelang es aber dennoch, das Raumschiff über dem Sumpf zu halten, aber mit Schwierigkeiten. „Wenn das mit diesen wolkenbruchartigen Regenfällen nicht nachlässt, wird unser Raumschiff bald wirklich im Sumpf verschwinden. Irgendwann kann ich es nicht mehr über Wasser halten und wir sitzen auf diesem Planeten fest und zwar für den Rest unseres Lebens", befürchtete Joey. Der Rest der Gruppe schluckte dann. „Das ist ein Alptraum!", erwiderte Debbie-Ann. Die Gruppe traute sich jetzt gar nicht aus dem Zelt zu schauen. Nach tagelangen ununterbrochenen Regenfällen hatte es nun endlich aufgehört und die Sterne Alpha Centauri A und B strahlten auf die Erde herunter. Langsam wurde das Zelt nun geöffnet und als die Gruppe den klaren Himmel sah, war sie erleichtert.

„Ein Wunder ist geschehen. Endlich hat es aufgehört zu regnen", sagte Debbie-Ann erleichtert und genoss die warmen Sonnenstrahlen. „Wahnsinn! Hier scheinen ja zwei Sonnen am Himmel", staunte Dave. „Der größere gelbe Stern ist Alpha Centauri A und der orange Stern ist Alpha Centauri B", erklärte Joey. „Warum sind die denn unterschiedlich farbig und haben unterschiedliche Größen", kam es von hinten. Jessica und Shilia kamen von hinten an. Shilia fasste sich an ihren Bauch, da sie Hunger hatte. „Weil sie unterschiedlich heiß sind. Sie besitzen auch unterschiedliche Farbspektren. Alpha Centauri A besitzt die Spektralklasse G2 und ist genauso gelb und heiß wie unsere Sonne, nur ein bisschen größer. Alpha Centauri B besitzt die Spektralklasse K1 und ist kleiner als die Sonne. Er ist auch ein wenig kühler als die Sonne und deshalb auch orange. Ich will euch aber jetzt nicht mit Fachausdrücken quälen", sagte Joey. „Jessie, ich habe Hunger. Das Zeug in den Tuben macht nicht wirklich satt", jammerte Shilia. „Das muss aber eigentlich sättigen, es sei denn du hast das Konzentrat direkt aus der Tube gegessen", erklärte Joey.

„Ähm, könnte sein", erwiderte Shilia. „Davon wird man ja auch nicht satt. Das muss erst in die Mikrowelle gestellt werden und dann hast du eine volle Mahlzeit."

Shilia hatte sich jetzt gesättigt. Sie spielte dann mit Jessica in der Nähe vom Raumschiff. Joey begann mit den Reparaturen am Raumschiff.

Während Shilia und Jessica spielten, tüftelten sie einen Plan aus, wie sie in die Wildnis entkommen könnten, ohne dass es die Gruppe bemerkte. Shilia hatte dann einen sehr guten Plan.

„Hey Jessie, ich weiß jetzt wie wir unser Abenteuer kriegen. Und da werden wir nicht wie beim ersten Mal erwischt. Pass auf", sagte Shilia und flüsterte Jessica etwas ins Ohr. Jessica begann sofort zu grinsen. Nun wurde der Plan umgesetzt.

„Joey! Joey! Dahinten hat sich etwas bewegt!", schrie Jessica lügend. Joey ging natürlich auf diese Lüge ein. „Wie bitte?", fragte er sich und schaute umher. „Da ist doch gar nichts", erwiderte er. „Doch, doch! Da hat sich aber etwas bewegt! Ich hab's mit eigenen Augen gesehen und Shilia auch, nicht wahr Shili", grinste Jessica. „Äh – ja.

Ich hab's auch gesehen. Es hatte riesige Reißzähne, grrr!", log Shilia und zeigte ihr komplettes Hyänengebiss. „Ähm Joey, wir sollten vielleicht doch mal wirklich nachschauen, ob sich da nicht doch irgendetwas befindet", sagte Debbie-Ann ängstlich.

Schließlich schaute die Gruppe nach dem mysteriösen Tier und Jessica und Shilia gelang es dann, sich wegzuschleichen. „Shilia, du bist echt klasse", lobte Jessica und gab Shilia einen Kuss. „Die haben das doch wahrhaftig echt geglaubt", kicherte Shilia. Nun verschwanden sie.

Allein in der Wildnis

Shilia und Jessica befanden sich dann im dichten Sumpfwald. Alles war matschig und feucht und es roch nach faulen Pflanzenmaterialien. „Sehr angenehm riecht es hier aber nicht", ekelte sich Shilia. „Ich finde die Landschaft aber echt stark", erwiderte Jessica. „Hey Jessie, wie wäre es mit dem Spiel ‚Ich bin die Hyäne und du das Opfer'?", fragte Shilia und grinste Jessica ins Gesicht. „Oh ja! Hier kann man wenigstens total gut rennen", stimmte Jessica zu.

Joey und die anderen befanden sich immer noch auf der Suche nach dem erdachten Tier von Jessica und Shilia und fanden es nicht. „Keine Spur von diesem Tier", sagte Dave. Joey war jetzt skeptisch. „Vielleicht hat sich Jessica doch verguckt", dachte er. „Wir suchen aber lieber weiter, bevor das Tier hier in der Nacht auftaucht", sagte Debbie-Ann.

Währenddessen rannte Shilia hinter Jessica her und die beiden entfernten sich immer mehr vom Lager. Shilia sprang dann Jessica zu Boden und kitzelte sie durch. Diese lachte sich dann kaputt. „Oh Mann. Du kannst vielleicht schnell rennen. Ich dachte immer Hyänen können nicht so schnell rennen", sagte dann Jessica schnaufend. „So schnell kann man sich täuschen. Was glaubst du, wie es bei einer richtigen Hetzjagd von echter Beute zugeht. Da kann eine Hyäne noch viel schneller rennen", erklärte Shilia. Und nun erzählte ihr Shilia, wie eine echte Jagd bei Hyänen zuging. Jessica verschlug es den Atem.

„Wahnsinn! 30 Tiere auf einmal! Das ist ja unglaublich! Da hat die Beute keine Chance mehr zu entkommen", sagte Jessica. „Und es kommt noch viel härter. Das erzähle ich dir aber lieber nicht", sagte Shilia. „Ach Shili, komm schon. Bitte erzähle mir das auch noch", bat Jessica. „Nein, das ist viel zu grausam", erwiderte Shilia. „Bitte Shilia. Das interessiert mich aber jetzt." Jessica gab einfach nicht auf und löcherte ihre Freundin weiter. Aber diese blieb noch eisenhart. „Nein, das ist einfach viel zu grausam. Das würdest du nicht verkraften." „Doch, ich verkrafte das. Bitte erzähle es mir jetzt. Bitte!" Shilia gab dann doch nach und erzählte es ihr, weil sie jetzt nervte. „Also gut, ich erzähle es dir. Es ist aber, wie ich gesagt habe grausam." Jessica hörte dann zu. „Also, das Opfer hat keine Chance mehr zu entkommen. Sobald wir Hyänen es erwischt haben, wird es bei lebendigem Leibe gefressen", erklärte Shilia. Jetzt machte Jessica große Augen. Entsetzen lag in ihrem Gesicht. „Es wird bei lebendigem Leibe gefressen! Das ist ja obergrausam! Das ist echt brutal!", sagte Jessica dann geschockt. „Ich habe dir doch gesagt, dass es grausam ist und deshalb wollte ich es dir nicht erzählen", sagte Shilia. Jessica fand jetzt keine Worte mehr. „Ähm Jessie, ich würde mal sagen, dass wir lieber wieder das Thema wechseln", sagte Shilia. „Wenn das Tier bei lebendigem Leibe gefressen wird, dann merkt es ja jeden Bissen, den ihr von diesem Tier abbeißt", erwiderte Jessica. Shilia stöhnte dann. „So ist es. Das ist echt unschön, aber so ist nun mal das Leben. Ein ständiger Kampf um Futter und ums Überleben. Ich denke mir aber, dass wir am besten das Thema wieder wechseln", bat Shilia ein zweites Mal. „Ja, das denke ich mir auch. Ich habe genug gehört. Selbst der Gedanke daran verleiht mir schon

Schmerzen und dreht mir den Magen um. Reden wir lieber über den Sumpfwald hier", sagte dann Jessica. Dies taten sie dann auch und entfernten sich noch weiter.

Joey und die Gruppe gaben die Suche jetzt auf und kehrten zum Raumschiff zurück. Dort fiel ihnen dann das Fehlen von Jessica und Shilia auf. „Hey, wo sind denn jetzt Jessica und Shilia?", fragte dann Debbie-Ann. „Auweia sie werden doch nicht etwa..." Joey brach dann den Satz ab. „Vielleicht sind die Beiden im Raumschiff", dachte Dave. Dort schauten sie dann nach, fanden sie aber nicht. „Sie sind weg!", sagte Debbie-Ann geschockt. Jetzt dämmerte es Joey. „Moment mal! Dieses Tier, was wir gesucht haben gibt es gar nicht. Die haben uns einen Bären aufgebunden. Das sieht Jessica ähnlich. Während wir dieses Tier gesucht haben, haben sie sich wieder weggeschlichen! Warum können sie nicht auf mich hören!", sagte Joey geschockt aber auch etwas wütend. „Die überleben niemals da draußen", erwiderte Debbie-Ann. „Wir machen uns sofort auf die Suche nach den beiden", beschloss sich Joey. „Und was ist mit dem Raumschiff?", fragte dann Debbie-Ann. „Mach dir deshalb keine Sorgen. Es ist jetzt viel wichtiger Jessica und Shilia zu finden. So lange es nicht regnet, kann es nicht weiter in den Sumpf absacken", erklärte Joey. Anschließend machten sie sich sofort auf die Suche nach Jessica und Shilia.

Wolkenbruch

Während Jessica und Shilia jetzt in Richtung Vulkangebirge gingen und die Truppe die beiden suchten, trübte sich so langsam wieder der Himmel ein. Es regnete aber noch nicht.

„Oh nein, es sieht irgendwie wieder nach Regen aus", stellte Jessica fest, als sie zum Himmel schaute. „Ach Quatsch, das sind bestimmt nur ein paar Schleierwolken. Die Sonnen scheinen doch noch", erwiderte Shilia und deutete auf die beiden Sterne Alpha Centauri A und Alpha Centauri B. „Na ja, bei diesem Planeten weiß man das nicht so genau. Du weißt doch, dass es die letzten Tage ständig Wolkenbrüche gegeben hat. Wenn es jetzt wieder einen Wolkenbruch geben würde, dann hätten wir ein großes Problem", sagte Jessica.

„Shilia! Jessica! Wo seid ihr!", rief Joey. Dieser warf dann auch einen Blick in den Himmel und war wegen der langsamen Wolkenbildung beunruhigt. „Oh je, das sieht gar nicht gut aus", sagte er. Die anderen blickten

dann auch zum Himmel. „Du hast
Recht Joey. Diese Wolkenbildung ge-
fällt mir gar nicht", erwiderte Debbie-
Ann. Joey hielt dann seinen Taschen-
computer in Richtung Wolkenbildung
und aktivierte die Wettermessungs-
funktion. Der Computer gab dann ein
Warnsignal, was bedeutete, dass ein
Unwetter auf dem Weg war. „Auweia!
Da ist wieder ein Wolkenbruch im
Anmarsch!", warnte Joey. Debbie und
Dave bekamen dann einen panischen
Blick.

Mit der Zeit wurden nun die Wolken
auch schwärzer und irgendwann blitz-
te es in Richtung Berge. „Oh oh!", sagte dann Jessica panisch. Shilia
schluckte dann. „Auweia, da kommt
ein Unwetter!", schrie Shilia. Und
schon fing es an zu regnen. „Wir müssen schnell einen Unterschlupf finden", schrie Shilia. Sie rannten nun
quer durch den Sumpfwald. Der Regen
klatschte in die Gesichter von Jessica
und Shilia. Es wurde dunkler und
dunkler und dann legte der Sturm erst
richtig los. Es hagelte und der Wind
pfiff Shilia und Jessica um die Ohren.
Die Sicht war sehr schlecht. Shilia
kam gegen den Wind nicht an und
wurde dann auch noch weggeweht.

„JESSICA! HILFE!", schrie Shilia.
„SHILIA!" Jessica machte dann kehrt
und ging den Rufen von der jungen
Hyäne nach. „HILFEE!!", schrie Shilia.
„SHILIA, HALTE DURCH ICH KOM-
ME!", schrie Jessica. Nach einer längeren Zeit sah Jessica ihre Freundin im
Morast liegen. „HILFE! ICH ERTRIN-
KE!", schrie Shilia. Jessica sprang
dann in die Fluten und zog sich Shilia
auf den Rücken. Dabei wären sie beinahe ertrunken. Sie schafften es aber
noch mit letzter Kraft und waren dann
wieder an Land. Dort fielen sie dann
völlig erschöpft in den Schlamm und
waren bewusstlos.

An der Küste

Es vergangen schon mehrere Tage; Joey und die anderen fanden Shilia und Jessica nicht. Sie suchten weiter Stunde um Stunde, Tag für Tag. Jessica und Shilia dagegen hatten sich nun endgültig verirrt. Sie gingen nicht mehr Richtung Vulkangebirge sondern bogen im Wald ab. Nach weiteren Tagen zu Fuß gelangen sie an die Küste. Sie konnten dann nur noch über das schier endlose Meer blicken.

„Tja Shilia, das war wohl der falsche Weg", sagte Jessica. Shilia befand sich aber nicht mehr neben Jessica, sondern war auf der Jagd nach Fischen. „Shilia?", fragte Jessica und schaute umher. „Ich bin hier unten", rief dann Shilia. Jessica ging dann zu Shilia in das niedrige Wasser. „Was machst du da?", fragte Jessica. „Ähm, ich habe riesigen Hunger und will mir was zum Fressen fangen", sagte Shilia. Und schon erspähte sie einen großen Fisch. „Ah, da ist ja schon mein erstes Opfer", sagte Shilia mit verengten Augen. Sie schnappte ins Wasser und hatte ihn dann schon in ihrem Maul. Sie kaute ihn ein paar Mal durch und schluckte ihn anschließend mit samt Gräten herunter. „Mmmh, war der köstlich. Jessie, willst du auch einen haben? Ich fange dir einen", fragte Shilia und schnappte sich den nächsten Fisch.

174

„Ähm, nein danke. Das klingt mir zu roh", erwiderte Jessica. „Okay, umso mehr bleiben für mich", sagte dann Shilia. Sie fing sich noch mehrere Fische und war dann gesättigt. Anschließend gingen beide wieder zurück an den Strand.

„Tja, was machen wir jetzt? Wir haben uns total verirrt", sagte Shilia. „Wenn wir zurück in den Sumpfwald gehen, verirren wir uns noch mehr", erwiderte Jessica. „Das stimmt. Wir haben keine andere Wahl, als an der Küste zu bleiben und zu hoffen, dass Joey und die anderen uns bald finden", erklärte Shilia. „Dann können wir uns auf jede Menge Ärger einstellen", sagte Jessica. „Noch haben sie uns nicht gefunden", erklärte Shilia. „Was ist, wenn sie uns nie finden?", fragte sich dann Jessica. „Dann haben wir ein echtes Problem", antwortete Shilia ernst. „Stell dir mal vor, wir müssen auf ewig hier bleiben, bis wir alt und grau sind", sagte Jessica. „Dann wirst du mit mir aber nur 25 Jahre zusammenbleiben können, denn nur so alt werden Fleckenhyänen und ich bin eine Fleckenhyäne", erklärte Shilia. „Ich wusste ja gar nicht, dass Hyänen so alt werden können", erwiderte Jessica überrascht. „Jetzt weißt du es aber", sagte dann Shilia. „Na ja, es muss ja nicht so weit kommen, das hoffe ich zumindest", erwiderte Jessica.

Als es dann Abend wurde und die Sterne am Himmel schienen, warfen Jessica und Shilia einen Blick in die Sterne. „Ich frage mich, welcher davon jetzt die Sonne ist." „Keine Ahnung, Shili. Joey wüsste, welcher davon die Sonne ist", erwiderte Jessica. „Jessie, kuschelst du mal mit mir?", fragte Shilia. „Klar. Komm in meine Arme", antwortete Jessica. Shilia ging dann zu Jessica und schmuste mit ihr. „Jessie, ich habe dich ganz doll lieb", sagte Shilia sanft. „Ich dich auch Shili", erwiderte Jessica. Sie schauten dann weiter in die Sterne. „Joey hatte Recht. Ein fremder Planet ist kein Spielplatz und jetzt sitzen wir hier fest", gab Jessica dann zu. „Doch nicht so toll, wie wir gedacht haben", gab Shilia zu. „Na ja, wir konnten es ja kaum abwarten, ein Abenteuer auf einem fremden Planeten zu erleben", erinnerte Jessica. Anschließend legten sie sich in den Sand und schliefen.

Die Rettung

Joey, Debbie-Ann und Dave suchten jetzt schon 6 Tage nach Jessica und Shilia. Es war ein richtig ekliger Tag. Die Luft war total feucht, schwül und roch nach vermoderten Pflanzen. „Oh Mann, das Wetter weiß hier scheinbar nicht, was es will", stöhnte Joey. „Genau richtig, die Sommerbräune aufzufrischen", erwiderte Debbie-Ann. „Oh Debbie, wie kannst du das bloß genießen? Wie im Backofen ist es hier", stöhnte Dave. „Sei doch froh, dass hier mal schönes Wetter ist. Wer weiß, wie oft es hier mal so ein Wetter gibt, vielleicht einmal im Monat", erklärte Debbie-Ann. Anschließend fanden sie eine erste Spur von Jessica. Es war ein Stofffetzen, der im Schlamm lag. „Hey, ich habe was gefunden!", rief Debbie-Ann. „Das ist ein Stofffetzen von Jessicas Kleid", sagte Joey dann schnell. „Oh oh, da wird doch wohl nichts passiert sein", dachte Debbie-Ann. „Das werden wir gleich wissen", sagte Joey und holte seinen Taschencomputer aus seiner Tasche. „Wie soll uns denn dein Computer weiter helfen?", fragte Debbie. „Der Computer hat noch mehr Funktionen, als du denkst. Kann ich bitte mal den Stofffetzen haben?", fragte Joey. Debbie-Ann gab ihm dann den Stofffetzen. Diesen scannte Joey dann ein. „Und was bringt uns das jetzt?", fragte nochmals Debbie-Ann. „Ich bin noch nicht fertig", erwiderte Joey. Es folgten noch weitere Eingaben. Anschließend piepte es und auf dem Bildschirm erschien eine Karte. Es handelte sich um die komplette Insel, auf der sie sich gerade befanden, plus einen blinkenden Punkt. „Jessica befindet sich mit Shilia westlich von hier - an der Küste", sagte Joey erleichtert. „Wie hast du denn das jetzt gemacht?", fragte dann Dave. „In meinem Taschencomputer ist ein Fährtenfinder mit eingebaut. Der funktioniert aber nur wenn ich entweder einen Gegenstand oder die Spur von der gesuchten Person habe. Der Stofffetzen von Jessicas Kleid ist also unsere Rettung. Wir haben aber noch einen mehrtägigen Marsch bis wir sie erreicht haben", erklärte Joey. Sie gingen dann in Richtung Westen.

Shilia und Jessica blieben die nächsten Tage an der Küste. Shilia war dabei Fische zu verschlingen. Jessica konnte die Gräten knacken hören. „Wie kannst du das einfach so roh mit Gräten fressen?", fragte Jessica. „Die flutschen so schön in meinen Mund hinein und schmecken total köstlich", gab Shilia als Antwort und fraß weiter. „Tut dir das denn nicht im Hals weh, wenn du diese spitzen Gräten herunterschluckst?", fragte Jessica. „Nö. Ich bin doch eine Hyäne. Wir schlucken doch auch Knochensplitter herunter", erklärte Shilia.

Irgendwann in den Nachmittagsstunden tauchten Joey, Dave und Debbie-Ann auf den Klippen auf und hielten Ausschau nach Jessica und Shilia. „Wahnsinn! Was für ein toller Ausblick", sagte Debbie-Ann und blickte über das schier endlose Meer. „Man meint der Ozean nähme kein Ende", erwiderte Dave und richtete seine Kamera darauf. „Ähm Dave, wie viel Band hast du eigentlich noch frei, nachdem du so viel gefilmt hast?", fragte Debbie-Ann. „Mehr als genug. Das reicht für unser gesamtes Abenteuer", antwortete Dave. „Bist du dir da auch sicher?", fragte nochmals Debbie-Ann. „Ich hab hier Joeys Spezialband drinnen. Das hat er mir doch mal zum Geburtstag geschenkt. Das reicht ewig", erklärte Dave. „Ach so, das hab ich ganz vergessen", gab Debbie-Ann dann zu. „Bis jetzt hab ich Shilia und Jessica noch nicht gesichtet", sagte Joey. Anschließend kletterten sie die Klippen herunter. Dann liefen sie am Strand entlang. Irgendwann sichtete Debbie-Ann Jessica und Shilia. „Da vorne sind sie!", sagte Debbie-Ann laut. „Gott sei Dank", erwiderte Joey dann erleichtert. „JESSICA, SHILIA!", rief Debbie-Ann. Diese drehten sich dann um und strahlten. „Shili, wir sind gerettet!", strahlte Jessica und drückte Shilia. Danach rannten sie zu Debbie-Ann, Dave und Joey. Joey und Jessica fielen sich gleich in die Arme. „Oh Joey, ich bin so froh, dass ihr uns gefunden habt. Wir hatten solche Angst und dachten schon, dass wir den Rest unseres Lebens in der Wildnis von diesem Planeten verbringen müssten", sagte Jessica erleichtert. Am Anfang schaute Joey noch erleichtert, dass seiner Schwester nichts zugestoßen ist. Dieser Blick wurde aber dann ernst. „Jessica! Was machst du denn immer für Sachen! Ich habe dir ganz deutlich gesagt, dass ein fremder Planet kein Spielplatz ist! Und was machst du? Du hörst wieder mal nicht auf mich!", schimpfte Joey. „Joey, es tut mir leid", entschuldigte sich Jessica. „Du sagst jedes Mal, dass es dir leid tut und trotzdem machst du es immer wieder! Was hast du dir dabei eigentlich gedacht?! Du lügst uns mit dieser „Ungeheuer mit riesigen Reißzähnen Geschichte" an und schleichst dich mit Shilia alleine in die Wildnis, obwohl ich es euch streng verboten habe. Ihr hättet dabei euer Leben verlieren können!", schimpfte Joey. „Joey, schimpfe bitte nicht mit Jessica. Ich allein bin wieder daran schuld. Es war mein Plan", sagte Shilia und nahm wieder alle Schuld auf sich. „Shilia, ich weiß du willst wieder Jessica in Schutz nehmen, aber ihr beide habt das zu verantworten. Das war wirklich das Dümmste, was ihr bis jetzt gemacht habt!", sagte Joey ernst. „Jessica, wir hatten richtig Angst um euch", erklärte Debbie-Ann. „Ich weiß", erwiderte Jessica trübsinnig und ließ mit Shilia zusammen den Kopf hängen. „Jessica, ich habe zwar früher auch dumme Sachen gemacht und war jedes Mal in Schwierigkeiten, aber ich bin nicht wochenlang alleine in der Wildnis geblieben, weil das zu gefährlich war. Hier handelt es sich sogar um einen fremden Planeten. Ihr habt euch in akute Lebensgefahr begeben", erklärte Joey ernst. „Ich weiß", erwiderte Jessica trübsinnig. Anschließend herrschte kurzzeitige Stille. Dann sprach Joey wieder. „Also, ihr beiden bekommt jetzt nur Raumschiffarrest, aber ihr müsst hoch und heilig versprechen, dass so etwas nie wieder vorkommt. Ihr bleibt bei der Gruppe und wir erforschen den nächsten Planeten, wenn wir beim nächsten Stern einen finden gemeinsam. Versprecht ihr das", sagte Joey. „Wir versprechen es", versprachen Shilia und Jessica und erhoben Hand und Pfote.

Die Bergung des Raum-schiffes

Als die Truppe wieder beim halb versunkenem Raumschiff, dass schon teilweise mit Moos uns Flechten zugewachsen war ankam, kam die schwierigste Aufgabe. Das Raumschiff musste wieder aus dem Sumpf geborgen werden. „Tja, wie kriegen wir das wieder da raus?", stellte Debbie-Ann in Frage. „Wir müssen auf jeden Fall alle mit anpacken", erklärte Joey. Anschließend fiel Debbie-Ann etwas ein. „Joey, mir fällt gerade was ein. Erinnerst du dich noch daran, als wir die Wilderer mit einem programmierbaren Seil gefesselt hatten? Hast du noch welche von diesen Seilen?", fragte Debbie-Ann. „Ja, eine ganze Menge", antwortete Joey. „Mit diesen Seilen können wir es schaffen. Wir müssen diese Seile nur am Raumschiff festmachen, programmieren sie dazu ein, eine Last zu ziehen und ziehen mit vereinten Kräften das Raumschiff dann aus dem klebrigen Morast", schlug Debbie-Ann vor. Dies taten sie dann auch und nach längerem Ziehen, hatten sie das Raumschiff mit vereinten Kräften wieder aus dem Morast gezogen. Alle saßen sie dann schnaufend auf dem Boden. „Wir haben es geschafft", sagte Joey schnaufend. „Und jetzt verlassen wir diesen Planeten. Hier könnte ich auf gar keinen Fall auf Dauer bleiben", sagte Debbie-Ann. „Zwei bis fünf Tage müssen wir hier aber leider noch ausharren, weil wir noch die inneren Schäden beheben müssen", erklärte Joey. Darauf stöhnten die anderen. „Oh nein." „Das halten wir aber bestimmt noch aus", erklärte Joey.

Nach etwa vier Tagen verschlechterte sich wieder das Wetter. Es regnete aber noch nicht. Die Gruppe musste es also noch schaffen, den Planeten zu verlassen, bevor es regnete und stürmisch wurde. „Oh je, das Wetter wird bald wieder total übel", befürchtete Debbie-Ann. „Das gibt einen tollen Filmtitel; „In letzter Sekunde von Planeten geflüchtet", dramatisierte Dave und richtete seine Kamera zu den immer dichter werdenden Wolken. „Wenn wir Pech haben, wird es wirklich in letzter Sekunde sein", erwiderte Joey.

Rückflug ins All

Am nächsten Tag war das befürchtete schlimme Wetter schon bald eingetroffen. Draußen war es schon windig und am Horizont begann es wieder zu blitzen. „Oh je, wir müssen uns beeilen, sonst müssen wir bei Sturm und Hagel den Planeten verlassen", warnte Joey. „Oh Jessica, ich bin ganz nervös", sagte Shilia. „Mir geht es genauso Shilia, aber wir werden es schaffen", ermutigte Jessica und streichelte Shilia durch ihre Mähne. Joey baute draußen dann das Zelt ab.

Die inneren Schäden des Raumschiffs waren behoben und nun konnten sie gerade noch rechtzeitig starten. Joey aktivierte das Raumschiff und anschließend stieg das Raumschiff in die Luft. „Auf nimmer Wiedersehen Sumpfplanet", sagte Debbie Ann. „War doch eigentlich sehr spannend und aufregend auf diesem Planeten", erwiderte Dave. „Wir waren fast einen ganzen Monat dort und das hat mir gereicht", sagte Debbie-Ann.

Das Raumschiff entschwand dann wieder ins Weltall. Der Planet war

dann nur noch eine in Wolken einge-
hüllte Kugel. „Meinst du, dort wird es
irgendwann Menschen geben?", fragte
Debbie-Ann. „Nein, ich denke nicht.
Wenn ja, dann müssten sie sich an
diese extremen Klimaschwankungen
gewöhnen", erklärte Joey. „Ich werde
diese leckeren Fische vermissen", bedauerte Shilia. „Ach Shili", sagte dann
Jessica.

Nun befand sich die Animalia auf dem
Weg zum nächsten Stern.

4. Kapitel

Edasich
Der Urplanet

Die Bruchlandung

Die Animalia flog wieder durch den Weltraum und befand sich auf dem Weg zum nächsten Stern. „Joey, welchen Stern fliegen wir jetzt als nächstes an?", fragte Debbie-Ann. „Den Stern Edasich", antwortete er. „Die Sterne haben vielleicht eigenartige Namen", erwiderte Debbie-Ann. Jessica und Shilia lagen noch im Bett und kuschelten miteinander. Shilia wurde aber dann wach. Sie gähnte herzhaft, streckte sich und wollte dann Jessica wecken. „Jessica, Jessica, Jessie, wach auf", sagte Shilia. Diese rührte sich aber noch nicht. Shilia fing dann an, Jessicas Gesicht mit ihrer Zunge mehrmals abzulecken. Dabei wurde

Jessica dann wach und fing irgendwann an zu lachen. „Shili, das reicht.
Ich bin ja schon wach", lachte Jessica.
„Jessie, ich glaube wir haben ein wenig
zu lange geschlafen. Die haben bestimmt schon ohne uns gefrühstückt",
erklärte Shilia. „Dann nichts wie frühstücken", sagte Jessica schnell. Anschließend frühstückten Shilia und
Jessica. „Joey, welchen Stern fliegen
jetzt an?", fragte Jessica neugierig.
„Als nächstes fliegen wir den Stern
Edasich an", antwortete Joey. „Eda
was?", fragte dann Shilia. „Edasich",
wiederholte Joey. „Eigenartiger Name",
erwiderte Shilia dann. „Das habe ich
auch schon gesagt", sagte Debbie-Ann.
„Sterne haben aber nur solche eigen-
artigen Namen, sonst könnte man sie
gar nicht mehr auseinander halten",
erklärte Joey.

Anschließend erreichten sie den Stern.
Dieser war orangerot und 13-mal größer als die Sonne. Das Alter des Sterns
betrug schon 8,6 Milliarden Jahre. Bei
diesem Stern handelte es sich schon
um einen Roten Riesen im Anfangsstadium. Er war also schon fast am
Ende seines Lebens angekommen. Um
diesen Stern zog ein Planet seine Runden, der ein Viertel mal größer als die

Erde war. Von oben sah dieser Planet der Erde ähnlich, nur anstatt sieben Kontinente, gab es nur einen Super-kontinent mit ein paar größeren Seen im Zentrum und einer riesigen Gebirgskette im Norden.

Die Animalia befand sich dann über diesen Planeten. „Ich würde mal sa-gen, wir landen jetzt auf diesem Plane-ten", sagte Joey fest entschlossen. „Hoffentlich ist das nicht wieder so ein Sumpfplanet", hoffte Debbie-Ann. „Das sehen wir dann, wenn wir dort unten sind. Wir setzen zur Landung an", sag-te Joey. Sie flogen nun schräg zu die-sem Planeten herunter. Der Planet kam dann immer näher. Irgendwann durchflogen sie die Wolken und man erkannte schon ein wenig von der Landschaft.

Unter ihnen befand sich eine Steppe mit Gras, dass eine Höhe von bis zu 3 Metern hatte und an der Seite befand sich ein Wald mit bizarr verzweigten, uralten Bäumen die einen Stamm-durchmesser von bis zu 40 Metern hatten. Diese waren auch dementspre-chend gigantisch.

„AUWEIA!", sagte Joey geschockt als er sah, dass er direkt auf einen dieser gigantischen Bäume zuflog. Er versuchte dagegen an zu lenken, hatte aber keine Chance und schon krachte er mit voller Wucht in den gigantischen Baum. Es krachte und knackste. Danach gab es einen dumpfen Schlag und das Raumschiff knallte zu Boden. Dieser Schlag hallte durch den Wald und konnte noch mehrere Kilometer gehört werden.

„Was war das?", fragte sich eine kleine Füchsin, die im Wald gespielt hatte. Sie kehrte sofort um und rannte tief in den Wald. Ihr Name war Saphire und gehörte einem Volk an, dass Vulpes hieß. Dieses Volk lebte tief im Wald versteckt und zwar in einem großen Dorf. Die Königin dieses Dorfes war Saphirs Mutter und hieß Atria. Sie war groß, besaß tiefblaue Augen und war mutig und gutherzig. An ihrer Stirn befand sich ein goldenes, verziertes V in dessen Mitte sich eine silberne Mondsichel befand. Nach einer längeren Zeit kam Saphire angerannt. „Mama! Mama!", schrie sie aufgeregt. Diese ging dann zu ihrer Tochter. „Saphire, mein Schatz, was ist denn los?", fragte Atria. „Mama, ich habe da irgend so ein lautes, dumpfes Geräusch gehört", erklärte Saphire aufgewühlt.

„Jetzt beruhige dich bitte erst einmal und dann erzähle mir, was du gehört hast", sagte Atria und strich ihrer Tochter über die Wange. Saphire holte dann tief Luft und begann zu sprechen. „Also, ich habe ganz normal im Wald gespielt. Dann gibt es plötzlich einen dumpfen Schlag und Äste haben gekracht." „Was!", erwiderte Atria dann geschockt.

Anschließend rief sie das komplette Dorf zusammen und hielt eine Ansprache. „Liebes Volk, im Wald hat sich etwas Mysteriöses ereignet, von dem wir nichts wissen. Ich rufe daher das ganze Volk auf, immer in der Nähe des Dorfes zu bleiben. Wir wissen nicht ob es sich hierbei um etwas Bedrohliches handelt. Es könnte sein, dass es sich dabei wieder um die Lupus handelt, die versuchen uns von hier zu vertreiben, wie sie es auch schon mehrere Generationen vor uns versucht haben", erklärte Atria. „Ja, eure Majestät", bestätigte das Volk. „Mama, wer sind die Lupus?", fragte dann Saphire ängstlich. „Die Lupus sind Wölfe. Dieses Volk ist sehr gefährlich. Es lebt draußen in den Bergen. Vor vielen, vielen Jahren gab es einen schlimmen Kampf zwischen unserem Volk und dem Volk der Lupus. Sie wollten uns aus diesem Wald hier vertreiben, weil er angeblich ihnen gehören würde. Mein Urgroßvater ist in diesem Konflikt ums Leben gekommen. Ich war damals noch ein kleines Kind, so etwa in deinem Alter. Er hat mir mal erzählt, dass es vor ihm auch schon viele Kriege gegeben hat. Über den Ursprung dieser Konflikte ist aber nichts bekannt, aber der liegt bestimmt schon Hunderttausend Jahre zurück", erklärte Atria.

Joey und die anderen befanden sich noch im Raumschiff. Diesmal waren aber alle bei Bewusstsein. „Oh Joey, wie schaffst du es bloß immer mit diesen Bruchlandungen?", fragte Debbie-Ann. „Ich habe nicht mit einen so gigantischen Baum gerechnet", erklärte Joey. Dave suchte seine Kamera. „Wo bist du? Bitte sei nicht kaputt", sprach Dave mit sich selbst. Dann fand er sie und sie war nicht kaputt. Er nahm sie und küsste sie ab. „Oh Mann, was für'ne Landung", stöhnte Shilia. „Das kannst du laut sagen", erwiderte Jessica. „Wir steigen mal aus und schauen nach, wo wir uns befinden", sagte

Joey. Anschließend stiegen sie aus dem Raumschiff aus und standen dann vor riesigem Gras. „Du meine Güte!", sagte Joey erstaunt. „Mann, ist das vielleicht riesiges Gras", staunte Debbie-Ann. Dave zuckte sofort die Kamera. „Wir sind auf dem zweiten Planeten angekommen. Wir hatten gerade eine üble Bruchlandung hinter uns. Wir können froh sein, dass wir noch leben", dramatisierte Dave. „Dave, es reicht", erwiderte Debbie-Ann. „WAHNSINN!", staunten Jessica und Shilia. „Das Gras ist ja vielleicht riesig! Das habe ich ja noch nie gesehen", staunte Shilia. Jessica blickte dann zum Wald. „Wahnsinn! Was für riesige Bäume!" Shilia schaute dann ebenfalls zu den Bäumen. „BOOOAH!" „Das ist ein absolut krasser Urwald. Joey, diese Bäume müssen bestimmt schon zehntausende von Jahren alt sein oder gar noch viel älter", dachte Debbie-Ann. „Hier schlagen wir unser Lager auf. Ich muss noch mehr über diesen Planeten wissen. Den erforschen wir ganz gründlich. Das wird auf jeden Fall ein längerer Aufenthalt, als auf dem letzten Planeten", sagte Joey. „COOL!", freuten sich Shilia und Jessica. „Jessica und Shilia, denkt an eu-

er Versprechen", erinnerte Joey. „Ja
Joey", erwiderten Shilia und Jessica.
„Wie oft will er uns das eigentlich noch
auf die Nase binden?", stellte Shilia in
Frage. „Er macht es jetzt bestimmt
immer, wenn wir auf einem anderen
Planeten landen", flüsterte Jessica in
Shilias Ohr. „Was habt ihr beiden da
gerade geflüstert?", fragte Joey und
verschränkte die Arme. „Gar nichts.
Keine Sorge, wir haben nicht vor uns
wegzuschleichen", erklärte Jessica.
„Ehrenwort", sagte dann Shilia. Joey
sagte dann nichts mehr und anschließend wurde das Lager aufgebaut.

Daves Entdeckung

Am nächsten Tag brach die Gruppe zu ihrer ersten Erkundung auf. Sie schlugen sich durch das riesige Gras mit Messer und Stock. Am Morgen war es schon richtig warm und der Stern Edasich strahlte auf sie nieder. Dave war wieder beschäftigt alles zu filmen. „Es ist der reinste Grasdschungel hier draußen. Es ist heiß, sehr heiß und sogar schon so heiß das die Sonne hier dunkelorange strahlt. Wir haben noch nichts entdeckt, aber wir werden bald bestimmt auf Monster stoßen", sprach Dave mit sich selbst und dramatisierte dabei wieder heftig. Dies nutzte Debbie-Ann dann aus und sprang wie ein Monster vor Daves Kamera. Dieser erschrak dann, sprang zur Seite und kullerte dann durch das dichte Gras einen leichten Abhang herunter. „Dave!", schrie Debbie-Ann. Dave landete dann vor einem großen Stein, der wie ein Totempfahl aussah. Dave stand nun langsam auf und vor ihm erstreckte sich dann der Totempfahl, der aus drei übereinander gestapelten Füchsen bestand, die ihre Pfoten aus-

195

streckten. „Was ist denn das für ein Ding?", fragte sich Dave. „Hey Leute, kommt mal her!" Joey, Jessica, Shilia und Debbie-Ann rannten dann sofort zu ihm hin. „Dave, ist alles okay mit dir? So erschrecken wollte ich dich nicht. Tut mir echt leid", entschuldigte sich Debbie-Ann. „Schaut mal, mit was ich zusammengestoßen bin", sagte Dave und zeigte auf den Totempfahl. „Was ist das für ein Ding?", fragte Shilia nervös. „Sieht aus wie eine Art Totempfahl oder Grenzstein", sagte Joey. „Totempfahl? So etwas, was immer Indianer aufstellen?", stellte Debbie-Ann dann in Frage. „Ja, genau so etwas meine ich. Wenn hier ein Totempfahl steht, dann bedeutet das, dass es hier irgendwo in der Nähe Menschen geben muss, die ihn errichtet haben", vermutete Joey. „Wer weiß, wie alt das Ding schon ist. Es muss auch nicht unbedingt von Menschen errichtet worden sein. Es kann hier auch andere Völker geben, die das Ding errichtet haben und von denen wissen wir nichts", erklärte Debbie-Ann. „Dann machen wir uns jetzt auf die Suche nach diesen Völkern", sagte Joey fest entschlossen.

Eine neue Freundin

Mehrere Kilometer von der Truppe entfernt befand sich ein riesiger See, der von großen Bergen und gigantischen Wäldern umgeben war. Dort rastete am See eine riesige Herde von Riesenhirschen, die auf der Erde schon längst ausgestorben waren. „Endlich Pause. Mama, warum müssen wir denn eigentlich immer an einen anderen Ort ziehen?", fragte ein weibliches Kits mit dem Namen Kishana. „Ach Liebling, so ist nun mal der Lauf des Lebens. Es ist unsere Natur zu ziehen. Wenn das Futter knapp wird, dann heißt es für unser Volk, dass wir uns einen neuen Platz suchen müssen. Wenn du älter bist, wirst du es schon verstehen", erklärte Kishanas Mutter. „Das ist aber immer doof wegzuziehen. Kaum hat man sich an den Ort gewöhnt, heißt es wieder Abschied nehmen. Da kann man nie irgendwelche Freundschaften schließen", erklärte Kishana. Ihre Mutter war die Königin der Riesenhirsche und somit auch die Herdenführerin. Ihre Tochter Kishana war dazu auserwählt, später selber die Königin zu werden. Sie besaß ein schmales Gesicht und hatte funkelnde türkisgrüne Augen. Auf der Stirn befand sich ein kleines blaues Schmuckstück. „Liebes Volk, wir werden für fünf Tage hier bleiben und danach ziehen wir weiter", rief die Königin aus. „Fünf Tage? Da kann ich ja schon wieder keine Freundschaften schließen", ärgerte sich Kishana. „Ach Schatz, du wirst schon bald Freundschaften schließen können", beruhigte ihre Mutter. Kishana dachte dann ihren Teil und graste.

So gegen Nachmittag erreichten Joey und seine Freunde den östlichen Rand des Sees. „Wahnsinn! Ist das hier schön", strahlte Jessica. „Das ist wirklich zum Träumen", erwiderte Shilia und schloss ihre Augen. „So etwas Wunderschönes habe ich in meinem ganzen Leben noch nicht gesehen", sagte Debbie-Ann und genoss den Anblick. „Das sind eben die Wunder der Natur, die es auf der Erde nicht mehr so gibt", erklärte Joey. „Können wir hier bitte unsere Zelte aufschlagen?", fragte dann Jessica. „Das wollte ich gerade sagen. Hier bleiben wir vorerst mal. Das hier ist nämlich ein sehr schöner Ort zum Erforschen. Vielleicht finden wir hier sogar auch die Völker. Hier gibt es nämlich alles, was man zum Leben braucht", erklärte Joey.

Schließlich errichtete Joey das Zelt. „Joey, können Shilia und ich ein bisschen am See spielen?", fragte Jessica. „Ihr müsst mir aber versprechen, dass ihr auch wirklich beim See bleibt", sagte Joey ernst. „Ja, bleiben wir. Hyänenehrenwort", versprach Shilia und erhob ihre rechte Pfote. Joey ließ sie dann gehen.

Shilia und Jessica tobten dann durch das Gras und jagten sich gegenseitig. Anschließend spielten sie am felsigen Strand. „Shilia, du wirst ja immer schneller", lachte Jessica. „Ich bin ja auch schon so gut wie ausgewachsen", erwiderte Shilia und leckte Jessica anschließend über die Wange. „Hier ist es einfach nur toll", sagte Jessica. Shilia warf dann einen Blick an den westlichen Teil des Sees und sah die Riesenhirschherde. „Hey, wie wäre es mal damit die Herde dahinten ein wenig aufzumischen?", fragte Shilia. „Also Shilia, wie kannst du so etwas fragen? Das macht man nicht", konterte Jessica. „Ach komm schon Jessie. Das wird bestimmt lustig. Es ist ja keine richtige

Jagd. Ich will mich bloß in Sachen Jagdstrategien testen. Das machen halt junge Hyänen so", bat Shilia. „Nein", erwiderte Jessica dumpf. „Spielverderberin", motzte dann Shilia. „Shilia, das ist kein Spiel. Das ist gefährlich", erwiderte Jessica. „Jetzt hörst du dich ja schon so an wie dein Bruder", wehrte sich Shilia.

Kishana sah dann Jessica und Shilia von weitem. „Oh, wer mag das wohl sein?", fragte sie sich. Sie ging dann zu ihnen hin und begrüßte sie freundlich. „Hi". Jessica und Shilia waren am Anfang etwas überrascht. „Oh, hi", erwiderte Jessica überrascht. „Ich habe euch schon die ganze Zeit beobachtet. Mein Name ist Kishana. Ich bin ein Riesenhirschmädchen und komme von der Herde da unten. Wollen wir zusammen spielen", fragte Kishana. „Sehr gerne", sagte dann Jessica. Kishana freute sich dann. „Ich bin Jessica und das hier unten ist meine beste Freundin Shilia", stellte Jessica vor. „Ich freue mich euch kennen zu lernen", sagte dann Kishana.

Und so kam es dann, dass Jessica eine neue Freundin in Kishana gewann. Die drei Mädchen spielten dann bis in

den Abendstunden am See. „Du hast
da aber einen schönen Schmuckstein
auf deiner Stirn", lobte Jessica. „Fin-
dest du?" „Ja, blau ist eine von meinen
Lieblingsfarben." „Dieser Stein ist etwas ganz Besonderes. Ich bin nämlich
eine Prinzessin", erklärte Kishana.
„WOW! Eine echte Prinzessin?" „Ja.
Ich bin dazu auserwählt die Königin
der Riesenhirsche zu werden. Meine
Mama ist schon lange Königin", erzählte Kishana. Anschließend platzte
Shilia in das Gespräch. „Jessie, wir
müssen so langsam wieder zum Zelt
zurück, sonst denkt Joey, wir haben
uns wieder weggeschlichen", erklärte
Shilia. „Ist dieser Joey ein Freund von
dir?", fragte dann Kishana. „Nein, er
ist mein größerer Bruder. Wir haben
ganz dahinten unser Lager aufgeschlagen", erklärte Jessica. „Cool! Wollen
wir uns dort morgen wieder treffen?",
fragte Kishana. „Ja, gerne." „Dann bis
morgen", verabschiedete sich Kishana
und sprang mit großen Rehsprüngen
weg. Shilia und Jessica gingen dann
zum Lager zurück, wo Joey schon wartete. „Da seid ihr ja endlich", sagte
Joey erleichtert. „Tut uns leid. Wir
sind wirklich nur am See geblieben
und ich habe auch eine neue Freundin

gefunden." „Ich würde mal sagen, sie hat uns gefunden", konterte Shilia. Joey dachte dann, Jessica hätte Menschen gesehen. „Hast du hier in der Nähe Menschen gesehen?", fragte Joey schnell. „Nein. Ganz dahinten befindet sich eine Riesenhirschherde und von dort kam ein Mädchen zu uns und grüßte uns. Sie hatte noch nicht einmal Angst. Sie hat sich einfach mit uns angefreundet und dann haben wir zusammen gespielt. Ihr Name ist Kishana", erklärte Jessica.

Joey nahm dann seinen Taschencomputer und gab dort Riesenhirsch ein. Dieser ließ dann ein Bild von einem Riesenhirsch erscheinen und darunter erschienen viele Daten. „Hier steht, dass der Riesenhirsch zu den größten Landbewohnern in der Eiszeit gehörte. Sie starben vor vielen Tausenden von Jahren auf der Erde aus", erklärte Joey. „Ausgestorben? Warum?", fragte dann Jessica. „Aufgrund des Klimawandels. Das Tier benötigte sehr viel nahrhafte Nahrung. Auf der Erde gab es nicht mehr genügend Futter für diese Tiere und dann sind sie nach und nach ausgestorben. Es ist total interessant zu wissen, dass diese Tiere hier irgendwie überlebt haben müssen, oder vielleicht war es sogar so, dass sich die Hirsche hier auf dem Planeten zu ihrer Urform zurückentwickelt haben", erklärte Joey.

Als es dunkel wurde, schauten sie noch mal kurz in die Sterne und suchten die Sonne. Als sie sie als einen kleinen Stern am Himmel sichteten, legten sie sich dann alle schlafen.

Das Fossil

Am nächsten Morgen war Kishana schon sehr früh da. Es war sogar noch so früh, dass von der Gruppe noch keiner wach war. „Hallo? Jessica? Shilia? Seid ihr schon wach?", fragte Kishana. Shilia wurde aber dann durch Kishanas Rufe wach. Sie gähnte herzhaft, streckte sich und verließ dann das Zelt. „Was machst du denn schon hier?", fragte dann Shilia. „Guten Morgen Shilia. Ist Jessica schon wach?", fragte Kishana. „Hast du mal in den Himmel geschaut? Der Stern ist noch nicht einmal aufgegangen", erklärte Shilia. „Ich weiß. Wir Riesenhirsche stehen immer vor Sonnenaufgang auf. Da ist das Gras am frischesten und schmeckt am besten", erklärte Kishana. „Wir schlafen aber noch um diese Zeit", erwiderte Shilia. „Oh. Entschuldigung dass ich dich geweckt habe. Dann komme ich eben später noch einmal vorbei. Mach's gut", sagte Kishana und hüpfte in großen Bögen weg. Shilia gähnte dann nochmals und marschierte mit hängendem Kopf in das Zelt zurück. „Pflanzenfresser, pah. Müssen immer vor Sonnenaufgang aufstehen, damit sie das Gras frischer fressen können", sagte Shilia müde und legte sich dann wieder neben Jessica und schlief weiter.

Als der Stern Edasich dann am Himmel stand, kam Kishana zurück. Jessica hatte mit Shilia schon vor dem Zelt gewartet und Joey befand sich mit Dave und Debbie-Ann am Strand. Dort hielten sie Ausschau nach Völkern und suchten nach Versteinerungen.

„Stell dir mal vor, die war schon mitten in der Nacht da. Der Morgen war noch nicht mal richtig angebrochen", sagte Shilia etwas gereizt. Sie war noch sehr müde. „Echt?" „Wenn ich's dir doch sage. Die ruft ganz laut unsere Namen und reißt mich damit aus dem Schlaf", erzählte Shilia und gähnte dann. „Ach deshalb bist du mit dem Kopf ins Frühstück gefallen", fand Jessica dann raus. „Genau. Ich bin sowas von müde", sagte Shilia und streckte sich. „Hi, alles ausgeschlafen?", sagte dann Kishana, die vor ihnen dann auftauchte. „Ich bin wach", antwortete Jessica. „Dann können wir ja jetzt spielen gehen. Steig auf meinen Rücken, aber halte dich dann an meinem Hals fest", sagte Kishana und kniete sich dann so nieder, dass Jessica auf sie steigen konnte. „Ich soll jetzt wirklich auf deinen Rücken steigen", zweifelte Jessica.

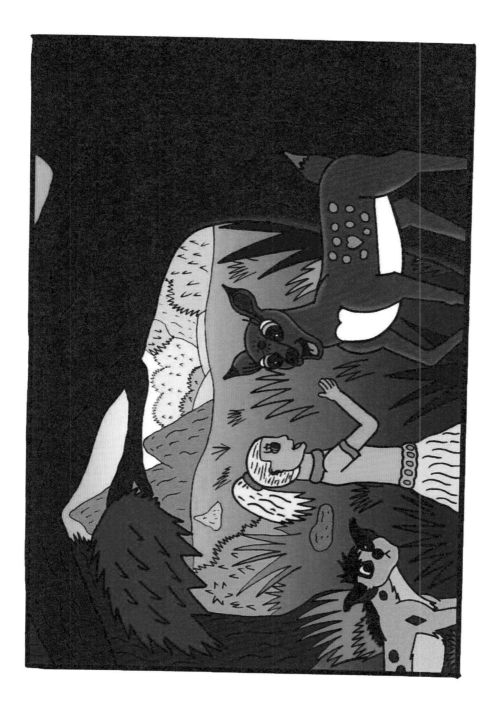

„Klar, und Shilia auch. Ich möchte mit euch reiten", sagte Kishana mit Freude erfüllt. Shilia hatte sich aber ins Gras gelegt und schlief. „Ich glaube Shilia können wir dann doch hier lassen." „Das denke ich auch. Ich hab sie heute früh aus dem Schlaf gerissen, was mir wirklich leid tut. Komm, steig auf", sagte Kishana. Jessica stieg nun auf Kishanas Rücken. „Halt dich fest", befahl Kishana. Anschließend sprang sie dann weg. „Kishana, nicht so schnell!", schrie dann Jessica. „Oh, tut mir leid. Das war meine Gewohnheit. Ich kann auch viel sanfter springen", sagte sie. Dies tat Kishana dann auch.

„Keine Spur von irgendwelchen Völkern", sagte Joey, der umher schaute. „Vielleicht sind die so gut verborgen, dass man sie nicht gleich sieht", erklärte Debbie-Ann. „Scheint so. Wir haben ja noch genügend Zeit, sie zu finden", erwiderte Joey. „Wie alt sind hier eigentlich dieser Stern und der Planet?", fragte Debbie-Ann. Joey zuckte dann seinen Taschencomputer und gab den Namen des Sterns ein. In der Folge erschienen jede Menge Daten. „Also, der Stern hat ein Alter von 8,6 Milliarden Jahren, ist 13 -mal größer als die Sonne und ein Roter Riese im Anfangsstadium", antwortete Joey. „Was, schon so alt", staunte Debbie-Ann. „Debbie, es gibt noch ältere Sterne, als dieser", erklärte Joey.

Dave war verschwunden um die Umgebung zu filmen. Er filmte sogar den Stern mit und erzählte dabei wieder haarsträubende Geschichten. Er lief und lief und schaute nicht wo er hintrat. Anschließend stolperte er über eine Erhebung. „AAAH!", schrie er. Seine Kamera flog dabei auf einen spitzen Stein und zerbrach in zwei Teile. „OH NEIN! MEIN BABY! KAPUTT! TOT", jammerte Dave und nahm die Bruchstücke seiner Kamera in die Hand. „Dave, was ist denn?", fragte Debbie-Ann, die mit Joey dann angerannt kam. „Meine Kamera ist gerade gestorben, wegen dieser dämlichen Erhebung!", fluchte Dave und trat gegen die Erhebung und legte damit einen kleinen Teil eines Fossils frei. „Dave, du hast gerade einen Teil eines Fossils freigelegt", sagte Joey aufgeregt. „Das rettet meine Kamera auch nicht mehr", erwiderte Dave dumpf. „Deine Kamera repariere ich wieder, aber erst legen wir dieses Fossil frei", entschloss sich Joey.

Jessica befand sich mit Kishana in einem nahe gelegenen Urwald mit besonders dicken Bäumen.

211

„Wollen wir noch mal zusammen reiten?", fragte Kishana. „Das war voll cool, aber ich denke wir machen jetzt erst einmal eine Pause", sagte Jessica. Anschließend ging sie ganz dicht an einen Baum heran. „Wahnsinn! Der Baum ist ja fast so dick, wie mein Haus", staunte Jessica. „Die Bäume sind hier alle so dick." Dann dachte sie daran, dass ihr Spaß mit Jessica bald vorbei sein wird, weil sie noch drei Tage hatte. Ihr wäre es lieber, wenn Jessica immer bei ihr sein würde. „Jessie, ich muss dir was sagen", fing Kishana langsam an. „Was denn?" „Wie soll ich's dir bloß sagen?" Sie überlegte nun wie sie es ihr beibringen sollte. „Du weißt doch, dass sich meine Herde am See befindet. Wir bleiben dort aber nicht für immer, sondern ziehen weiter", erklärte Kishana traurig. „Du gehst weg?", schaute Jessica auf. „Ja, und das in drei Tagen", erklärte Kishana und weinte dann. „Warum kannst du nicht mit deiner Herde am See bleiben? Das ist doch ein schöner Ort zum Leben", fragte Jessica. „Jessie, wir Riesenhirsche sind Wandertiere. Was glaubst du wie oft wir schon weggezogen sind. Ich konnte bis jetzt nie richtige Freundschaften schließen.

Du bist bis jetzt die einzige Freundin, die ich hatte und ich will dich nicht verlieren", sagte Kishana traurig. „Warum bleibst du dann nicht einfach bei mir und Shilia?", fragte dann Jessica. „Weil es nicht geht. Ich bin die zukünftige Königin meines Volkes und das kann ich nicht im Stich lassen. Es tut mir so fürchterlich weh und leid, aber wir müssen in drei Tagen Abschied nehmen", erklärte Kishana. Nun wurde auch Jessica richtig traurig und fiel Kishana um den Hals und schmuste mit ihr. „Noch ist es ja nicht so weit. Wir können noch drei Tage zusammen spielen", sagte Kishana. „Kishi, ich muss dir jetzt auch etwas sagen und zwar komme ich nicht von diesem Planeten", gestand Jessica. „Und wo kommst du dann her?", fragte dann Kishana. „Ich komme von einem Planeten, den man Erde nennt. Dort gab es auch mal Riesenhirsche, aber die sind dort schon längst ausgestorben. Ich bin mit meinem Bruder und seinen Freunden in einem Raumschiff hierher geflogen. Vorher waren wir auf einem Sumpfplaneten und dort habe ich mich mit Shilia verirrt", erzählte Jessica. Und so erzählte Jessica Kishana die ganze Geschichte. Kishana hörte ihr aufmerksam zu. „COOL! Das hört sich ja total aufregend an", sagte sie.

Joey hatte dann nach Stunden das Fossil freigelegt. „Das ist ja eine Hyäne", staunte Joey. Er scannte das Skelett dann in seinem Computer ein. „Aber, wie ist das möglich?", fragte dann Debbie-Ann. „Das müssen wir herauskriegen", erklärte Joey und trug das Fossil dann weg. Als Joey und die anderen ihr Lager erreichten, stand Shilia vor ihnen. „Was habt ihr denn da gefunden", fragte sie. „Ich dachte du wärst bei Jessica", schaute Joey dann auf. „Die ist mit ihrer Riesenhirschfreundin weg. Ich habe bis jetzt geschlafen", erklärte Shilia. „Es ist gut, dass du da bist, weil wir dich jetzt brauchen und zwar haben wir am See eine versteinerte Hyäne gefunden", sagte Joey. „Wie bitte?" Joey zeigte ihr dann das Fossil. „Ja, das ist eindeutig eine Hyäne, aber wie kommt die hierher?", fragte sich Shilia. „Das wollen wir jetzt herauskriegen und dafür brauchen wir dich." Sie gingen dann zusammen in das Zelt. Dave weinte immer noch wegen seiner Kamera. „Ach Dave, Joey hat doch gesagt, dass er sie repariert", erklärte Debbie-Ann. „Ich weiß, aber ich kann das jetzt

nicht filmen, was wir entdeckt haben",
erwiderte Dave.

Joey begann dann mit seiner Arbeit.
Es dauerte eine Stunde bis er das voll-
ständige Ergebnis hatte. „Also, es
handelt sich tatsächlich um eine Fleckenhyäne. Die ist vor 2,5 Milliarden
Jahren gestorben", sagte Joey. „2,5
Milliarden Jahre? Das ist aber ein
ganz schön langer Zeitraum", staunte
Debbie-Ann.

Am Abend kehrte Jessica mit Kishana
zurück. „Dann sehen wir uns morgen.
Mach's gut", verabschiedete sich
Kishana und sprang weg.

Kishanas Abschied

Die Tage verronnen und schon war der Abschiedstag von Kishana da. „Shilia, kommst du? Ich möchte mich von Kishana verabschieden", sagte Jessica ein wenig traurig. „Ich bin noch am Kauen", erwiderte Shilia und schluckte dann ihr Essen herunter. Dann kam sie. Sie hatte an diesem Tag ein kleines Zöpfchen mit einer Schleife in der Mähne. „Danke, das ich deine Schleife benutzen darf", bedankte sich Shilia. „Steht dir voll gut", sagte dann Jessica. „Danke."

Dann war es soweit. Kishana kam und dann begann der Abschied. „Tja Jessie, Shilia wir ziehen jetzt weiter", sagte Kishana traurig. „Ich werde dich vermissen", erwiderte Jessica und drückte Kishana. „Ich... habe... noch ein kleines... Geschenk für dich, damit du mich nie vergisst", sagte Kishana traurig. Sie senkte ihren Kopf und ließ ihren blauen Stein in Jessicas Hand fallen. „Aber Kishana, das ist doch dein besonderer Stein. Den kann ich nicht annehmen", sagte Jessica. „Bitte, nimm ihn. Ich schenke ihn dir. Er soll dich immer an mich erinnern und dir

Glück auf deinem weiteren Wege schenken", sagte Kishana. „Aber jetzt habe ich nichts für dich", erwiderte Jessica. „Doch, das hast du. Du hast mir deine Freundschaft geschenkt und das ist mir sehr wichtig. Du wirst immer in meinem Herzen bleiben und ich werde dich und Shilia nie vergessen. Mach's gut", verabschiedete sich Kishana. „Warte! Ich habe doch was für dich." Sie machte dann ihr rosa Haarband aus den Haaren und band es um Kishanas Hals fest. „Danke Jessica", bedankte sich Kishana und leckte ihr über die Wange. „Kishana!", rief dann ihre Mutter. „Jetzt muss ich gehen. Mach's gut". „Danke für den Stein." Dann war sie schon weg. „Wenigstens bleibst du mir erhalten", sagte Jessica und drückte ihre Freundin Shilia. Danach konnten sie nur noch die Herde wegziehen sehen und irgendwann verschwand sie hinter dem Horizont.

Das Volk der Füchse

Die Gruppe befand sich dann wieder beim Raumschiff. Schon mehr als eine Woche befanden sie sich jetzt auf dem Planeten. Joey hatte in der Zwischenzeit eine Landkarte von der Landschaft des Planeten entwickelt, damit sie einen Überblick über den Planeten hatten. „Also, wir erforschen jetzt diesen Urwald nach irgendwelchen Völkern", sagte Joey fest entschlossen und zeigte bei der Karte auf den dunkelgrünen Fleck. „Cool!", freuten sich dann Jessica und Shilia. „Und ihr beiden bleibt bei der Gruppe, wenn wir jetzt da rein gehen", sagte Joey ernst. „Ja Joey! Wie oft willst du uns das denn noch auf die Nase binden?", fragte Jessica. Shilia kicherte heimlich. „Ich werde dich daran öfters erinnern. Es könnte ja sein, dass du es wieder vergisst und mit Shilia irgendwann wieder einen Plan austüftelst, damit du dich wegschleichen kannst", erklärte Joey ernst. „So vertraut er uns also", flüsterte Shilia dann in Jessicas Ohr. „Heimlichkeiten sind immer Schlechtigkeiten", sagte dann Joey. „Schon gut Joey, das waren keine

Schlechtigkeiten", erklärte Jessica. Schließlich brachen sie in den Wald auf.

Währenddessen, im Dorf der Füchse, schlich sich Saphire weg. Sie wollte herauskriegen, was sie vor mehr als einer Woche gehört hatte. Am Anfang hatte sie noch Angst. „Ich muss herauskriegen, was ich vor mehr als einer Woche gehört habe", sagte sie. Nach längeren Sprüngen und Märschen erreichte sie den Waldrand des Urwaldes und blickte gegen eine Wand von hohem vertrocknetem Gras. „Wow, hier war ich ja noch nie. Cool", staunte sie. Sie sprang dann in das hohe Gras.

Die Gruppe stapfte durch den Urwald und war umgeben von gigantischen Bäumen und Riesenfarnen. „Warum ist hier eigentlich alles so gigantisch?", fragte sich Debbie-Ann. „Das möchte ich auch noch herausfinden, aber ich denke mir es hat irgendetwas mit dem Stern, dessen Alter und dem Alter des Waldes hier zu tun", schätzte Joey. „Gab es auf der Erde damals nicht auch solche gigantischen Bäume und Wälder", stellte dann Dave in Frage. „So gigantisch und mächtig wie hier waren die Bäume nicht. Diese Bäume hier sind bizarr und haben einen übergroßen Stammdurchmesser. Wenn man diese versuchen würde zu fällen, wäre das unmöglich. Das packt selbst die stärkste Kettensäge nicht. Sie würde vorher durchschmoren", erklärte Joey. „Könntest du das Alter des Waldes irgendwie herauskriegen?", fragte Debbie-Ann. „Wissenschaftlich ist das möglich", sagte Joey. „In diesem Wald fühlt man sich total winzig", sagte Shilia. „Ja du hast Recht. Wie kleine Ameisen", erwiderte Jessica.

Irgendwann befand sich die Gruppe in der Nähe des Fuchsdorfs. „Hört ihr das auch?", horchte Joey aufmerksam. „Ja, ich höre Stimmen", bestätigte Debbie-Ann. „Schnell, den Stimmen nach! Ich glaube wir haben unser erstes Volk gefunden", sagte Joey aufgeregt. Sie folgten nun den Stimmen und erreichten den Rand des Fuchsdorfes. Dort befand die Mutter von Saphire, die ihre Tochter suchte. „Saphire! Saphire! Saphire wo bist du!"

„Das sind Füchse, die zivilisiert leben, so wie die Eingeborenen im Dschungel", erklärte Joey und war erstaunt. „WAHNSINN!", erwiderte Dave und zuckte seine wieder reparierte Kamera.

Dann drehte er sich ruckartig zu der Gruppe um und filmte sich selber. „Wir haben gerade etwas entdeckt und zwar Füchse. Keine gewöhnlichen Füchse müsst ihr wissen. Es handelt sich um hochintelligente, oberschlaue Füchse, die in der Lage sind ganze Dörfer oder gar Städte zu bauen. Vielleicht sind sie sogar bald so schlau, dass sie Raumschiffe bauen können und dann werden sie die Erde erobern", übertrieb Dave. Debbie-Ann schüttelte dann wieder kurz ihren Kopf. „Haben wir die Realität wieder erreicht?", fragte dann Debbie-Ann. „Es macht mir halt Spaß dick auf zu tragen", erwiderte Dave. „Ob es hier vielleicht auch mal Hyänendörfer gegeben hat?", fragte sich Shilia. „Könnte sein. Siehst du die große Füchsin da vorne? Die muss so etwas wie eine Königin sein. Die hat so einen wundervollen Kopfschmuck", sagte Jessica.

Saphire erreichte in Zwischenzeit per Zufall das Lager von Joey und seinen Freunden. Sie stand dann mit offenem Mäulchen vor dem Raumschiff. „COOL! Ich hab's gefunden. Was mag das wohl sein?", fragte sie sich. Sie schaute sich kurz um aber verschwand dann wieder im Urwald, da sie dann doch ein wenig nervös wurde.

Joey und seine Freunde befanden sich in den Büschen versteckt und beobachteten weiterhin das Dorf. „Das ist einfach unglaublich", sagte Jessica. „Was würde wohl passieren, wenn sie uns entdecken?", fragte sich Shilia. Es standen dann aber schon zwei Wachen hinter ihnen. „Hey! Aufstehen und mitkommen!", forderten die Wachen. „Sie haben uns schon entdeckt", sagte dann Joey. Anschließend wurden sie in das Dorf geführt. „Erlaubt euch nicht zu wehren! Das könnte euch schlecht bekommen!", sagten die Wachen streng. Dabei fletschten sie beide ihre Zähne und drohten mit einem Knurren.

Vor der Königin

Im Dorf kamen sie dann vor die Königin. „Eure Majestät! Wir haben hier fünf Fremdlinge erwischt! Die haben sich in den Büschen versteckt und das Dorf beobachtet!", knurrte die eine Wache. Atria saß auf ihrem Thron und schaute Joey und seine Freunde böse an. „Eure Majestät wir sind..." Dann wurden sie sofort von ihr unterbrochen. „SCHWEIGT STILLE! Ich gebe hier die Befehle und ich sage auch, wann gesprochen wird! Haltet euch bitte zurück!", befahl Atria. Shilia schluckte dann. Nun begann Atria zu sprechen. „Jetzt erteile ich euch die Erlaubnis zu sprechen. Ich möchte erst einmal wissen, wer ihr seid und wo ihr herkommt. Warum habt ihr mein Dorf beobachtet und euch in den Büschen versteckt? Und ich rate euch die Wahrheit zu sagen und nicht zu lügen. Lügner und Feinde landen bei uns im Sumpfkerker und werden später verspeist", sagte Atria mit strenger Stimme. „Eure Majestät, wir kommen keineswegs in feindlicher Absicht. Wir sind Freunde. Unsere Namen sind Joey, Debbie-Ann, Jessica und Dave.

Das Tier bei Jessica heißt Shilia", erklärte Joey und erhob seinen rechten Arm. „Ich habe solche Wesen wie ihr es seid hier noch nie gesehen. Wo kommt ihr her?", fragte dann Atria und lächelte dann leicht. „Wir kommen von einem Planeten, den man Erde nennt. Wir sind auf der Suche nach einem Planeten auf dem Mensch und Tier in Frieden miteinander leben. Gekommen sind wir mit einem Raumschiff, das leider in einen dicken Baum gestürzt ist", sagte Joey und erhob nochmals seinen rechten Arm. „Dann kam dieser Krach also von euch. Meine Tochter hat das nämlich gehört und war deshalb sehr aufgeregt", erklärte Atria. Ihre Tochter befand sich nun wieder am Rand des Dorfes und schlich sich ins Dorf zurück. Sie dachte, dass sie unbemerkt blieb, wurde aber dann von ihrer Mutter gesehen. „Saphire! Saphire mein Schatz", strahlte Atria. Sie stand auf und umarmte dann ihre Tochter. Anschließend wurde sie aber dennoch geschimpft. „Warum schleichst du dich weg? Ich habe dir doch verboten in den Urwald zu gehen. Du bist die Zukunft unseres Volkes, wenn ich später abtrete", schimpfte Atria. „Entschuldigung Mami." Dann richtete sie ihre Blicke zu Joey und seinen Freunden. „Wer sind die denn?", fragte Saphire ängstlich. „Schatz, keine Angst. Sie sind Freunde von uns und werden heute Abend bei einer speziellen Zeremonie dazu erklärt", erklärte Atria. „Ähm, eure Hoheit, was genau ist denn damit gemeint?", fragte Debbie-Ann. „Nach dem Gesetz unseres Stammes müssen Freunde unseres Volkes das Zeichen des Stammes tragen und das bekommt ihr dann auf eure Stirn gemalt", erklärte Atria. „Ach so", erwiderte dann Debbie-Ann. „Ähm, eure Majestät. Werden Lügner und Feinde jetzt echt von euch gefressen?", fragte Jessica neugierig. „Du bist aber sehr neugierig. Genau wie meine Tochter. Ihr beide passt sehr gut zusammen." Dann gab sie Jessica die Antwort auf ihre Frage und diese war nicht gerade angenehm. „Ja, sie werden von uns gefressen. Das hört sich jetzt zwar schrecklich an, ist aber noch nicht so oft passiert. Wir sind im Großen und Ganzen ein friedliches Volk", erklärte Atria. „Ich finde deinen Kopfschmuck einfach wunderschön. Ich würde so etwas gerne auch tragen", sagte Jessica. „Jessie, du musst immer gleich alles haben, was du siehst", kicherte Shilia. Atria ging dann zu Jessica und drückte diese. „Du bist richtig lieb, ich mag dich", sagte Atria und gab Jessica einen Kuss auf die Stirn. Jessica wurde dann rot im Gesicht.

Die Zeremonie

Am Abend fand dann die Zeremonie statt. Alle hatten sich auf einem Platz versammelt, in dessen Mitte sich eine Statue mit drei Füchsen befand, die aufeinander saßen. „Hey Dave, jetzt wissen wir auch von wem der Totempfahl stammt, den du entdeckt hast", sagte Joey. Dave hörte aber jetzt nicht zu, sondern war wie immer damit beschäftigt zu filmen. „Hey Dave! Du hörst mir nicht zu!", sagte Joey laut. „Oh Entschuldigung. Habe dich eben gerade nicht gehört", erwiderte Dave. Anschließend erhob sich Königin Atria von ihrem Thron. „Liebes Volk, wir haben uns jetzt hier versammelt, um diese fünf Besucher in unseren Freundeskreis aufzunehmen", sagte Atria an. Alle verbeugten sich dann, außer Joey und seine Freunde. Atria nickte dann kurz mit dem Kopf, was hieß, dass sie sich auch verbeugen sollten. Dies taten sie dann auch. Anschließend wurden sie nach und nach zur Königin gerufen. Diese malte dann mit ihrer Pfote das Zeichen des Stammes auf die Stirn, die drei Füchse die aufeinander saßen. Als Letzte kam

Jessica. Nachdem Jessica das Zeichen auf der Stirn hatte, wurde sie noch einmal von Atria gedrückt.

In dieser Nacht blieb die Truppe im Fuchsdorf. Sie durften sogar bei der Königin übernachten. Shilia hatte sich auf den Bauch gelegt und genoss es von Jessica gekrault zu werden. Die anderen schliefen schon. „Das tut gut. Und jetzt kraule mich bitte am Hals", bat Shilia. Anschließend kam Saphire dazwischen. „Hi", grüßte sie. „Hi Saphire", erwiderte dann Jessica. „Oh, kannst du mich bitte auch mal kraulen?", fragte sie dann. „Ja natürlich", antwortete Jessica und kraulte dann Saphire. Shilia wurde dann wütend, weil sie weiter gekrault werden wollte. „MMH!", knurrte sie und zog Jessica mit ihren Zähnen zu sich. „SHILIA! Was ist denn jetzt in dich gefahren!", fragte Jessica dann gereizt. „Du sollst mich weiter kraulen!", motzte sie. „Ich kraule dich dann ja schon weiter. Jetzt ist erst einmal Saphire dran", erklärte Jessica. „Mmh, pah", motzte dann Shilia. „Ach Shilia, sei jetzt bitte nicht trotzig", bat Jessica. Shilia sagte aber dann kein Wort mehr und drehte sich um.

Shilia und die Eifer-
sucht

Es vergangen mehrere Tage. Joey und seine Freunde befanden sich wieder bei ihrem Lager. Joey war dabei die Schäden am Raumschiff zu reparieren. Glücklicherweise waren diese nicht so groß. Sie wollten den Planeten aber noch nicht verlassen, weil es noch zu viel zu entdecken gab. Das Raumschiff musste aber am Tag der Abreise startklar sein. Jessica hatte jetzt jeden Tag Besuch von Saphire. Sie spielten sehr häufig zusammen. Dabei vernachlässigte sie aber immer mehr Shilia. Diese wurde dann mit jedem Tag eifersüchtiger.

Shilia saß knurrig im Gras unter einem zerfetzten Baum und schaute zu, wie ihre beste Freundin mit der kleinen Füchsin spielte. „MMMH! BLÖDE FÜCHSIN!", zischte Shilia. Anschließend kam Debbie-Ann zu Shilia. „Shilia, was ist denn los. Du siehst irgendwie sauer aus", sagte Debbie-Ann. „Sauer ist kein Ausdruck. Ich bin stinksauer!", knurrte Shilia. „Weswe-

gen denn?", fragte Debbie-Ann. „WE-
GEN IHR! Klaut mir meine beste
Freundin weg!", knurrte Shilia. „Ach
Shilia, lass Jessica doch mit der kleinen Füchsin spielen. Das ist doch
nicht schlimm. Wenn sie wieder weg
ist, dann kannst du doch mit Jessica
spielen", erklärte Debbie-Ann. „Es ist
aber nicht mehr dasselbe." Dann fing
Shilia an zu weinen. „Ich will meine
beste Freundin wieder zurückhaben",
weinte Shilia und fiel dann um Debbie-Ann und weinte ihr das T- Shirt
voll. „Ach Shilia, bitte sei nicht traurig.
Jessica ist doch deine beste Freundin
und wird es auch bleiben", erklärte
Debbie-Ann.

Auch die weiteren Tage sahen nicht
anders aus. Jessica spielte nur noch
mit Saphire. Shilia wusste nicht mehr,
was sie tun sollte. Irgendwann im Laufe des Tages ging Saphire zu Shilia.
Dies war aber ein Fehler. „Hi Shilia,
wollen wir mal zusammen spielen?",
fragte Saphire fröhlich. Dies brachte
Shilia dann auf eine hinterhältige Idee,
die sehr böse war. „Ja natürlich. Wir
können gerne zusammen spielen.
Komm, wir gehen auf die Wiese hinaus", sagte Shilia hämisch und verzog
ihr Gesicht zu einem hämischen Grin-

sen. „OH TOLL! Dann nichts wie los!",
freute sich Saphire. Sie gingen dann
weg und Shilia lachte dann finster. Die
ist Futter, dachte sie.

Saphire ahnte nicht, dass Shilia vor
hatte, sie zu fressen. „Shilia wollen wir
fangen spielen?", fragte Saphire. Aber
sie ahnte nicht, was Shilia mit ihr
wirklich vorhatte.

Shilias Blick wurde schließlich bösartig, förmlich aggressiv und sie sagte dann mit gefletschten Zähnen:

„NEIN! Wir spielen jetzt du bist das Opfer und ich die Hyäne, denn ich fresse dich jetzt auf!"

Sie riss dann ihr Maul weit auf und entblößte ihr gefährliches Gebiss. Danach sprang sie mit aufgerissenem Maul auf Saphire zu. „AAAAAAAH!", schrie diese und rannte dann weg. „JA! RENN! Gleich hab ich dich!", knurrte Shilia. Saphire rannte weg und Shilia blieb im Gras sitzen. „Dumme Füchsin", sagte sie und ging dann weg - dabei lachte sie hämisch. „Hey Shili, wo ist denn Saphire?", fragte dann Jessica. „Ähm, die musste leider nach Hause gehen", log Shilia. „Shilia?!", fragte Jessica mit strengem Blick und verschränkten Armen. „Was ist denn Jessie?", erwiderte Shilia dann unschuldig. „Shilia! Wo ist Saphire!", zischte Jessica. „Weg!", entgegnete Shilia kalt.

Anschließend warf ihr Jessica vor, Saphire aufgefressen zu haben. „DU HAST SIE GEFRESSEN! NICHT WAHR!" „NEIN, HAB ICH NICHT!", verteidigte sich Shilia. „WAS HAST DU

DANN MIT IHR GEMACHT!", erwiderte Jessica zischend. „ICH HAB SIE VER-JAGT, OKAY! ICH WOLLTE SIE FRES-SEN, HAB'S ABER NICHT GETAN!", schrie Shilia Jessica ins Gesicht und spuckte sie dabei voll. Jetzt war Jessica richtig böse auf Shilia. „SHILIA! DAS HÄTTE ICH NIE VON DIR GE-DACHT! Das ist jetzt echt gemein von dir!!", schrie Jessica. Shilia verschwand aber dann zornig im Zelt.

Alle saßen an diesem Abend zusammen an einem Feuer, außer Shilia. Sie blieb trotzig im Zelt und schaute sich alte Fotos an, wo sie mit Jessica noch glücklich war. Darunter waren viele Fotos, wo sie noch klein war. Auf einem aktuellen Foto umarmten sich Jessica und Shilia und unter diesem Foto stand ‚Für immer beste Freundinnen'. „Oh, Jessie ...", weinte dann Shilia und schmiss sich ins Bett.

Shilia verschwindet

Shilia wusste nicht mehr, was sie machen sollte und so lief sie mitten in der Nacht weg und brach in die Wildnis auf.

Als am Morgen alle wach wurden, war Shilia verschwunden. „Joey! Joey! Shilia ist weg! Ich konnte sie nirgendwo finden!", sagte Jessica panisch. Alle suchten dann gründlich das Lager plus das Raumschiff durch. Es war aber keine Shilia da. Irgendwann kam Saphire zu ihnen zurück. „Was ist hier los?", fragte sie. „Saphire, du bist wieder da", strahlte dann Jessica und nahm Saphire in den Arm. „Shilia ist verschwunden! Sie muss in der Nacht weggelaufen sein", sagte Debbie-Ann. „Die war doch gestern total böse zu mir und wollte mich fressen. Das war voll hinterhältig von ihr. Ich wollte mit ihr spielen, aber sie hatte nur im Sinn, mich zu fressen", erwiderte Saphire. „Oh nein, das ist jetzt meine Schuld, dass sie weggelaufen ist. Ich war gestern doch ein wenig zu streng mit ihr", beschuldigte sich Jessica und weinte anschließend. „Das war schon richtig. Du musstest mit ihr schimpfen. Du hattest keine andere Wahl. Es wäre schlecht gewesen, wenn du es nicht getan hättest", erklärte Debbie-Ann. „Shilia ist aber bis jetzt noch nie weggelaufen", sagte Jessica traurig. „Alles nur wegen mir. Ich will nicht weiter zwischen eurer Freundschaft stehen. Ich gehe lieber wieder", beschuldigte sich dann Saphire und verschwand wieder. „Saphire, bleibe bitte hier. Dich trifft keine Schuld." Und schon war sie weg. Jessica war nun richtig traurig. „Jessica, beruhige dich bitte. Wir werden Shilia schon wieder finden", beruhigte Debbie-Ann und strich ihr durch die Haare. „Sie wird da draußen nie überleben", schluchzte Jessica. „Jessica, sie ist eine Hyäne, ein wildes Tier. Der Jagdinstinkt liegt ihr im Blut. Sie wird schon nicht verhungern", beruhigte Debbie-Ann nochmals.

Die Gruppe schlug dann ihr Lager ab und machte sich auf die sofortige Suche nach der jungen Hyäne.

Auf der Suche nach Shilia

Sie durchsuchten jeden Winkel von Urwäldern bis hin zu Urwiesen und Erdlöchern. Es vergangen schon 5 Tage und die Suche blieb erfolglos.

Shilia befand sich in der Nähe von den Bergen und war schon fast ausgehungert. Sie konnte sich noch nichts erjagen, weil sie zu traurig war und zu sehr an Jessica dachte. Irgendwann musste sie aber etwas fressen. „Oh Jessie. Wäre ich bloß nicht weggelaufen. Es tut mir so fürchterlich leid", weinte Shilia und schmiss sich in das Gras. Dann knurrte Shilias Magen. Sie griff sich dann mit der Pfote an den Bauch. „Oh Mann, ich bin total ausgehungert. Ich muss mir jetzt etwas erjagen, sonst sterbe ich. Ich habe aber noch nie eine richtige Jagd gemacht, nur spielerisch", sagte Shilia traurig. Sie rappelte sich dann auf.

Vor ihren Pfoten schnellte eine große Maus vorbei. Sie riss ihr Maul sofort auf und schnappte nach der Maus. Diese befand sich dann in Shilias Maul und wurde schnell mitsamt Knochen

zerkaut. Als sie die Maus runterge-
schluckt hatte, war sie aber immer
noch nicht gesättigt. „Das macht nicht
satt. Ich muss mindestens hundert
Mäuse fressen, um meinen Magen zu
füllen, aber so viele gibt es hier an der
Stelle nicht", sagte Shilia. Sie beschloss sich jetzt auf die Jagd zu gehen. Sie hatte jetzt keine andere Wahl.
Ihr ging es jetzt nur noch darum, etwas zwischen die Zähne zu bekommen
und vergaß Jessica und ihren Kummer. Was blieb ihr auch anderes übrig.

An einem nahe gelegenen Urwald befand sich eine grasende Herde mit Re-
hen. Diese Rehe waren aber nicht ge-
fleckt, sondern besaßen am Bauch
Streifen. Als Shilia die Herde sah, war
sie erleichtert etwas Größeres zum
Fressen gefunden zu haben. Doch
dann fiel ihr wieder Jessica ein. Sie
bekam sie nicht aus ihrem Kopf. „Oh
nein, wenn Jessica das jetzt wüsste,
was ich hier wieder tun möchte, würde
sie mir nie wieder verzeihen. Aber ich
habe Hunger, ganz großen Hunger. Es
tut mir leid Jessie, aber ich muss es
tun", sagte Jessica. Sie legte sich dann
auf die Lauer und schlich sich an ihre
Beute heran. Die Herde ahnte aber
noch nichts von der lautlosen Gefahr.

Sie schlich sich näher und näher. Anschließend sprang sie aus dem hohen Gras, riss ihr Maul auf und entblößte ihre Zähne. Die Herde schreckte auf und flüchtete auf der Stelle. Shilia hechtete dann wild hinter ihrer Beute her. Am Anfang hatte sie aber noch kein Erfolg mit ihrer Jagd.

Nach einer längeren Zeit hatte sie dann schließlich ihre Beute erlegt und begann zu fressen. Sie fraß alles auf, sogar die Knochen. Dann war sie endlich gesättigt. „Ah, endlich satt. Jetzt ist mein Magen voll", sagte Shilia erleichtert und ruhte sich dann aus.

Es vergangen weitere fünfzehn Tage und die Truppe konnte Shilia nicht aufspüren. Jessica machte sich große Sorgen um ihre beste Freundin. Es gab aber einen kleinen Lichtblick, denn Saphire kam wieder zurück. „Jessie!", rief Saphire. „Saphire! Du bist wieder da", strahlte Jessica und drückte dann die kleine Fuchsprinzessin. „Ich wollte euch bei der Suche nach Shilia helfen. Es ist ja schließlich meine Schuld, dass deine Freundin weg ist", erklärte Saphire. „Es ist nicht deine Schuld. Es ist ganz allein meine Schuld. Ich hätte Shilia nicht vernachlässigen dürfen. Wenn ich sie nicht vernachlässigt hätte, wäre das alles nicht passiert. Du musst nämlich wissen, als Shilia noch zehn Monate alt war, habe ich ihr versprochen immer für sie da zu sein und sie nie alleine zu lassen. Sie hat nämlich ihre Mutter verloren", erklärte Jessica. „Was, sie hat ihre Mutter verloren. Das ist ja echt traurig. Das hast du mir noch gar nicht erzählt", sagte Saphire mitleidig. „Ich vergesse nie, als sie ganz alleine weinend im Gras gelegen hat. Ich bin zu ihr gegangen um sie zu trösten und ich wollte ihre Freundin sein, aber am Anfang hat sie mich noch abgewehrt. Ich fuhr langsam mit meiner Hand in Richtung Kopf und da hat sie nach meiner Hand geschnappt. Ich zog den Arm schnell wieder weg. Beim zweiten Mal konnte ich dann ihr Vertrauen gewinnen. Ich nahm sie in meinen Arm, drückte sie und versprach ihr, dass ich sie nie alleine lassen werde. Und so wurden wir dann die dicksten Freundinnen. Wir waren sogar wie Schwestern. Ich spielte mit ihr, ich kuschelte mit ihr und war immer für sie da", erzählte Jessica. Saphire wurde bei der Geschichte ein wenig traurig. „Shilia war genauso klein, wie du. Aber jetzt ist sie leider erwachsen geworden. Ich kann zwar noch mit ihr schmusen, aber ich kann sie nicht mehr so drücken und tragen, wie ich es früher getan habe. Und das vermisse ich", erzählte Jessica und wurde traurig. „Stimmt's Jessie? Du wünschst dir die alte kleine Shilia zurück, habe ich recht? Und in mir hast

du sie gefunden. Stimmt's?", stellte
Saphire dann in Frage. Jessica nickte
dann langsam. „Jeder wird irgendwann erwachsen. So ist der Lauf der
Natur. Das kann man nicht aufhalten
oder bremsen. So ist nun mal das Leben. Ich werde auch irgendwann erwachsen sein und du auch", erklärte
Saphire. „Sie war aber zu schnell erwachsen", erwiderte Jessica.

Im Gebiet der Lupus

Joey schlug dann seine Karte auf und musterte diese. „Wir waren jetzt schon fast überall und haben nach Shilia gesucht, mit Ausnahme von diesem riesigen Gebiet hier. Dort suchen wir als Nächstes", sagte Joey. „Auweia, da dürfen wir nicht hin", äußerte sich dann Saphire. „Wieso dürfen wir dort nicht hin?", fragte dann Joey. „Das – kann ich euch nicht sagen", erwiderte dann Saphire. „Aber warum dürfen wir dort nicht hin? Ist irgendwas mit diesem Ort?", fragte dann Debbie-Ann. „Dieser Ort ist sehr gefährlich. Den dürfen wir Vulpes nicht betreten", erklärte Saphire. Dave spitzte dann seine Ohren. „Oh, das hört sich total spannend und aufregend an ‚Der geheimnisvolle Ort'", sagte Dave mit Spannung erfüllt. „Warum dürft ihr diesen Ort nicht betreten? Was ist dort?", fragte nochmals Joey. Saphire erzählte dann von einem Volk, das Lupus hieß. Sie schilderte, dass es einen bitteren Konflikt zwischen den Vulpes und der Lupus gab, der schon hunderttausende von Jahren anhielt.

Die Lupus waren ein Volk, das aus weiter entwickelten Wölfen bestand. Dieses Volk lebte in den Ur-Bergen. Ihr Revier erstreckte sich über tausende von Kilometern und dazu gehörte ganz früher auch der Wald, in denen die Vulpes vor hunderttausend Jahren in friedlicher Absicht einwanderten. Der Wald war sogar das Heiligtum der Wölfe, was die Vulpes aber nicht wussten. Die Lupus verlangten ihren Wald zurück. Die Vulpes gaben ihn aber nicht zurück, weil sie dachten, sie hätten nichts gestohlen. Und so entwickelte sich dann ein bitterer Krieg zwischen den beiden Völkern der 850 000 Jahre anhielt und immer noch im Gange war.

Trotz der Warnung von Saphire, brach die Gruppe in das gefürchtete Gebiet der Lupus auf. „Ihr macht einen riesigen Fehler, wenn ihr dort eindringt", erklärte Saphire warnend.

Nach zehn Tagen erreichten sie das Gebiet der Lupus. Dies wurde durch eine gigantische Wolfsstatue gekennzeichnet, die zwischen zwei Bäumen stand. „Wahnsinn!", staunte Dave und richtete sofort die Kamera darauf. „Wir befinden uns kurz vor dem Eindringen

in ein anderes Gebiet, das gefährliche
Gebiet der gefürchteten Lupus", sagte
Dave in seine Kamera. „Macht der das
eigentlich immer?", fragte dann Saphire. „Ja, tut er", antwortete Debbie-
Ann. „Das kann einem ganz schön auf
die Nerven gehen", erwiderte Saphire.
„Man gewöhnt sich aber mit der Zeit
daran. Das ist halt ‚Typisch Dave‘", erklärte Debbie-Ann. „Meine Mutter hätte dem das Ding schon abgenommen
und aus dem Dorf verbannt", kicherte
Saphire. Sie marschierten nun in das
Gebiet der Lupus.

Aus Shilia wurde in der Zwischenzeit
eine gefährliche Hyäne. An Jessica
konnte sie momentan gar nicht mehr
denken. Ihr ging es nur noch darum
zu jagen, zu fressen, zu trinken und in
der Wildnis zu überleben. Gerade eben
lag sie wieder auf der Lauer und hatte
Beute im Visier. Sie schlich sich an sie
heran und sprang dann mit aufgerissenem Maul aus dem Gras. Dann
hechtete sie aggressiv hinter ihrer
Beute her. Die Gruppe befand sich
jetzt in der Nähe von Shilias Jagdgebiet. „Hört ihr das auch?", fragte Joey
und lauschte. „Hört sich nach Hufge-
trappel an", sagte dann Debbie-Ann.
„DAS IST EINE RIESIGE HERDE! SIE

KOMMT GENAU AUF UNS ZU!", schrie
Saphire. Sie ergriffen sofort die Flucht.
Die Herde war dann direkt hinter ihnen. Anschließend sprangen sie zur
Seite. Dann konnten sie die Herde
vorbeihuschen sehen. Hinten dran sahen sie dann Shilia aggressiv vorbei-
hechten. „Das war doch... SHILIA!
SHILIA! SHILIA!", rief Jessica und
rannte dann in die Richtung von der
Herde. „Jessica! Komm zurück!",
schrie Joey. Er wollte gerade hinterher, als eine Reihe von Speeren vor sie
flog und vor ihnen eine Wand bildete.
„STEHENBLEIBEN! EINDRINGLIN-
GE!", zischte eine Stimme, die dann
von hinten kam. Die Gruppe drehte
sich dann um und sah zehn Wölfe in
Kriegsbemalung und muskelbepackt
hinter sich stehen. „Oh nein, das sind
die Lupus", zitterte Saphire. „Die sehen ja aus wie Indianer im Wolfspelz",
stellte Dave fest. „Wir sind echte Wölfe,
Freundchen!", knurrte der Anführer
und zeigte Dave sein Gebiss. „Schon
gut, schon gut, oh großer Wolf, starker
Wolf", zitterte Dave. „Ihr geht nirgendwo hin, außer in unser Dorf!", zischte
der Anführer. Anschließend wurden
sie abgeführt. „Hey! Nicht so grob!",
zischte Debbie-Ann. „Wirst du wohl

still sein!" „Du hast gleich einen Tritt
in deinem vernarbten Gesicht!", zischte Debbie-Ann und wollte sich befrei-
en. „Oh, die ist ziemlich zäh", sagte
dann eine schwarzfellige Wache. Sie
konnten Debbie-Ann aber bändigen.

Das Dorf der Lupus

Joey und seine Freunde befanden sich jetzt im Dorf der Lupus und waren dort hinter Gittern. Das Dorf der Lupus war Größer und fortschrittlicher als das Dorf der Vulpes. Sie wohnten sogar in richtigen Häusern, die aus Holz und Stein waren. Die Lupus waren sogar in der Lage richtige Waffen herzustellen. So hatten sie zum Beispiel richtige Speere und Messer bei sich. „Ich habe euch gesagt, dass ihr einen riesigen Fehler macht, wenn ihr in das Gebiet eindringt und jetzt werden wir wahrscheinlich nie mehr von hier weggekommen", befürchtete Saphire. „Eins steht auf jeden Fall fest. Wir haben es hier mit einem richtig intelligenten Volk zu tun", sagte Joey. Im Anschluss kamen zwei muskelbepackte Wachen mit Speeren auf sie zu. „MITKOMMEN! Unser Häuptling erwartet euch – und wir warnen euch! Keine Zicken oder irgendwelche Fluchtversuche", knurrte die Wache. In Debbie-Ann kochte die Wut. Sie hätte sich am liebsten mit ihrer Kampfkunst gewehrt, aber dann würden sich alle auf sie stürzen und das wäre zu gefährlich geworden. So wurden sie dann vor den Häuptling geführt. Dieser war größer, als die Wachen und besaß einen Kranz aus Wolfsschwänzen und Knochen um seinen Hals. Auf seinem Kopf befand sich ein riesiges Federkleid. Im Gesicht war er rotorange angemalt. Sein Blick war starr und kalt. In der rechten Pfote hatte er einen dicken Speer, um dem sich eine Kette aus Wolfszähnen befand. „KNIET NIEDER", befahl er mit kräftiger Stimme. Die Gruppe hatte keine andere Wahl als dem Befehl zu gehorchen. STEHT WIEDER AUF!", befahl der Häuptling. Dies taten sie dann auch. „Eure Majestät...", fing Joey an, wurde aber dann wieder unterbrochen. **„SCHWEIGT!!!** ICH GEBE HIER DIE BEFEHLE!! IST DAS KLAR!!", zischte der Häuptling und zeigte mit seinem Speer drohend auf Joey. Dieser war dann still. Dann begann der Häuptling zu sprechen. „Ihr seid unbefugt in unser Revier eingedrungen!", knurrte er. „Eure Majestät, wir wollen keinen Ärger mit eurem Volk haben. Wir kommen in friedlicher Absicht. Wir sind noch nicht einmal von hier. Wir kommen von einem ganz anderen Planeten", erklärte Joey. „SCHWEIGT!" Dann warf er einen Blick auf die zitternde Saphire und danach musterte er Joeys Gesicht und entdeckte das aufgemalte Zeichen der Vulpes unter seinen Haaren verborgen. „AHA! Ihr seid also mit den Vulpes befreundet! Welch schlechte Wahl! Das ist Verrat und verurteilt euch zu lebenslanger Gefangenschaft in unserem Dorf! FÜHRT SIE AB! In die dunkelste Zelle mit ihnen!", zischte der Häuptling. Und schon wurden sie wieder weggeführt. „Papa, warum lässt du sie jetzt einfach gefangen nehmen? Sie haben uns doch überhaupt nichts getan", sagte Max. „Max, sie sind mit den Vulpes befreundet. Und wer mit den Vulpes befreundet ist, ist automatisch unser Feind! Dieses Volk ist dafür verantwortlich, dass wir unseren Wald verloren haben! Sie haben uns den Wald gestohlen, wo meine Vorfahren ihren Schatz gehütet haben, den Schatz unseres Volkes", erklärte der Häuptling streng.

Shilia und Jessica wieder vereint

Jessica befand sich alleine draußen in der Wildnis. Sie hatte nicht mehr mitbekommen, dass Joey, Dave, Debbie-Ann und Saphire von den Lupus gefangen genommen wurden. Sie befand sich auf der Suche nach ihrer besten Freundin und auch schon Hyänenschwester Shilia, die schon vor Stunden an ihnen vorbei gehechtet war. Sie fand sie aber noch nicht. Die Nacht verbrachte sie in einer tiefen und verlassenen Erdhöhle. Dort war es auch in der Nacht nicht kalt. Es war nicht das erste Mal, dass sie sich alleine in der Wildnis befand. Als sie sieben Jahre alt war, hatte sie draußen in ihrem Garten alleine gezeltet. Selbst mit Shilia war sie auch schon alleine in der Wildnis gewesen. Dennoch hatte sie Angst. Sie befand sich ja nicht in ihrem Garten sondern auf einem fremden Planeten und die Nacht kam ihr viel dunkler vor. Am nächsten Morgen stand sie ganz früh auf und machte sich dann auf die weitere Suche nach ihrer besten Freundin. Shilia hatte am letzten Tag kein Erfolg mit ihrer Jagd.

Ihr Magen war leer und knurrte ständig. Sie rappelte sich langsam auf und beschloss sich ihre letzte Hetzjagd zu wiederholen. „Mann, bin ich vielleicht hungrig. Ich halte das nicht mehr aus. Ich muss mit der Jagd heute unbedingt Erfolg haben. Es ist mir jetzt absolut egal, was ich erlege und was ich dann auffresse. Hauptsache mein Magen ist voll", sagte Shilia fest entschlossen. Jessica suchte weiterhin nach Shilia. „SHILIA! SHILIA, wo bist du? Shilia!", rief Jessica. Sie hatte aber kein Erfolg. „Shili! Wo bist du nur?", rief sie verzweifelt.

Nach etwa drei Stunden, befand sich Jessica wieder im Jagdgebiet von Shilia. Dort war das Gras sehr hoch und man konnte so gut wie nichts sehen. Dies war auch jetzt extrem gefährlich, weil selbst Jessica zum Opfer ihrer besten Freundin werden konnte. Shilia befand sich jetzt ganz dicht bei Jessica und lag auf der Lauer. Sie sah ein paar Grashalme wanken. Shilia wusste jetzt nicht, dass sie auf Jessica lauerte. „Das ist dein Ende! Beute! Du wirst meinen Zähnen diesmal nicht entkommen!!", knurrte Shilia. Ihr lief jetzt auch das Wasser im Maul zusammen und tropfte zu Boden. An-

schließend sprang sie mit aufgerissenem Maul auf das wankende Gras zu.
Jessica drehte sich dann um und
blickte direkt in das Maul von Shilia,
welches voller großer, scharfer Zähne
war. „AAAAH!!", schrie Jessica. Glücklicherweise erkannte Shilia dann aber
ihre beste Freundin und schloss sofort
ihr Maul. „Jessie nein!", schrie sie.
Dennoch konnte sie nicht mehr bremsen und sprang Jessica voll zu Boden.
„Shilia", freute sie sich und drückte
die junge Hyäne. Diese drückte dann
zurück. „Jessie! Oh Jessie, wie habe
ich dich vermisst", freute sich Shilia
und leckte Jessica ab. Dann schmusten beide miteinander. „Jessie, ich hab
dich so vermisst." „Ich hab dich auch
vermisst, meine Shilia. Warum machst
du solche Sachen und läufst von mir
weg?", fragte Jessica dann. Jetzt kipp-
te die Stimmung wieder und Shilia ließ
ihre Ohren hängen. „Du… warst böse
auf mich", antwortete Shilia dann
traurig und an der Seite lief eine Träne
herunter. „Shilia, ich hatte einen guten
Grund, auf dich böse zu sein. Du hast
Saphire verjagt. Warum hast du das
getan?", fragte dann Jessica. „Du hast
nur noch mit ihr gespielt und plötzlich
war ich nur noch Luft für dich. Ich

habe gedacht, dass ich dir nichts mehr bedeute. Du hast mir...vor fast drei Jahren ein Versprechen gegeben. Du hast gesagt..., dass du mich nie alleine lassen wirst und immer für mich da bist. Dieses Versprechen hast du gebrochen und damit hast du auch mein Herz gebrochen", erklärte Shilia traurig. „Shili, es tut mir echt leid, dass ich das Versprechen gebrochen habe. Das wollte ich nicht, aber du hättest das Versprechen auch nicht so verstehen dürfen, dass ich mit keinem anderen Tier spielen darf", erklärte Jessica. „Habe ich aber", sagte dann Shilia. „Shilia, ich gebe dir jetzt ein neues Versprechen. Ich verspreche dir, für immer deine beste Freundin zu sein, auch wenn ich mit Saphire oder irgendeinem anderen Tier spiele. Das musst du halt akzeptieren. Außerdem kannst du auch mitspielen", erklärte Jessica. „Ich hab dich lieb Jessie", sagte dann Shilia und drückte nochmals Jessica. „Ich hab dich auch lieb Shilia", erwiderte Jessica. „Jessie, das hätte jetzt auch richtig böse enden können mit meinen Zähnen und der Jagd", erinnerte dann Shilia. „Ich weiß, aber das konntest du ja nicht wissen", sagte dann Jessica. Jessica hörte dann Shilias Magen knurren. „War das eben gerade dein Magen?", fragte sie. „Das kannst du laut sagen", erwiderte Shilia hungrig. „Sag nur, du hast jetzt diese vielen Tage nichts gefressen?", fragte Jessica besorgt. „Doch, gefressen habe ich schon etwas, aber die letzte große Mahlzeit liegt schon ein paar Tage zurück. Deshalb war ich ja auf der Jagd und die ist schief gegangen", erklärte Shilia. „Shilia, schließe mal deine Augen und öffne deinen Mund", bat dann Jessica. „Und wozu soll das jetzt gut sein?", fragte Shilia. „Lass dich überraschen", antwortete dann Jessica. Shilia schloss dann ihre Augen und öffnete ihren Mund. Währenddessen holte Jessica Shilias Lieblingschips hervor und legte dann Shilia ein paar davon in ihren Mund. Shilia fing sofort an zu kauen. „Mmmmh, Jessie du denkst wirklich an alles", sagte dann Shilia und gab Jessica dann einen nassen Kuss.

Die beiden Freundinnen gingen dann zu der Stelle zurück, wo Joey und die anderen weggeführt wurden. „Tja Shilia, hier waren sie, bevor ich dir nachgerannt bin", sagte Jessica. „Und wo sind sie jetzt?", fragte dann Shilia.

„Keine Ahnung. Das wollen wir jetzt herausfinden", antwortete Jessica.

Gefangen im Dorf der Lupus

Am Abend wurden auch Jessica und Shilia in das Dorf abgeschleppt. Sie wurden dann vor den Häuptling geführt. „Eure Hoheit, wir haben hier noch zwei andere entdeckt. Die scheinen auch noch zu dieser Gruppe zu gehören", sagte die Wache. „STECKT SIE ZU DEN ANDEREN!", befahl der Häuptling. Anschließend wurden sie in die Zelle geschmissen, wo auch Joey und die anderen waren. „Shilia! Jessica!", sagte Joey überrascht. „Was geht hier eigentlich vor sich? Warum werden wir gefangen genommen?", fragte Jessica. „Wir sind alle zu lebenslanger Gefangenschaft verurteilt worden", erklärte Joey. „Wir haben denen doch gar nichts getan", erwiderte dann Jessica. „Doch, wir sind in ihr Gebiet eingedrungen und das war ein riesiger Fehler", erklärte Saphire. Anschließend tauchte Max vor den Gittern auf. „Hi", grüßte er. „Wer bist du denn?", fragte dann Jessica. „Mein Name ist Max. Ich bin der Sohn des Häuptlings. Es tut mir wirklich leid, dass ihr hier gefangen seid.

Ich finde euch ganz korrekt. Was seid ihr eigentlich für Wesen? Ich habe solche Wesen noch nie hier in dieser Gegend gesehen", fragte Max. „Wir kommen nicht von diesem Planeten hier. Wir sind mit einem großen Raumschiff hierhergekommen, um andere Planeten zu erkunden", erklärte Joey. „Cool", erwiderte Max dann mit Spannung erfüllt. Währenddessen näherten sich dann vier Wolfskrieger. „Ich muss jetzt leider wieder weg! Ich darf eigentlich gar nicht mit Gefangenen sprechen", erklärte Max schnell und sprang weg.

Dieser Tag und auch die nächsten Tage blieb die Gruppe in Gefangenschaft. „Warum fliehen wir nicht einfach aus diesem elenden Kerker?", fragte Dave. „Weil es zu riskant ist. Hast du ihre Zähne mal gesehen? Deutlich schärfer, als wir sie bei einem normalen Wolf kennen. Und dann haben sie auch noch kräftige Muskeln. Wenn die uns bei einer Flucht erwischen, dann zerfleischen die uns. Und außerdem sind sie zusätzlich noch mit Speeren und Messern bewaffnet. Die machen Hackfleisch aus uns, wenn wir fliehen", erklärte Joey. „Was glaubst du, was für kräftige Zähne ich besitze. Ich zerfetze

die noch eher, als die zubeißen können", knurrte Shilia. „Also Shilia! Was
sind denn das für neue Worte, die da
aus deinem Mund kommen? So etwas
hast du ja noch nie gesagt", erwiderte
Jessica ernst. „Als ich draußen in der
Wildnis war, habe ich sehr viel gelernt.
Ich habe gelernt zu jagen und gelernt
mich zu verteidigen. Wenn es hart auf
hart kommt, dann muss man seine
Zähne zeigen und einsetzen! Wir be-
kämpfen Zähne mit Zähnen und meine
Zähne sind besonders stark", erklärte
Shilia ernst. „Shilia hat recht. Wir
müssen gegen diese Wölfe kämpfen,
sonst kommen wir nie von hier weg!",
stimmte Jessica zu.

Die spektakuläre Flucht

Und so heckte die Gruppe einen Schlachtplan gegen die Lupus aus. „So Shilia, wenn wir hier draußen sind machst du einen Wolfskrieger nach dem anderen fertig. Werde zu einer gefährlichen Hyäne. Debbie, du gibst alles, was in deiner Kampfkunst steckt. Denke dabei an die Wilderer", plante Joey. „Das werde ich! Ich bin jetzt auch richtig in Kampfstimmung", knurrte Debbie-Ann. „Also Shilia, beiß so feste zu, wie du nur kannst", sagte Jessica zu Shilia. Shilia nickte und verzog dabei ihr Gesicht. Debbie trat dann mit einem Tritt das Gitter entzwei. Darauf wurden dann zehn Wolfskrieger aufmerksam. „Was zum Teufel war das?", fragte sich der Wolfskrieger. „DIE GEFANGENEN! Sie fliehen!", schrie der andere Krieger. „HALTET SIE AUF!", schrie der Häuptling. Die Wolfskrieger begannen zu knurren und fletschten dabei ihre Zähne. Sie wollten gerade los hechten, als Shilia dann mit gefletschten Zähnen vor sie sprang. Danach sprang sie mit weit aufgerissenem Maul auf das Gesicht des Wolfskriegers zu. „AU-WEIA!", schrie er und duckte sich auf der Stelle. Shilia flog dann hin, stand aber sofort wieder auf. In der Folge sprang sie dann einen zweiten Krieger zu Boden und schmiss diesen anschließend gegen vier weitere Krieger, die dann alle auf einem Haufen lagen. Joey, Jessica, Saphire, Dave und Debbie-Ann wurden von fünf weiteren Wolfskriegern eingekreist. „NA! WAS MACHT IHR JETZT!", knurrte einer von ihnen. Debbie gab keine Antwort sondern setzte sofort zu einem fünffachen Salto an. „Was zum…" Und schon hatte er einen heftigen Tritt im Gesicht und seine Zähne flogen schließlich alle aus seinem Maul. „Gute Nacht", sagte er anschließend und flog um. „Na, wer will der Nächste sein?", fragte Debbie-Ann streng und stand in Kampfstellung. Die Wölfe schluckten dann und zischten ab. „RÜCKZUG! RÜCKZUG! Die ist gefährlich!", forderte der Krieger. Die Gruppe rannte dann anschließend aus dem Dorf heraus. „LOS! SCHNAPPT SIE! DIE DÜRFEN UNS NICHT ENTKOMMEN!", forderte der Häuptling. Und schon hatten sie wieder fünf besonders starke Wolfskrieger im Nacken. Diese konnten sie nicht mehr so leicht besiegen, da sie alle Pfeil und Bogen besaßen und Meister ihres Faches waren.

Sie rannten und rannten. Die Krieger ließen nicht locker und schossen einen Pfeil nach dem anderen ab. Irgendwann erstreckte sich vor ihnen das Gebirge. Der Weg war scheinbar zu Ende. „Verdammt!", fluchte Debbie-Ann. „Moment mal! Da ist ein Höhleneingang! Nichts wie rein da!", forderte Shilia. Schließlich verschwanden sie ganz schnell im Eingang. Glücklicherweise wurden sie dabei nicht mehr von den Wolfsbogenschützen gesehen. „Verdammt! Wo sind sie hin?", fragten sich dann die Krieger und schauten verwirrt umher. „Oh Backe! Die haben sich wie Geister in Luft aufgelöst", sagte ein Krieger ängstlich. Dieser bekam dann eine deftige Kopfnuss. „Du bist vielleicht ein Angstwolf! Wir sind Krieger und Krieger dürfen keine Angst zeigen!", knurrte der Anführer. „Aber, wo sind sie dann?", fragte er. „Die haben sich irgendwo versteckt! Los! Wir suchen jetzt die ganze Steppe nach ihnen ab! Wenn wir uns aufteilen, dann finden wir sie schneller, als du den

Mond anheulen kannst!", befahl der Anführer. Und so verteilten sie sich auf der ganzen Steppe. Die Truppe befand sich dagegen im Innern der Höhle. Dort war es kalt und feucht. „Vor denen sind wir jetzt erst mal in Sicherheit", sagte Joey. „Sind wir noch nicht. Wir sind erst wieder in Sicherheit, wenn wir ihr Gebiet verlassen haben und das wird absolut nicht leicht. Der Häuptling wird jetzt mehrere Wolfskrieger herausschicken und diese über das gesamte Revier verteilen. Er ist unberechenbar", erklärte Saphire. „Und was ist, wenn wir unterirdisch, das Gebiet der Lupus verlassen?", fragte dann Debbie-Ann. „Ich glaube nicht, dass das gehen wird", zweifelte Saphire. Anschließend ertönte am Höhleneingang eine Stimme. „Hey Leute", sagte diese Stimme. Es handelte sich um Max. „Du? Hier?", fragte sich dann Saphire. „Ich bin euch nachgegangen. Ich möchte euch helfen, aus unserem Gebiet zu entkommen. Ich weiß, wie ihr unbemerkt das Gebiet verlassen könnt", sagte Max. „Du willst uns helfen?", stellte dann Saphire in Frage.

„Vorsicht! Ich weiß nicht, ob wir ihm trauen können. Er ist der Sohn des Häuptlings. Was ist, wenn er uns direkt in die Falle lockt?", fragte Shilia misstrauisch. „Shilia, du warst ja noch nie so misstrauisch", wunderte sich Jessica. „Ich traue ihm nicht!", knurrte Shilia mit zusammengebissenen Zähnen. Max bekam dann Angst, da er Shilias scharfe Zähne sah. „Shilia!", zischte Jessica. „Ich traue ihm auch nicht", erwiderte Saphire streng. „Also! Scher dich weg, bevor ich meine gefährlichen Zähne einsetze!", zischte Shilia. Max bekam dann einen Schreck und rannte weg. Jessica rannte dann aber hinter ihm her. „JESSIE! Was machst du denn da! Komm zurück!", schrie Shilia. „MAX! Geh nicht weg! Ich vertraue dir!", rief ihm Jessica hinterher. Max blieb dann stehen. „Aber die anderen trauen mir nicht und dein buckeliges Tier macht mir besonders viel Angst mit diesen riesigen Zähnen", erklärte Max. „Normalerweise ist Shilia eigentlich gar nicht so", erklärte dann Jessica. „Ich habe aber Angst vor diesem Tier. Die kann mich mit drei Bissen verspeisen", sagte Max. „Angst haben musst du vor Nanny. Die ist wirklich schlimm", erzählte Jessica. „Wer ist denn das jetzt?", fragte dann Max. In der Zwischenzeit kam Shilia zu ihnen gerannt. „Jessie! Was machst du da? Wir können ihm einfach nicht vertrauen, weil er der Sohn des Häuptlings ist!", schrie Shilia. Max begann dann zu zittern, als er die junge Hyäne sah. „Shilia, wir können ihm ruhig vertrauen. Nicht alle von den Lupus müssen so kriegerisch und gemein sein. Bei euch Hyänen ist es doch auch so. Es gibt gute Hyänen und schlechte Hyänen. Und bei den Lupus ist es bestimmt nicht anders. Oder macht dir Max etwa einen bösen Eindruck?", fragte dann Jessica. „Nein, eigentlich nicht", erwiderte dann Shilia. „Siehst du Shilia, es geht doch und wer könnte uns nicht besser aus diesem Gebiet führen, als einer der zu den Lupus gehört", erklärte Jessica. Bevor sie zurück gingen sagte Shilia dann noch zu Max: „Und wehe du betrügst uns oder führst uns in eine Falle! Dann bist du dran!" „K, k, keine Sorge. Das wird nicht geschehen", zitterte Max und stotterte dabei.

Schließlich gingen sie dann wieder zu der Gruppe zurück. Max sagte ihnen dann den Weg. „Also, ich kenne diese Höhle so gut wie mich selbst. Ich habe schon sämtliche Gänge durchforscht und ein Gang führt wirklich nur aus unserem Gebiet heraus. Er endet am Großen Wolf", erklärte Max. „Am Großen Wolf? Was ist denn das?", fragte sich Dave. „Der Große Wolf ist ein gigantischer Fluss mit sehr wildem Wasser, extrem vielen Wasserfällen und gefährlichen Stromschnellen. Dieser Fluss markiert die nordöstliche Grenze unseres Territoriums und ist wirklich nur an einer Stelle überquerbar. Wenn ihr diese Stelle überquert habt, kann euch kein einziger Wolfskrieger mehr folgen oder zur Gefahr werden", erklärte Max.

Schließlich gingen sie los. Max führte die Gruppe an, da nur er wusste, wo sie lang gehen mussten. Selbst Joeys Taschencomputer konnte den richtigen Weg diesmal nicht anzeigen. „Hier müssen wir jetzt nach rechts und wundert euch jetzt bitte nicht, wenn wir in diesen Gängen irgendwann auf viele Knochen stoßen. Das ist dann der Pfad der Knochen", erklärte Max. „Pfad der Knochen? Na das kann ja heiter werden", sagte dann Debbie-Ann.

Zeugen aus der Vergangenheit

Nach einem längeren Marsch erreichten sie dann den Pfad der Knochen. Die Knochen die dort herumlagen waren unterschiedlich alt. Die meisten von ihnen waren Fossilien. „Wahnsinn, das sind alles Fossilien", staunte Joey. „Fossil was?", fragte dann Max. „Fossilien. Das sind versteinerte Knochen. Zeugen aus der Vergangenheit. Hier muss ich mich umschauen", erklärte Joey. „Was, diese Knochen können einem etwas aus der Vergangenheit erzählen?", fragte Saphire. „Nein, nicht direkt. Sie zeigen einem, was es hier damals für Wesen gegeben hat. Auf der Erde wurden die Skelette von riesigen Sauriern gefunden. Früher hat kein Mensch etwas von diesen Wesen gewusst", erzählte Joey.

Er untersuchte nun die Fossilien. Es gelang ihm sogar ein vollständiges Skelett zu finden. Dieses scannte er dann in seinen Taschencomputer ein. Nach diesem Vorgang zeigte der Computer schließlich einen Wolf, der genauso aussah, wie die Wölfe auf der Erde. „Aha, das ist ja interessant", sagte Joey. „Das ist ja ein Wolf, ein ganz gewöhnlicher Wolf", staunte Debbie-Ann. „Ein Wolf?", stellte Max dann in Frage. „Ja, ein ganz normaler Wolf. Vor etwa 3,8 Milliarden Jahren gestorben", sagte Joey. „Einer von unserem Volk?", fragte dann Max. „Ein Urahne von deinem Volk. Das bedeutet, dass die Lupus damals ganz gewöhnliche Wölfe waren, sowie wir sie auf der Erde kennen. Sie haben sich im Laufe der Zeit zu Wolfsmenschen entwickelt. Es scheint so abgelaufen zu sein, wie bei der Entwicklung des Menschen. Der Wolf hat irgendwann gelernt auf zwei Beinen zu laufen. Und diese Entwicklung ging weiter und weiter. Und heute ist diese Entwicklung an einen Punkt angekommen, dass er sogar in der Lage ist Häuser zu bauen und Waffen herzustellen. Eine ganz neue Spezies hat sich entwickelt", erklärte Joey. „Soll das jetzt heißen, dass mein Volk in ferner Vergangenheit anders war?", fragte dann Max. „Genau das soll es heißen", antwortete Joey. „Aber mein Papa hat mir die Geschichte von unserem Volk ganz anders erzählt", erwiderte Max. „Er konnte dir halt nur das vermitteln, was er selber über die Vergangenheit wusste und das liegt bestimmt erst 850 000 Jahre zurück", erklärte Joey. „Genau so etwas in dieser Art hat mein Vater erwähnt, als er mir etwas aus der Vergangenheit erzählt hatte", erzählte Max. Selbst Saphire sagte diese Zahl etwas. „Moment mal. Diese Zahl hat auch meine Mutter mal genannt, als sie mir mal die Geschichte von unserem Volk erzählt hat. Genau zu dieser Zeit ist mein Volk in den Wald eingewandert", erklärte Saphire. „Mein Vater hat mir etwas von einem Schatz unseres Volkes erzählt, den meine Vorfahren gehütet haben", erinnerte sich Max. „Da fällt mir gerade ein, dass ich mal etwas völlig Fremdartiges in diesem Wald entdeckt habe, als ich ihn mal vor zwei Jahren erkundet habe. Es war ein riesiger freier Platz der mit dichten, stacheligen Büschen zugewuchert war und ich meine, ich hätte da eine Art zugewachsene, riesige Figur gesehen", erzählte Saphire. „Das muss dieser so genannte Schatz sein", sagte dann Max. „Das würde aber dann bedeuten, dass wir tatsächlich euren Wald gestohlen haben", sagte dann Saphire. „Saphire, meinst du, dass du uns noch

einmal zu diesem Platz führen könntest?", fragte dann Joey. „Keine Ahnung. Ich kann es versuchen, aber
jetzt müssen wir erst einmal aus dieser Höhle heraus und das Gebiet der
Lupus verlassen", sagte Saphire.
„Kommt Freunde. Nach dem Pfad der
Knochen kommen noch ein paar Gänge und dann haben wir den Großen
Wolf erreicht", sagte Max. Sie gingen
dann weiter. Shilias Misstrauen gegenüber Max ließ nun nach und auch
sie vertraute jetzt dem kleinen Wolf.

Der Große Wolf

Nach fünf weiteren Gängen erreichten sie eine Lichtung. Auf diese traten sie dann raus. Man konnte schon das ohrenbetäubende Rauschen des Flusses hören. Vor ihnen erstreckten sich riesige Gebüsche, die mindestens 10 Meter hoch waren. „Ich schau mal nach, ob die Luft rein ist", sagte dann Max. Er sprang dann in die Büsche hinein. Als er das Gebüsch durchquert hatte und auf der anderen Seite ankam, sah er die Überraschung. Zwei Wolfskrieger schlichen am großen Fluss entlang. Sie schauten in jede Ecke, in jeden Busch und in jedes Erdloch hinein. Max ging dann sofort wieder zu der Gruppe zurück und warnte sie. „Wir haben ein gigantisches Problem. Hinter den Büschen befinden sich zwei Wolfskrieger. Die suchen euch. Sie schauen wirklich in jeden Winkel", warnte Max. „Oh Backe!", rastete dann Dave aus. „Na Dave, willst du sie diesmal nicht filmen?", fragte Debbie-Ann grinsend. „Ich bin doch nicht verrückt", erwiderte Dave. „Aber wie kommen wir jetzt an denen vorbei?", fragte Saphire. Die Gruppe

überlegte sich dann etwas. Debbie-
Ann fiel dann etwas ein. „Ich habe eine
Idee. Passt mal auf", sagte sie und
sprang dann in das Gebüsch. „Debbie!", rief Joey dann flüsternd nach.
„Was hat sie denn jetzt vor", fragte
dann Shilia. Debbie-Ann befand sich
dann am rauschenden Fluss. Sie
schlich hinter den Wolfskriegern her.
Da das Rauschen des Flusses so laut
war, wurde sie von den beiden Wolfskriegern nicht wahrgenommen.

„Wo könnten diese Flüchtlinge stecken?", fragte sich dann eine von den
beiden Wachen. „Die müssen irgendwo
sein. Sie können sich ja nicht in Luft
aufgelöst haben", erwiderte die andere
Wache. „Wir müssen sie so schnell wie
möglich finden, sonst macht uns der
Häuptling einen Kopf kürzer", sagte
die Wache ernst. Sie ahnten jetzt
nicht, dass Debbie-Ann direkt hinter
ihnen war. Schließlich schlug sie hinterhältig zu. Sie verpasste den Wachen
harte Kopfnüsse und diese fielen dann
um. Anschließend klaute sie ihnen
beide die Waffen weg. Darunter befanden sich auch Pfeil und Bogen. „Leich-
te Schläge auf dem Kopf erhöhen das
Denkvermögen. Trottel!", sagte sie
dann und kehrte zur Gruppe zurück.

„Leute, die Wolfskrieger sind vorerst aus dem Verkehr gezogen. Ich habe denen sogar noch die Waffen geklaut. Wir müssen uns aber beeilen. Die können wieder schneller wach sein, als wir denken", sagte Debbie-Ann. „Du bist echt spitze Debbie", lobte dann Joey.

Die Gruppe folgte dann dem Großen Wolf. Das Wasser war so schnell, das es schäumte. Wie Max schon angedeutet hatte, besaß der riesige Fluss sehr viele Stromschnellen und Wasserfälle. Es ragten extrem spitze und gefährliche Felsnadeln aus dem Fluss heraus. „Wahnsinn! Auf diesem Fluss könnte man voll gut, Rafting machen", sagte dann Dave. „Was ist denn das?", fragte dann Max. „Da sitzt man in einem Boot und man fährt den Fluss hinunter", erklärte Dave. „Cool", sagte dann Max. „Hey Joey! Hast du nicht unser Boot in dein Hyperdings gepackt?", fragte Dave. „Das wäre hier sogar für Rafting viel zu gefährlich. So einen wilden Fluss gibt es noch nicht einmal auf der Erde und diese vielen Felsnadeln und Kanten machen es sogar tödlich", erklärte Joey. „Schade", stöhnte dann Dave. „Außerdem ist mein Hyperwürfel in unserem Raumschiff", erklärte Joey. Sie gingen weiter am Fluss entlang und suchten die Stelle, die laut Max die einzige Stelle war, die passierbar war.

In der Zwischenzeit schickte der Häuptling der Lupus eine Horde Krieger in das Gebiet der Vulpes, um dessen Dorf zu überfallen und die Königin gefangen zu nehmen. Dies war eine Art Racheakt, weil er Saphire und die anderen nicht mehr zu fassen bekam. Glücklicherweise war aber das Dorf der Lupus ein 12 Tage Marsch vom Gebiet der Lupus entfernt und auch sehr gut versteckt. Dort machte sich Atria schon Gedanken um die Gruppe. Sie wusste zwar, dass sich die Gruppe zuletzt auf der Suche nach der Hyäne Shilia befand. Ihre Tochter hatte ihr alle Geschehnisse berichtet. Sie sagte ihr auch, dass sie bei der Suche helfen wollte und erwähnte auch, dass sie bei Jessica übernachten würde und dass sie sich keine Sorgen machen müsste. Das dauerte ihr aber jetzt schon zu lange und so schickte sie zehn Fuchskrieger auf die Suche.

Die Gruppe hatte nun die Stelle erreicht, die als einzige passierbare Stelle des gigantischen Flusses Großer Wolf galt. „Hier wären wir. Hier könnt ihr den Großen Wolf überqueren", sagte Max. „Und was ist mit dir?", fragte dann Jessica. „Ich werde mich dann wieder ins Dorf aufmachen", antwortete Max. „Und du willst wirklich nicht mitkommen? Wir wollen doch euren so genannten Schatz dann suchen", sagte Jessica. „Na gut, dann komme ich halt doch mit. Das ist jetzt doch alles zu spannend, um es zu verpassen. Wer weiß, wann ich wieder so ein Abenteuer bekomme", sagte Max. Vor ihnen befanden sich jetzt glitschige Felsen, die aus dem Fluss ragten. Auf der anderen Seite des Flusses sah man den Grenzstein des Gebiets. Danach gab es nur noch Büsche und extrem hohes Gras. Nach und nach hüpften sie dann von Stein zu Stein. Am Anfang lief alles noch gut, bis in der Mitte des Flusses Shilia abrutschte. „AAAAH! HILFE!", schrie Sie. „SHILI!" „Ich kann mich gleich nicht mehr halten! ICH RUTSCHE!", schrie Shilia. Die Gruppe half dann Shilia wieder auf den großen Stein. Diese atmete dann beschleunigt. „Oh Shili, Gott sei Dank ist dir nichts passiert", sagte dann Jessica und fiel ihr um den Hals. „Ich bin mit meinen

blöden kurzen Hinterbeinen ausge-
rutscht", erklärte Shilia. Nach diesem
Zwischenfall konnte die Truppe nun
den ganzen Fluss überqueren. Als sie
auf der anderen Seite ankamen, ließen
sie sich alle erst einmal ins Gras fallen. „Wir haben es geschafft", schnaufte Saphire. „Und jetzt brechen wir zu
dem Schatz auf", erwiderte Joey.

Das Heiligtum der Lupus

Die Gruppe folgte dann dem Verlauf des Großen Wolfs und erreichte nach etwa 7 Tagen einen gigantischen See. Dies war der See, wo sie schon gezeltet hatten und wo sich Jessica mit dem Riesenhirschmädchen Kishana angefreundet hatte. Jessica griff dann in ihre Tasche und holte den blauen Stein heraus, den ihr Kishana nach ihrem Abschied geschenkt hatte. „Wo wird sie jetzt wohl sein?", fragte sich Jessica. „Jessie, wo hast du diesen Stein her?", fragte dann Saphire, die große Augen machte. „Den hat mir eine Freundin geschenkt, nachdem sie uns wieder verlassen musste", sagte Jessica traurig. „Solche Steine besitzen eigentlich nur Auserwählte oder Prinzessinnen. Ich habe auch so einen Stein auf meiner Stirn", erklärte Saphire. „Sie war ja auch eine Prinzessin und sie musste mich wieder verlassen", erklärte Jessica. „Wie hieß sie denn?", fragte dann Saphire. „Ihr Name war Kishana und sie ist eine Riesenhirschprinzessin. Ihre Herde hatte hier eine Rast eingelegt und da ist sie dann zu mir und Shilia gekommen und hat sich mit uns angefreundet", erzählte Jessica.

„Diesen Stein musst du sehr gut aufheben. So etwas bekommst du nie wieder. Er wird dich immer an sie erinnern und dir sehr viel Glück bringen", erklärte Saphire. „Bevor wir nach diesen Schatz suchen, müssen wir noch einmal zum Raumschiff. Unsere Essensvorräte, die ich noch im Rucksack hatte sind nämlich so ziemlich leer", sagte Joey.

Als sie die Stelle, wo sich das Raumschiff und das Lager der Gruppe befanden erreichten, fanden sie das Raumschiff nicht gleich. Es war in der Zwischenzeit so zu gewachsen, dass man es nicht gleich fand. Es vergangen 5 Tage. Als sie es fanden, ging Joey hinein und steckte ein paar Tuben seines Essenskonzentrats in seinen Rucksack, plus die Mikrowelle. Danach ging es weiter.

Die Gruppe schlug sich dann durch den Urwald. Die Äste hingen bis zum Boden herunter und die Farne standen übermannshoch. „Saphire, sind wir auf dem richtigen Weg?", fragte dann

Debbie-Ann. Saphire schaute sich
dann um. „Ähm, ich glaube schon."

Dann erkannte sie einen Baum wieder,
der aussah, als hätte dort vor vielen
tausenden von Jahren mal ein Blitz
eingeschlagen.

Der Baum hatte einen gespaltenen Stamm, war aber dennoch grün geblieben. „Ja, wir sind auf dem richtigen Weg. An diesem merkwürdigen Baum bin ich auch vorbeigekommen", sagte Saphire. Dave richtete dann seine Kamera auf den Baum. „Hochinteressanter Baum. Wir stehen hier gerade im tiefen Urwald. Die Stämme sind gigantisch und haben eigenartige Formen", sagte Dave. Sie schlugen sich weiter durch den Urwald. Später mussten sie einen kleinen Fluss überqueren. Als sie diesen überquert hatten, legten sie eine Pause ein. „Oh Mann, du glaubst ja gar nicht wie meine Pfoten brennen", sagte Shilia. „Ich habe schon Blasen über Blasen an meinen Füßen", jammerte Jessica. „Meine Beine bringen mich um", sagte Debbie-Ann im Anschluss und setzte sich hin. „Wir machen jetzt mal eine kleine Pause. Saphire, ist es noch sehr weit bis zur Stelle?", fragte Joey schnaufend. „Wir müssten sie bald erreicht haben", antwortete Saphire.

Während der Pause fiel Max dann etwas ein. Er hatte es im Hinterkopf, dass sein Vater einen Überfall auf das Fuchsdorf geplant hatte. „Auweia, das wäre absolut nicht gut", sagte Max dann zu sich selbst. „Was wäre nicht gut?", fragte dann Joey. „Ich habe so ein schlechtes Gefühl. Ich glaube mein Vater hat welche von seinen Kriegern auf das Fuchsdorf gehetzt, um es zu überfallen", sagte Max. „Das hört sich nicht gut", sagte dann Joey. „Was?", sagte Saphire dann panisch. „Mein Vater ist in dieser Beziehung extrem böse", erklärte Max. „Ich würde mal sagen, dass er absolut gefährlich ist", sagte dann Jessica. „Dann müssen wir jetzt so schnell wie möglich euren Schatz finden und diesen Überfall abwenden", hetzte Debbie-Ann. „Ich glaube, unser Dorf werden sie aber nicht gleich finden. Es ist sehr gut in diesem Wald versteckt", sagte Saphire. „Aber das reicht irgendwann auch nicht mehr. Sie werden es trotzdem irgendwann finden", erklärte Max.

Nach der Pause gingen sie weiter. Irgendwann erreichten sie dann einen zugewachsenen, freien Platz. Es war so gegen Abend. Auf diesem stand eine kleine tempelartige Anlage die komplett zugewachsen war. Vor dieser Anlage stand eine Figur, die man noch nicht identifizieren konnte. „Das ist es. Wir haben es gefunden", sagte dann Saphire. „Oh Mann, das ist ja komplett

zugewachsen", sagte Dave. „Das ist ja
hochinteressant. Das ist ja eine richtige Tempelanlage", staunte Joey.

Nun begann die Gruppe die Figur von
ihrem Unkraut zu befreien. Als es ihnen gelang, stand vor ihnen eine
Wolfsstatue, geschmückt von Brillan-
ten. Dann war es offensichtlich. Die
Vulpes hatten den Lupus tatsächlich
ihren Wald gestohlen und wussten es
nicht. „Das ist das Zeichen von unserem Volk. Es ist der Schatz, von dem
mein Vater gesprochen hat", sagte
dann Max. Saphire fühlte sich jetzt
richtig schlecht. „Oh nein! Mein Volk
hat tatsächlich euren Wald gestohlen!
Das tut uns wirklich leid. Das wussten
wir nicht", entschuldigte sich Saphire.
„Du musst dich jetzt nicht entschuldigen. Mein Vater kann euch das verzeihen, wenn ihr bereit seid, den Wald an
unser Volk zurückzugeben", erklärte
Max. „Aber, was ist jetzt mit unserem
Dorf?", fragte dann Saphire. Darauf
wusste Max aber jetzt keine Antwort.

Der Überfall

Anschließend machte Joey etliche Fotos vom Heiligtum der Lupus. Dave filmte es. Danach kehrten sie wieder um. Sie machten sich jetzt auf dem Weg zum Fuchsdorf. „Ich werde Atria die Fotos zeigen und sie darum bitten, den Wald oder zumindest den Teil indem sich das Heiligtum befindet an die Lupus zurückzugeben", sagte Joey. „Joey, das werde ich tun. Es ist immer besser, wenn eine solche Bitte von einer zukünftigen Anführerin kommt", erklärte Saphire. Shilia stöhnte dann. „Shili, was ist denn?", fragte dann Jessica. „Ach, gar nichts. Gehen wir einfach weiter", antwortete sie. „Steigt in dir wieder eine Eifersucht hoch, weil Saphire eine Prinzessin ist?", fragte Jessica. „Nö." Dann flüsterte sie Jessica etwas ins Ohr: „Ich finde sie gibt jetzt irgendwie mit ihrem Titel an." „Sie hat einfach nur gesagt, dass es besser ist, wenn sie ihre Mutter darum bittet, den Lupus ihr Heiligtum zurückzugeben", erklärte Jessica. „Aber in was für einem Ton sie das gesagt hat", erwiderte Shilia. „Sie hat es in einem ganz normalen Ton gesagt. Bitte werde nicht mehr eifersüchtig. Du hast ja gesehen, was deine Eifersucht angerichtet hatte", bat Jessica. „Ist ja schon gut", sagte dann Shilia. „Das ist meine Shilia", erwiderte Jessica.

Sie gingen nun in Richtung Fuchsdorf. Als sie dort ankamen, war keiner draußen und es herrschte ein Durcheinander. „Was ist denn hier passiert?", fragten sich alle zusammen. „Wo ist meine Mama?", fragte Saphire verzweifelt. „Hier sieht es wie nach einem Überfall aus", stellte Joey fest. „Sie haben sie mitgenommen, die Lupus und noch ein paar andere von unserem Volk waren auch dabei", kam es dann aus einem Trümmerfeld. Dort kamen dann sieben von den Vulpes hervor. Max versteckte sich dann. „Seid ihr die Einzigen, die noch übrig sind?", fragte Debbie-Ann. „Ja, wir sind die Einzigen. Wir konnten nichts gegen sie unternehmen. Es waren zwölf schwer bewaffnete Krieger. Sie haben Atrias Pfoten, Beine und den Mund zu gebunden. Dann haben sie sie an einem Strick weggezogen. Es waren auch noch sechs von unseren Kriegern dabei", erklärte der Fuchs, der Enif hieß. Saphire war entsetzt,

genau wie der Rest der Gruppe. „Wir
müssen sie retten! Wir müssen meine
Mama retten", sagte Saphire und
brach in Tränen aus. Jessica nahm
Saphire dann hoch und tröstete sie.
Diese drückte sich dann an Jessica.
Shilia wurde aber diesmal nicht grim-
mig. „Wir werden sie befreien", erklärte
Jessica.

Die Falle

Als die Gruppe dann durch den Urwald ging, blieben sie eng zusammen. „Joey, ich habe Angst", sagte Jessica. Selbst Shilia bekam Angst, weil man gar nichts mehr sah. „Jessie, ich habe auch furchtbare Angst", erwiderte Shilia. „Du hast Angst? Du warst doch etliche Tage alleine in der Wildnis", erklärte Jessica. „Ich habe aber trotzdem Angst. Als ich alleine in der Wildnis war, gab es keine Nacht, in der ich nicht an dich gedacht habe", erzählte Shilia.

Die Gruppe marschierte dann zum zugewachsenen Raumschiff. Dort holte Joey dann seinen Hyperwürfel und seine Powertaschenlampe. Dann gingen sie weiter ihres Weges. „Jetzt ist mein Vater echt zu weit gegangen", sagte dann Max. „Zu weit? Er lässt meine Familie entführen! Das ist oberschlimm und ein Verbrechen!", erwiderte Saphire zornig. „Das war bestimmt seine Reaktion, weil er uns nicht mehr gekriegt hat", sagte Debbie-Ann. Sie verfolgten dann die Spuren von den Wolfskriegern. Dank der Powertaschenlampe von Joey, erreichten sie das Lager der Krieger nach einer Stunde. Es brannte sogar noch ein kleines Feuer. „Das kommt mir irgendwie bekannt vor", sagte Debbie-Ann. „Ja, das erinnert an das Lager der Wilderer", erwiderte Joey. „Nur das diese Wilderer jetzt Wolfskrieger sind", sagte Debbie-Ann. „Ich habe meine Mutter entdeckt und auch die anderen Füchse. Sie sind da drüben an den dicken Baum gebunden", sagte Saphire. Dort rannte die Gruppe dann hin. Joey holte sofort seinen Hyperwürfel aus der Tasche. „Was ist denn das für ein Teil?", fragte Saphire. „Das ist eine kleine Erfindung von mir. Sehr praktisch. Man kann dort drinnen verschiedene Sachen verstauen", erklärte Joey. Er holte dann ein Messer heraus und schnitt die Fesseln mit einem Schnitt durch. „Und jetzt schnell weg hier!", forderte Shilia. „Wo ist Max?", fragte sich dann Jessica. „Sucht ihr etwa den hier?", sagte eine tiefe raue Stimme. Es war der Häuptling der Lupus, der dann vor ihnen auftauchte. Er hielt seinen Sohn am Schwanz, der zappelte. „Freunde! Lauft!", forderte Max. „Mein Sohn hat euch geholfen zu fliehen, nicht wahr?", sagte der Häuptling verbittert. In seiner Stimme lag der Klang des Zornes. „Lass ihn sofort frei!", zischte Jessica. „Das ist mein Sohn und ich entscheide über ihn!" Anschließend tauchten mindestens 30 Wolfskrieger aus dem hohen Gras auf und zeigten alle mit Pfeil und Bogen, Schwertern und Speeren, Messer und Keulen auf die Gruppe. „Verdammt, das war eine Falle!", fluchte Joey. „Eine tolle Falle, nicht wahr? Eine falsche Bewegung und meine Krieger greifen euch an! Wenn ihr es wagt nochmals zu flüchten, seid ihr des Todes!", drohte der Häuptling. Die Gruppe erhob dann die Hände. „Wir ergeben uns", sagte Dave. „Papa, bitte! Bitte lass sie gehen", bat Max. „Mit dir bin ich noch lange nicht fertig! Du hast dich mit dem Feind verbündet! Die Strafe dafür lautet eigentlich Verbannung, aber du bist mein Sohn und deshalb werde ich das nicht tun! Ich werde dich aber für drei Monate in den Kerker sperren!", knurrte der Häuptling. „Du widerlicher...", zischte Jessica und wollte am liebsten auf den Häuptling springen. Shilia hielt sie aber zurück.

Und so wurden sie alle wieder von den Lupus gefangen genommen. Jetzt wurden sie sogar alle an einen dicken Baum gefesselt. Die Lupus dagegen blieben in ihrem Lager und planten einen weiteren Überfall auf das Fuchsdorf. Sie waren jetzt in der Überzahl. Joey musste Atria ganz schnell von der Entdeckung berichten. Das wäre die Einzige Rettung. Dies tat er dann auch. Als er ihr alles erzählte, war sie entsetzt. „Was! Das Heiligtum der Lupus! In unserem Wald! Das kann nicht sein!", schrie Atria. „Mama, es ist aber leider so. Ich habe es vor zwei Jahren entdeckt, dir aber nicht davon erzählt", erzählte Saphire. Jetzt war Atria erst recht entsetzt. Sie hatte ihrer Tochter eigentlich verboten, alleine auf gefährliche Entdeckungstouren zu gehen. „Was, du warst vor zwei Jahren an einem gefährlichen Ort und hast es mir nicht gesagt! Du weißt doch, dass solche Touren gefährlich sind", schimpfte Atria. „Ich weiß, aber das war vor zwei Jahren", erklärte Saphire. „Auch wenn es jetzt vor vier Jahren oder sechs Jahren gewesen wäre, hast du trotzdem ein Verbot von mir missachtet und gebrochen", erklärte Atria. „Mama, es tut mir ja leid, aber wenn ich es nicht entdeckt hätte, hätte ich unsere Freunde dort nicht hinführen können", entschuldigte sich Saphire. „Saphire will damit sagen, dass du den Lupus den Teil des Waldes, indem sich das Heiligtum befindet zurückgeben musst", erklärte Debbie-Ann. „Das ist die Einzige Rettung. So können wir verhindern, dass sie das Dorf angreifen oder gar niederbrennen", erklärte Joey. Anschließend kamen drei Wolfskrieger zu ihnen. Diese kontrollierten sie. „Ich möchte mit dem Häuptling verhandeln!", sagte Atria ernst. „Dafür ist es jetzt schon zu spät!", sagte ein Wolfskrieger verbittert. „Es ist nie zu spät, um zu vergeben oder zu verzeihen", erklärte Atria. „Was soll denn das jetzt für ein dummes Zeug sein, was da aus deinem Mund kommt?", fragte der Wolfskrieger streng. „Ich bin gerade dabei, mich für den Diebstahl eures Waldes zu entschuldigen! Mein Volk wusste damals nicht, das sich in diesem Wald euer Heiligtum befindet und das möchte ich eurem Häuptling sagen!", sagte Atria streng. „Dafür ist es jetzt zu spät! Die Wunden sitzen viel zu tief!", knurrte der Krieger. „Wozu ist es zu spät?", fragte dann der Häuptling mit tiefer Stimme, der dann auftauchte. „Diese Fuchskönigin will sich für den Diebstahl unseres Waldes entschuldigen", erklärte der Krieger. „Ja, dafür ist es zu spät! Solche Wunden verheilen nicht mehr!", knurrte der Häuptling. „Aber eure Majestät. Hören Sie mir doch bitte zu. Mein Volk wusste nichts von diesem Heiligtum. Naja, ich gebe zu, dass meine Vorfahren den Wald als ihr Eigentum gesehen haben, als sie dort einwanderten. Aber das war vor ewig langer Zeit. Ich möchte das Kriegsbeil begraben. Ich habe auch erst von meiner Tochter und ihren Freunden von dem Heiligtum erfahren und jetzt möchten wir es zurückgeben und damit auch den Teil des Waldes", erklärte Atria.

Die Verhandlung dauerte noch eine längere Zeit und war gegen Abend fertig. Die Lupus begruben dann auch das Kriegsbeil. Anschließend wurden sie alle wieder befreit und die Vulpes durften in ihrem Dorf und somit auch in ihrem Teil des Waldes bleiben. Ein 850 000 Jahre langer Konflikt war endlich zu Ende und es herrschte Frieden.

Aller Abschied ist schwer

Es vergangen schon gut zwei Wochen nachdem die Vulpes und die Lupus nun endlich Frieden geschlossen hatten. Joey hatte in der Zwischenzeit das Raumschiff von hohem Gras, Moos und fremdartigen Kletterpflanzen befreit und es auch repariert. Jessica schaute sich mit Shilia und Saphire Bilder von der Erde an. „Und das ist mein Zuhause", sagte Jessica. „Wow! Das ist ja toll. Vor allen Dingen ist bei euch alles so sauber, bis auf den kleinen Fleck mit dem komischen Ding. Der sieht total wüst aus", sagte Saphire. „Das ist Joeys Biotop. Er hat es mit Absicht so werden lassen." Dann kam schon das nächste Bild. „Das ist ja schön", strahlte Saphire. „Das ist mein Schlafzimmer. Da habe ich gerade mit Shilia die schlafende Schöne gespielt", sagte Jessica. Shilia bekam dann rote Bäckchen. „Du warst ja echt süß", lobte dann Saphire. „Da war ich gerade mal 10 Monate alt. Das ist schon lange her", sagte Shilia lang gezogen. „Ach Shilia, komm schon. So lange ist das noch nicht her", erwiderte Jessica. „Für eine Hyäne ist das schon lange her", konterte Shilia. Als das nächste Bild kam, verzogen Shilia und Saphire das Gesicht. Shilia kannte sie schon, das schreckliche Kindermädchen. „Was ist denn das für eine Schreckfigur?", fragte dann Saphire. „Das ist Nanny. Sie ist einfach nur der Alptraum in Person. Sie sagt immer ‚Hopp, Hopp, Hopp! Ins Esszimmer!' Es ist einfach nur schlimm", erzählte Jessica. „Und sie hasst Tiere", redete sich Shilia dann rein. „Was, die hasst Tiere!", sagte Saphire dann entsetzt. „Ja, und wie. Ich hatte mal von unserem Buttler einen Hamster geschenkt bekommen und als der Buttler Urlaub hatte, kam Nanny, sie sah den Hamster und hat ihn dann tatsächlich die Toilette herunter gespült", erzählte Jessica. „Das ist ja echt grauenhaft! Richtig furchtbar", erwiderte Saphire. „Ich bin froh, dass die mich nie zu Gesicht bekommen hat, sonst wäre ich sonst wo gelandet", erzählte Shilia. „Du hast doch dieses scharfe Gebiss. Du hättest der doch eigentlich in den Hintern beißen können. Bei diesen großen Zähnen, die sich in deinem Maul befinden, wäre sie bestimmt schreiend davon gelaufen", sagte Saphire. „Ich war doch noch zehn Monate alt. Mein Gebiss war in dieser Zeit noch so klein, wie deins. Jetzt ist mein Gebiss erst richtig entwickelt", sagte Shilia. „Meine Zähne sind zwar klein, aber extrem scharf", erwiderte Saphire. „Könnt ihr bitte damit aufhören, über Zähne zu sprechen. Da muss ich an meine Zahnspange und an den Zahnarzt denken", bat Jessica. „Okay. Wir haben eben nur unsere Zähne verglichen", sagte Shilia grinsend. „Was ist das denn, ein Zahnarzt?", fragte Saphire neugierig. „Der guckt dir deine Zähne an und untersucht sie, ob sich dort Löcher befinden. Wenn er Löcher findet, bohrt er die Zähne auf und setzt dort eine Füllung rein. Am schlimmsten ist es, wenn ein Zahn gezogen werden muss", erzählte Jessica. Saphire biss dann ihre Zähne zusammen und stellte sich die Schmerzen vor. „Aua! Das tut doch weh! Meine bekommt der bestimmt nicht", sagte Saphire und griff sich an die Wange. Jessica hatte noch das Schlimmste vor sich. Wie brachte sie Saphire bei, dass sie den Planeten am nächsten Tag verlassen werden? Dies quälte Jessica schon die ganze Zeit. Sie mochte Saphire und war auch ihre beste Freundin nach Shilia. Sie wollte Saphire gar nicht verlassen. Sie dachte dann nach. „Jessie, was ist denn los? Du sagst ja auf einmal gar nichts mehr", fragte Saphire. „Ach nichts. Ich war eben gerade in meinen Gedanken versunken. Ich habe gerade an die Erde gedacht", redete sich Jessica heraus. „Wo ist denn eigentlich die Erde?", fragte dann Saphire. „Ganz weit weg von hier. Ich kann's dir heute Abend zeigen, wenn die Sterne am Himmel zu sehen sind", sagte Jessica. „Cool, darauf freue ich mich jetzt schon", freute sich Saphire. Anschließend wurde Jessica von Shilias Schnauze an gestupst, was bedeutete, dass sie mit ihr mal mitkommen sollte. Dies tat sie dann auch. „Jessie, ich weiß, dass dich was Anderes bedrückt", sagte dann Shilia. „Und was?" „Wir fliegen doch morgen weiter und jetzt weißt du nicht, wie du es Saphire beibringen sollst", sagte Shilia. „Das ist voll blöde. Das bedrückt mich schon die ganze Zeit. Sie ist meine zweitbeste Freundin nach dir", erzählte Jessica. „Ich weiß, wie du dich fühlst, aber du hast immer noch mich und ich werde dich niemals verlassen", beruhigte Shilia. „Du hast mich aber schon einmal verlassen und das war

wirklich nicht schön von dir", erinnerte Jessica. „Dafür habe ich mich ja
entschuldigt. Ich war da doch total
gelb vor Eifersucht und außerdem
warst du da böse auf mich", sagte
Shilia. „Saphire wird es zerreißen,
wenn sie es weiß", erwiderte Jessica.
„Jessie, so ist nun mal der Lauf des
Lebens. Tiere kommen in deinem Leben und Tiere gehen in deinem Leben.
Aller Abschied ist schwer. Aber man
sollte sich nicht deshalb hängen lassen und trotzdem nach vorne schau-
en", erklärte Shilia und legte ihre Pfote
um Jessicas Hals. Danach gab sie ihr
einen kleinen Kuss auf die Wange.
„Shilia, du hast recht. Du hast wirklich ein gutes Herz", sagte dann Jessica und streichelte Shilias Kopf.

Als es dann Abend war, schaute die
Gruppe in die Sterne. „Dort werden wir
morgen wieder sein", sagte Joey. „Eigentlich schade", bedauerte Dave.
„Dave wir waren lange genug hier auf
dem Planeten und haben sogar einen
850 tausendjährigen Krieg beendet.
Was willst du denn noch mehr?", fragte Debbie-Ann. „Action", sagte Dave.
„Davon wirst du denke ich noch genügend kriegen. Wir landen bestimmt
noch auf wilderen Planeten, wie die-

sen", erklärte Debbie-Ann. Jessica zeigte jetzt Saphire, wo sich die Erde befand. Es war der letzte Abend den sie mit ihr verbrachte. „Saphire, siehst du diesen kleinen gelben Punkt im Sternbild?", fragte Jessica. „Ja. Das ist der Südstern. Dieser Stern ist etwas ganz Besonderes für unser Volk", erklärte Saphire. „Das ist die Sonne und dort befindet sich die Erde mit ihren neun Planeten", erklärte Jessica. „Beim Südstern befindet sich die Erde?", stellte Saphire in Frage. „Der Stern, der bei euch Südstern heißt ist unsere Sonne. Der Stern, der hier eine rotorangene, große Sonne ist heißt Edasich. Von der Erde ausgesehen ist er ein winziger oranger Punkt", erklärte Jessica. „Wahnsinn! Das ist ja richtig weit weg", sagte Saphire. Jessica ließ dann ihren Kopf hängen. Jetzt oder nie. Sie musste es ihr sagen, auch wenn es ihr sehr weh tat. Sie nahm den blauen Stein, den sie von Kishana hatte und umschloss ihn langsam mit ihrer Hand. Dieser Abschied war schon etwas länger her und tat ihr immer noch weh. Auch wenn es nur fünf Tage waren, hatte sie in Kishana eine schnelle beste Freundin gefunden. Das Problem war, dass sie mit Saphire viel länger zusammen war und das machte den Abschied noch viel schlimmer. „Jessica, stimmt's? Deine Freunde möchten morgen unseren Planeten verlassen", errat Saphire. „Woher weißt du das jetzt?", fragte Jessica traurig. „Ich hab's mir gedacht. Ich hatte auch schon eine Vorahnung, als du mir erzählt hast, dass ihr Planeten erkunden tut", antwortete Saphire traurig. „Ich will dich aber nicht verlassen", erwiderte Jessica und weinte. „Warum bleibst du nicht mit Shilia bei uns? Ihr könntet in unserem Dorf leben und dann würden wir uns immer sehen. Du würdest sogar meine Krönung mitkriegen", schlug Saphire vor. „Saphire, ich danke dir für deinen Vorschlag, aber das würde auch bedeuten, dass ich Joey, Debbie-Ann und Dave verlassen müsste und das will ich auch nicht", erwiderte Jessica traurig. „Na dann - mach's gut. Ich werde dich ganz Dolle vermissen", weinte Saphire. „Ich dich auch Saphie", erwiderte Jessica. Und nun fielen sich beide in Arme und Pfoten. Shilia liefen dann auch die Tränen.

Am nächsten Morgen war es dann so weit. Der Stern Edasich ging langsam auf und tauchte alles in rot-oranges

Licht. Saphire stand extra früh auf, weil sie noch einmal Jessica und Shilia sehen wollte. Anschließend wollte sie ihrer besten Freundin noch ein Geschenk überreichen. Sie nahm das Geschenk, ein verziertes V mit zwei Fuchsköpfen, das Zeichen des Volkes und rannte aus dem Dorf in den noch halbdunklen Wald. „Hoffentlich komme ich noch nicht zu spät", hoffte Saphire. Sie hatte Glück. Das Raumschiff war noch da, befand sich aber schon in der Luft. „JESSIE! JESSIE! SHILIA! WARTET!", schrie Saphire. Glücklicherweise sah Jessica noch die kleine, rennende Füchsin. „Joey! Warte, noch nicht starten. Da unten ist Saphire. Ich glaube sie möchte jetzt mit uns mitkommen", dachte Jessica und war in diesem Moment wieder glücklicher. Joey landete dann wieder. Jessica rannte dann zu Saphire, die durch die Hektik beschleunigt atmete. „Saphire, willst du jetzt mit uns mitkommen?", fragte Jessica. „Nein. Ich wollte dich noch ein letztes Mal sehen und dir das als ein Geschenk von mir und meinem zukünftigen Volk überreichen", sagte Saphire. „Das ist aber schön. Danke Saphire", bedankte sich Jessica. Anschließend nahm sie die kleine Fuchsprinzessin hoch und drückte sie ein letztes Mal. „Ich werde dich vermissen. Gute Reise", verabschiedete sich Saphire und wurde wieder traurig. „Mach's gut Saphire und danke für das tolle Geschenk. Ich werde dich nie vergessen", verabschiedete sich Jessica. „Das Geschenk wird dich immer an mich und an mein zukünftiges Volk erinnern", sagte Saphire. Jessica stieg dann langsam in das Raumschiff und schaute noch ein letztes Mal zu Saphire. Dann winkte sie ihr traurig zum Abschied. Saphire winkte langsam zurück. „Mach's gut, Jessie." Danach ging sie wieder in den Wald zurück.

Jetzt hatte Jessica den Abschied hinter sich und das Raumschiff stieg in die Luft und entschwand dann ins All.

5. Kapitel

Der Dschungel- planet

Die Landung

Die Animalia flog nun weiter durch das All. Man konnte sehen wie der der Stern Edasich immer kleiner wurde und irgendwann verschwand. Jessica war sehr traurig, weil sie sich von Saphire verabschieden musste. Shilia war bei ihr und tröstete sie. „Ach Jessie, hör bitte auf zu weinen", bat Shilia und schmuste mit Jessica. „Ich wäre gerne noch länger bei ihr geblieben", erwiderte Jessica und wischte sich die Tränen aus dem Gesicht. „Ich weiß, aber der Abschied wäre trotzdem irgendwann gekommen", erklärte Shilia. „Nicht, wenn sie mit uns mitgekommen wäre", sagte Jessica. „Du hast doch immer noch mich", beruhigte Shilia. „Ich weiß und da bin ich auch froh drum. Ich hab dich ganz Doll lieb

Shilia", sagte Jessica. „Ich dich auch Jessie. Sind wir jetzt wieder fröhlicher?", fragte Shilia. „Ja", antwortete Jessica. „Dann lass uns Mensch ärgere dich nicht spielen", sagte Shilia. Nun spielte Jessica mit Shilia Mensch ärgere dich nicht.

Joey suchte auf der Sternenkarte schon den nächsten Stern aus und wurde dann auch fündig. „Wir fliegen jetzt den Stern 70 Virginis an", sagte er. „70 was?", fragte dann Dave. „70 Virginis. Virginis heißt Jungfrau. Das weiß sogar ich", erwiderte Debbie-Ann. „Bei den AGs, die du besucht hast", kommentierte Dave „Bei diesem Stern haben wir es auch wieder mit einem alten Stern zu tun. Er ist 8,0 Milliarden Jahre alt und wird auch schon langsam zu einem Roten Riesen", erklärte Joey. „Stark! Wenn dort ein Planet ist, wird der mit Sicherheit auch wieder so ein urtümlicher Wildnis Planet sein. Vielleicht wird er sogar noch wilder sein, als der Letzte. Ich und meine Kamera freuen uns. Ich leg schon mal einen neuen Film ein", sagte Dave aufgeregt. „Dave, es muss nicht unbedingt sein, das alte Sterne immer solche Wildnis Planeten wie Edasich enthalten. Es könnte sogar

möglich sein, das es dort Eisplaneten,
Felsplaneten oder gar Planeten mit einer Zivilisation gibt. Wüstenplaneten
sind auch möglich", erklärte Joey. „Ein
Wüstenplanet wäre auch nicht übel.
Das Abenteuer in der Wüste und kein
Tropfen zum Trinken. Wir sind – am
Ende", übertrieb Dave. „Dave, damit
macht man keine Witze. Auf einem
Wüstenplaneten kann das alles wirklich passieren", erklärte Debbie-Ann.
„Schwesterlein – wir sind ja nicht auf
einem Wüstenplaneten." „HA JAA!",
erwiderte Debbie-Ann und anschließend lag Dave am Boden. „Nenn mich
nie wieder so – klar", sagte Debbie-Ann
streng. „Okay, große Debbie, starke
Debbie", sagte Dave schnell.

Jessica und Shilia waren im Spiel ver-
tieft. Shilia hatte schon zweimal gewonnen und war auch diesmal wieder
am Gewinnen. Neben sich hatte sie
eine Tüte Chips liegen, wo sie mit ihrer
linken Pfote hineingriff und einen Chip
nach dem anderen in ihr Maul steckte.
„Shilia, denk dran, dass wir nicht
mehr viele Tüten von diesen Chips haben. Du hast jetzt schon drei Tüten
verdrückt", erklärte Jessica. „Okay.
Die schmecken aber so gut und außerdem haben wir Hyänen einen gro-

ßen Magen", erklärte Shilia. „Dein großer Magen kostet mir aber meine Lieblingschips!", sagte Jessica ein wenig
gereizt. „Schon gut, schon gut. Ich höre ja schon auf zu fressen. Nur weil du
jetzt schon wieder verlierst, musst du
deine Wut nicht an mir auslassen",
erwiderte Shilia. „Du hast jetzt schon
zweimal hintereinander gewonnen. Wie
machst du das bloß?", fragte Jessica.
„Ähm, ich hatte eine gute Lehrerin",
antwortete Shilia und grinste Jessica
mit ihren strahlenden Zähnen an. „Ja!
Eine zugute Lehrerin", motzte Jessica
und meinte damit sich selbst. „Jessie,
das ist doch bloß ein Spiel. Bitte ärgere dich nicht. Ich mag das nicht, wenn
du dich ärgerst", erklärte Shilia. „Ähm
– dann lass mich gewinnen und dann
ärgere ich mich nicht mehr", sagte
Jessica. „Also Jessie, das geht aber
nicht. Das wäre ja dämlich", sagte
Shilia und rückte ihre letzte Figur in
das Häuschen vom Spiel. „Das gibt
jetzt Rache, denn wir spielen jetzt dein
absolutes Lieblingsspiel - Mikado",
sagte Jessica in einem gemeinen Ton.
„Hey! Das ist nicht fair! Du weißt ganz
genau, dass ich in diesem Spiel grot-
tenschlecht bin", meckerte Shilia.
„Deswegen spielen wir es jetzt auch",

sagte Jessica und grinste gemein. „Ich sehe jetzt auch gleich jemanden am Boden liegen", sagte dann Shilia und sprang Jessica zu Boden. „Ich lecke dich jetzt so lange ab, bis deine Haut ganz runzelig ist", sagte Shilia spaßig und leckte Jessica das ganze Gesicht ab und das ganze 15 Minuten. Jessica lachte sich kaputt. „Shili, das reicht. Das reicht. Ich habe genug von deinem Gesabber. Shilia, hör auf. Na gut! Na gut! Du hast gewonnen! Du hast ge-wonnen. Wir spielen kein Mikado", sagte Jessica laut. Shilia hörte dann auf zu lecken. „Ich wusste, dass ich dich mit meiner Zunge umstimmen kann", grinste Shilia.

Die Animalia erreichte nun den Stern 70 Virginis. Um diesen Stern zog ein sehr großer Planet seine Runden. Er war doppelt so groß wie die Erde. Um diesen Planeten befand sich ein Ring, der wie der des Saturns aussah. Der Planet war komplett grün, bis auf ein paar einzelne blaue Flecken, die Seen waren. Im Zentrum des Planeten lag ein Meer, das wie ein Herz aussah. Der Gruppe verschlug es den Atem. „BOOOAH!", staunten alle. „Der ist ja riesig und wunderschön", strahlten Jessica und Shilia. „Der erinnert mich irgendwie an den Saturn", dachte Dave. „Er sieht ja auch so aus wie der Saturn, du Fisch. Nur das dieser Saturn grün und blau ist", erwiderte Debbie-Ann. „Schnell! Lass uns landen!", forderte Jessica. Die Animalia setzte dann zur Landung an. Als sie die Atmosphäre durchbrachen und durch eine Schicht Wolken flogen, erstreckte sich unter ihnen ein dichter Dschungel. Darauf war Joey jetzt nicht gefasst. „Auweia! Ich muss das Schiff drosseln, sonst krachen wir in die Bäume und bleiben in den Zweigen stecken", sagte Joey panisch und drosselte das Raumschiff. Dabei biss er seine Zähne zusammen.

Unter ihnen kam gerade eine große Hyäne von ihrer Jagd zurück. Es handelte sich um eine Mintaka oder auch Dschungelhyäne genannt. Diese Hyäne war das giftigste Tier im gesamten Dschungel. Sie konnte drei verschiedene Arten von Gift produzieren. Es gab sogar ein Gift, welches heilend wirkte. Dieses hatte eine pinke bis rosafarbene Farbe. Die anderen beiden Gifte waren extrem tödlich. Eines hatte eine dreckige blaugrüne Farbe und das andere war leuchtend grün, wobei das leuchtend grüne Gift das gefährlichste war. Egal welches Gift die Hyäne produzierte, es floss durch einen Kanal und dieser befand sich in zwei spitzen und langen Fangzähnen im Oberkiefer. Die Öffnungen für das Gift befanden sich unter den Zahnspitzen. Das Tier brauchte also nur die Zahnspitzen in das Opfer zu versenken und schon konnte sie das Gift in das Opfer abgeben. Dieses wirkte sofort nach dem Biss. Nach dem Biss färbte sich der komplette Körper des Opfers kurzzeitig in die Farbe des Giftes ein und die Dschungelhyäne musste warten, bis diese Färbung wieder nachließ. Nicht eher konnte sie beginnen, ihr Opfer zu fressen, sonst würde sie sich selber vergiften. Diese Dschungelhyäne, die gerade im Dschungel unterwegs war, hatte eine warmgraue Fellfarbe und besaß eine rosa-violette Mähne. Ihre Augen besaßen das Blau des Himmels. Sie hörte das Surren des Raumschiffs und richtete ihren Blick sofort zum Himmel und dem Blattwerk, das relativ dicht war.

Dort sah sie dann die Animalia als unbekanntes, graues Etwas vorbeifliegen. „Was ist das?", fragte sie sich ängst-

lich. Sie beschloss sich aber dennoch
dem Raumschiff nachzurennen, auch
wenn sie deshalb etwas nervös war

Aber auch ein anderes Tier befand sich dort in der Nähe. Es handelte sich um ein kleineres, violettes Tier mit roten Streifen, roten Pfötchen und einer pinkfarbenen Brust. Diese Tierart nannte man auch Giftspucker, weil sie in der Lage waren, Gift zu spucken. Sie waren auch die schnellsten Tiere des Dschungels. „Was, was, was ist das da oben?", fragte sich das Tier, mit Blick nach oben gerichtet.

Die Animalia landete dann neben einem kleinen Dschungelfluss.

Als das Raumschiff landete, krachten Bäume und es gab jede Menge Lärm. Dieser Lärm vertrieb das Giftspuckerweibchen und andere Tiere, die sich in der Nähe befunden hatten.

Die Gruppe stieg dann aus dem Raumschiff aus und blickte auf ein Gewirr aus Baumfarnen, kleinen Palmen, Lianen, riesigen Blättern, Büschen und natürlich riesigen Stämmen.

„Wahnsinn, ist das hier schön", strahlte Jessica. „Und brütend heiß", erwiderte Dave und wischte sich den Schweiß aus dem Gesicht. „Hier ist es noch heißer, als in Afrika", sagte

Shilia. „Ich werde verrückt!", staunte Joey. „Das ist ein einziger, undurchdringlicher Dschungel", sagte Debbie-Ann. Joey nahm sich dann seinen kleinen Taschencomputer und stellte ihn auf Temperaturmessfunktion. Das Thermometer zeigte 42,5°C. „Also, so heiß wie in der Wüste ist es hier nicht", sagte Joey. „Und wie heiß ist es hier?", fragte Dave. „Mein Computer zeigt eine Temperatur von 42,5°C an. Das sind genau 108,5°F", antwortete Joey. „Mann, das ist aber trotzdem ganz schön heiß für einen Dschungel", sagte Debbie-Ann. „Ich schwör dir, das fühlt sich wie über 50°C an", schnaufte Dave. „Das liegt auch an der Luftfeuchtigkeit und die ist hier sehr hoch", erklärte Joey. Er sicherte dann das Raumschiff ab. „Hey Jessie, komm mal zu mir", bat Shilia. Jessica ging dann zu Shilia. Diese flüsterte Jessica dann etwas ins Ohr. „Shilia! Wenn wir das machen, kriegen wir wieder mächtigen Ärger oder verirren uns. Wir haben Joey versprochen keine alleinigen Erkundungstouren mehr zu machen", erinnerte Jessica. „Wo ist denn die abenteuerlustige Jessie, die ich kenne geblieben?", fragte sich Shilia. „Shilia, du weißt was das letzte Mal passiert ist", erinnerte nochmals Jessica. „Das war doch toll. Joey redet ständig nur von wissenschaftlichen Untersuchungen. Das ist voll ätzend. Und er hält uns nur Moralpredigten. Das ist in meinen Augen kein Abenteurer", erklärte Shilia. „Na ja, ätzend ist das schon", gab Jessica zu. „Na dann komm jetzt! Jetzt guckt er gerade nicht. Wir bleiben auch in der Nähe", sagte Shilia schnell. „Also gut, aber auf deine Verantwortung", sagte Jessica und verschwand mit Shilia im Dschungel. Sie stapften nun durch den Dschungel. Jessica schwang sich sogar von Liane zu Liane. „Shilia! Schau mal! Ich bin Tarzan", rief Jessica zu Shilia herunter. „Pass auf, dass du nicht abstürzt", rief Shilia zu Jessica. In ihrer Nähe befand sich die Dschungelhyäne. Diese hörte die Stimmen. „Oh, das sind irgendwelche Stimmen. Die Personen muss ich unbedingt sehen", beschloss sich die Hyäne. Sie folgte schließlich den Stimmen.

Jessica, Shilia und Shuna

Jessica schwang sich weiter von Ast zu Ast und Shilia rannte hinterher. Einmal erwischte Jessica eine morsche Liane. Diese riss dann ab und Jessica stürzte. „AAAAH!", schrie sie. „JES-SIE!", schrie Shilia. Jessica flog dann über das hohe Gebüsch hinweg.

Unter ihr tauchte dann die Dschungelhyäne auf. „Ich fang dich", sagte sie. Jessica landete dann direkt auf dem Rücken der Dschungelhyäne. „Hast du dir weh getan?", fragte die Dschungelhyäne besorgt. „Nein, es geht schon. Ich war wohl ein bisschen übermütig", gab Jessica zu und sprang ab. Dann sah sie die große Hyäne, die größer als sie selbst war. „Wahnsinn! Du bist vielleicht eine große Hyäne", staunte Jessica. „Ich bin eine Dschungelhyäne und ich heiße Shuna und wie heißt du?", fragte dann Shuna. „Mein Name ist Jessica." Dann richtete sie ihren Blick auf die zwei Fangzähne, dessen Spitzen an der Seite des Mauls herausragten. Dort hingen noch zwei kleine Tröpfchen Gift dran. „Wahnsinn! Was spitze Zähne. Oh, da hängt ja etwas Blaugrünes dran. Am besten mache ich das mal ab. Das sieht nämlich richtig ekelhaft aus", sagte Jessica und wusste nicht, dass sie gerade an Shunas Gift greifen wollte. „NEIN! NICHT!", schrie Shuna. „Wieso denn?", fragte Jessica. „Wenn du diese Tropfen berührst, bist du auf der Stelle tot", warnte Shuna. Jessica bekam auf der Stelle einen Schock. „Sag jetzt bloß nicht, dass diese blaugrüne Flüssigkeit Gift ist!"

„Tut mir wirklich leid, aber das ist mein Gift. Aber keine Panik. Solange du es nicht berührst, bleibst du am leben", antwortete Shuna. „GIFT! Gift!", sagte Jessica geschockt und sprang rasch zurück. „Ja, Gift und dieses ist absolut tödlich", erklärte Shuna. „Wenn du giftig bist, dann kann ich dich ja gar nicht anfassen", dachte Jessica. „Doch, natürlich kannst du mich anfassen. Du kannst sogar mit mir kuscheln. Das habe ich richtig gerne. Selbst meine Giftzähne kannst du anfassen, aber nur wenn kein Gift daran hängt. Du darfst aber nicht an die Giftkanäle kommen", beruhigte Shuna. „Wozu brauchst du denn eigentlich Gift? Schlangen haben doch eigentlich nur Gift. So war es zumindest auf der Erde. Das Hyänen Gift besitzen ist mir relativ neu, aber wir sind ja hier auf einem anderen Planeten", fragte sich Jessica. „Na ja, wie soll ich's dir erklären. Hier in diesem Dschungel ist es schwer ein Tier mit den Zähnen zu erlegen, zumindest für eine Dschungelhyäne. Ich hasse die Jagd, sie ist einfach nur schrecklich und grauenhaft. Und ich mag es wirklich nicht, dass ich so furchtbar giftig bin. Deshalb habe ich auch nur zwei Freunde, die ich aber schon ewig nicht mehr gesehen habe. Am liebsten würde ich mich von diesen schrecklichen Giftzähnen verabschieden, aber das geht ja leider nicht, weil ich mein Gift zum Überleben brauche", erklärte Shuna. „Wenn du nichts dagegen hast, kannst du ja bei uns essen. Morgens, mittags und abends. Dann brauchst du nicht zu jagen", sagte Jessica. „Du kommst aus diesem fliegenden Objekt, was ich gesehen habe, stimmt's?", fragte Shuna. „Ja! Wir kamen gerade von einem anderen Stern und sind dann hier gelandet", antwortete Jessica und wurde wieder traurig. „Warum weinst du denn jetzt?", fragte Shuna besorgt. „Ach, das ist eine lange, lange

Geschichte, aber auf diesem Planeten, wo wir vorher waren, musste ich mich von meiner Freundin Saphire verabschieden und das tut mir immer noch weh. Das einzige, was ich von ihr noch als Erinnerung habe ist das", erzählte Jessica und zeigte das goldene V mit den zwei Fuchsköpfen. „Oh, das ist aber schön. Das erinnert mich irgendwie an Fox, einen von meinen zwei Freunden. Pass bloß auf, dass du das nicht verlierst. Das sieht richtig wertvoll aus", sagte Shuna. „Ich hatte auf diesem Planeten noch eine Freundin und zwar noch vor Saphire. Sie hieß Kishana und war eine Riesenhirschprinzessin. Von ihr habe ich das bekommen", sagte Jessica und zeigte dann den blauen Stein. Diesen fand Shuna sogar noch hübscher, als das V. „Oh, der ist aber wunderschön und blau. Blau ist meine Lieblingsfarbe", strahlte Shuna.

Anschließend tauchte Shilia auf. „Oh Jessie, ein Glück ist dir nichts passiert", sagte Shilia erleichtert. Dann richtete sie ihren Blick auf Shuna, die neben Jessica saß. „Wer ist denn das?", fragte Shilia und war über Shunas Größe überrascht. „Das ist Shuna. Sie hat mich aufgefangen. Ich habe ihr gerade ein wenig von unserem letzten Abenteuer erzählt. Sie ist unsere neue Freundin", sagte Jessica. Shuna wurde jetzt ein wenig fies, meinte es aber eigentlich nicht so. „Das ist ja vielleicht eine kleine Hyäne", sagte sie ironisch. Jetzt war Shilia sauer, richtig sauer. „Hey! Ich bin nicht klein! Ich zeig dir gleich, wie bissig diese kleine Hyäne sein kann, du Riesenklops!", zischte Shilia und beleidigte damit jetzt Shuna. Diese wurde dann ebenfalls sauer. „Hey! Verstehst du denn keinen Spaß? Nimm das bitte zurück! Ich bin eine friedliche Dschungelhyäne, ich verstehe Spaß aber das geht jetzt echt zu weit!", zischte Shuna. „Hey! Ihr sollt euch vertragen! Shuna und Shilia!" „Pah!", sagte Shilia dumpf und drehte sich um. „Shilia!!", zischte Jessica. „Na gut! Wir vertragen uns ja schon!", sagte Shilia trotzig.

Trotz des schlechten Starts, spielten Jessica, Shilia und Shuna dann miteinander. Am Raumschiff hatten sie noch nicht Jessicas und Shilias Abwesenheit bemerkt. Als es dann Abend wurde, brachte Shuna, Jessica und Shilia wieder in die Nähe des Raumschiffs. „Hach, das war ein schöner

Tag. Ich freue mich schon auf den nächsten Tag", strahlte Shuna. „Willst du heute nicht bei uns mitessen?", fragte Jessica. „Nein, noch nicht. Ich warte damit lieber noch ein bisschen. Ich kann mehrere Tage ohne Futter auskommen. Verhungern werde ich in dieser kurzen Zeit nicht. Mein Magen ist für heute und den nächsten Tagen erst mal voll genug. Erzählt euren Freunden lieber erst mal von mir, bevor ich mal zu euch komme. Ich möchte jetzt nämlich nicht unhöflich sein und eure Freunde wegen meiner Größe und den Giftzähnen erschrecken", erklärte Shuna.

„Okay, wir treffen uns dann morgen wieder am selben Ort. Shilia und ich bringen dann noch ein paar Spiele mit. Ich hänge dir aber, bevor du gehst noch eine kleine Kette um, damit ich dich wieder erkenne", sagte Jessica und hing ihr eine pinkfarbene Kette um den Hals. „Danke Jessica", bedankte sich Shuna und gab ihr einen fetten Kuss. „Dann bis morgen", verabschiedete sich Jessica und winkte anschließend Shuna, die dann in die Büsche sprang. „Endlich ist sie weg", sagte Shilia erleichtert. „Also Shilia, wie kannst du so etwas sagen?", fragte Jessica. „Wie kann sie sagen, dass ich eine komische kleine Hyäne bin!", ärgerte sich Shilia. „Das hat sie doch nicht so gemeint", erwiderte Jessica. „Aber, in was für ein Ton sie das gesagt hat. Eines sage ich dir, Jessie. Hinter der verbirgt sich eine ganze Menge Ärger und tödlich giftig ist sie auch, habe ich so im Hintergrund mitgekriegt. Was machst du, wenn sie dich aus Versehen vergiftet?", fragte Shilia. „Shilia, du hast ja recht. Wir kennen sie doch erst einen Tag lang. Das wird schon nicht passieren. Ihr Gift fließt nur, wenn sie jagt. Das hat sie mir erklärt. Außerdem mag sie ihre

Giftzähne nicht und würde sich am liebsten von ihnen verabschieden", erklärte Jessica. „Es kann immer passieren, das ein bisschen Gift aus ihren Zähnen fließt. Ich frage mich, wozu sie dieses tödliche Gift überhaupt braucht. Sie ist doch eine Hyäne und Hyänen brauchen kein Gift. Wir Hyänen benötigen nur unseren kräftigen Kiefer und unsere Schnelligkeit um Beute zu fangen", fragte sich Shilia. „Sie hat gesagt, dass es hier schwerer ist ein Tier zu erlegen und deshalb braucht sie das, um hier zu überleben", erklärte Jessica. „Pah! Mit diesen säbelzahnartigen Zähnen dürfte das eigentlich kein Problem sein. Die hat ja sogar sechs solche Fangzähne, was mich sehr verwundert", sagte Shilia. „Höre ich da jetzt wieder etwas Neid und Eifersucht aus deinem Maul?", fragte sich Jessica. „Nein! Ich bin mit mir vollkommen zufrieden, so wie ich bin und das ist einzigartig", erklärte Shilia dumpf und streckte dann ihre Brust in die Höhe.

Anschließend gingen sie zum Raumschiff zurück und dort standen Debbie-Ann, Joey und Dave mit strengen Mienen und verschränkten Armen vor Jessica und Shilia. „Ähm Jessie, ich glaube das war's jetzt wohl mit uns beiden", grinste Shilia. „Was habe ich euch auf dem Sumpfplaneten gesagt!", sagte Joey streng. Jessica und Shilia grinsten dann. „Ihr habt dort sogar euer Wort drauf gegeben!", erinnerte Joey. „Joey, wir waren ehrlich nur in der Nähe des Raumschiffs, stimmt's Shili?", erklärte Jessica. „Ja, Ehrenwort", sagte Shilia. „Wie oft soll ich euch das noch sagen, dass ein fremder Planet kein Spielplatz ist. Wir erkunden die Planeten gemeinsam und so ein Dschungelplanet wie dieser hier ist sogar noch gefährlicher, als ein Käfig mit 20 Löwen. Besonders für zwölfjährige Mädchen und vierjährige Hyänen", erklärte Joey ernst. „Wenn man hier nur hundert Meter spazieren geht, kann man sich schon verirrt haben", erklärte Debbie-Ann. „Wir wollen doch bloß ein paar Abenteuer erleben und du willst bloß forschen und wissenschaftliche Untersuchungen machen! Das ist einfach kein richtiges Abenteuer! Das ist nur ätzend! Komm Shili, wir gehen ins Raumschiff. Die anderen sind langweilig!", zischte Jessica und stampfte mit Shilia ins Raumschiff. „Ich rede mit ihr", sagte Debbie-Ann. „Nein, das werde ich jetzt tun", erwiderte Joey und ging Jessica und Shilia hinterher.

„Jessica, ich muss mit dir reden", sagte Joey und klopfte gegen die Zimmertür von Jessicas und Shilias Kabine im Raumschiff. „Geh weg! Du bist kein richtiger Abenteurer", sagte Jessica. „Ich bin aber dein großer Bruder. Lass mich bitte zu dir", bat Joey. „Hier haben nur richtige Abenteurer Zutritt. Geh weg!", sagte nochmals Jessica. „Aber, ich bin doch ein Abenteurer." Dann öffnete Jessica die Tür. „Bist du nicht, sonst würdest du uns nicht ständig Moralpredigten halten oder uns alleinige Erkundungstouren verbieten! So etwas machen richtige Abenteurer nicht", erklärte Jessica und schloss wieder die Tür. „Ich will doch bloß, dass dir nichts passiert. Du bist meine kleine Schwester, die ich sehr lieb habe", sagte Joey. „Wenn du mich lieben würdest, würdest du mir und Shilia nicht ständig Moralpredigten halten", erklärte Jessica und öffnete wieder die Zimmertür. „Das mache ich doch bloß nur, weil ich mir um euch beide sehr viel Sorgen mache. Okay, ich verspreche, dass ich keine Moralpredigten mehr halte, wenn ihr mir versprecht, bei der Gruppe zu

bleiben", entschuldigte sich Joey. „Na
gut, wir versprechen es, wenn du uns
versprichst in den Dschungel zu gehen. Wir bleiben auch in der Nähe des
Raumschiffs. Verirren möchte ich mich
mit Shilia ja auch nicht", erklärte Jessica. „Na gut, ihr dürft in den Dschungel, aber ich gebe euch dann ein Walky
Talky mit, dass wir in Kontakt bleiben", sagte Joey. Jetzt freuten sich
Shilia und Jessica und waren wieder
glücklicher.

Der einsame Fox

Mehrere Tausend Meilen vom Raumschiff entfernt, befand sich ein kleines Dorf im Dschungel. Dieses wurde von Füchsen bewohnt. Es waren aber keine normalen Füchse, wie wir sie von der Erde kannten. Von vorne sahen sie zwar so aus, aber ihr buschiger Schwanz war anders. Dieser war abwechselnd rot und orange gestreift und war an der Spitze weiß. Und sie waren intelligent und konnten sprechen. Das Dorf war relativ klein und wurde von einem sehr alten Fuchshäuptling namens Gerd regiert. Dieser war bereits 75 Jahre alt und sehr griesgrämig und extrem streng. Sein Fell war bereits rot-grau und er besaß einen kurzen silbrigen Bart. Seine ehemals volle Mähne bestand nur noch aus einzelnen silbrigen Haaren. Früher, in den jungen Jahren besaß er eine dunkelrote Fellfarbe, eine volle dunkelbraune Mähne und er war sehr muskulös. Jetzt konnte er sich nicht mehr so gut auf den Beinen halten. Ein wichtiges Merkmal von ihm war ein weißer Punkt auf seiner Stirn. Seine Frau Azura, die fünf Jahre jünger war, konnte sich noch relativ gut auf den Beinen halten. Sie war im Charakter das Gegenteil von Gerd. Sie war offen, sorgsam, gutmütig und weise. Ein wichtiges Merkmal waren ihre blauen Augen. Sie besaßen vier Kinder, von denen zwei schon erwachsen waren. Die beiden erwachsenen Kinder hießen Sophie und Fox. Fox war 35 Jahre alt und der zukünftige Häuptling des Fuchsdorfes. Er hatte orange Augen und besaß eine wuschelige Mähne. Früher war er abenteuerlustig und erforschte gerne den Dschungel. Es verging kein Tag, wo er nicht im Dschungel war. Jetzt war er eher trübsinnig und traurig, weil er seine beste Freundin Missie vermisste, die vor 15 Jahren verschwand. Sophie, seine jüngere Schwester war 31 Jahre alt. Sie war sehr schlank und besaß hellblaue Augen. Früher, als sie noch ein kleines Kind war, war sie sehr verspielt und lachte sehr gerne. Sie petzte auch sehr oft und wegen ihr bekam Fox früher immer Ärger. Auch jetzt spielte sie noch sehr gerne, war aber trotzdem vernünftiger und erwachsener geworden. Sie war jetzt sehr sorgsam und petzte nicht mehr. Die anderen beiden Kinder von Azura und Gerd hießen

Leila und Felix. Leila war 3 Jahre alt
und Felix 6 Jahre alt. Leila war sehr
verspielt, lachte sehr gerne und turnte
herum. Sie war schlank und besaß
himmelblaue Augen. Felix hatte rot-
braune Augen. Er war sehr wild und
abenteuerlustig und ging mit Leila
immer zusammen in den Dschungel.
Er war sehr gerne mit seiner jüngeren
Schwester zusammen.

Fox befand sich gerade vor einem zerstörten, dicken Baum, der der frühere
Treffpunkt von Missie und Fox war.
Der Baum gehörte zu den fünf
Schwestern, von denen jetzt nur noch
zwei Schwestern übrig waren. Die fünf
Schwestern waren die älteste Baum-
gruppe vom ganzen Dschungelplaneten. Sie waren älter, als 850 000 Jahre. Drei von ihnen wurden vor 15 Jahren von einem Blitz bei einem schweren Unwetter vernichtet. Genau nach
diesem Unwetter verschwand auch
Missie. Neben den zerstörten Schwestern, wuchsen aber wieder neue Bäume, die vielleicht in 850 000 Jahren
für eine zukünftige Generation der
Treffpunkt von Freunden sein wird,
wenn der Dschungel bis dahin besteht.
„Ach Fox, lass den Kopf doch nicht so
hängen. Davon kommt Missie auch

nicht mehr zurück", erklärte Sophie und strich Fox über den Rücken. „Sophie, lass mich bitte alleine!", bat Fox. „Ich versuche dir doch nur zu helfen. Fox, du bist mein älterer Bruder und der zukünftige Häuptling des Fuchsdorfes. Du musst endlich nach vorne schauen und dich nicht mit alten Erinnerungen quälen. Das tut dir nicht gut. Was war, ist geschehen und das kannst du nicht mehr rückgängig machen", erklärte Sophie. „Und das sagt eine ehemalige Petze?! Du bist mir doch damals nachgelaufen und hast mich mit Missie beobachtet! Du bist zu meinem Vater gelaufen und hast es gepetzt! Wegen dir war Missie mehrere Wochen weg!", zischte Fox. „Fox, das war vor 25 Jahren und dafür habe ich mich bei dir entschuldigt. Ich hab dir sogar bei der Suche geholfen. Später habe ich Missie doch auch gemocht und sogar mit ihr gespielt", erinnerte Sophie. „Na und! Du hast sie aber trotzdem verraten! Einmal Petze! Immer Petze!", sagte Fox im Zorn, stand auf und ging in Richtung Krokodilsee, was früher die Sümpfe waren. „Ich bin diesmal nicht für Missies Verschwinden verantwortlich", rief Sophie wütend hinterher und ging zurück ins Fuchsdorf.

„Sophie, konntest du Fox aufmuntern?", fragte Azura besorgt. „Nein. Er hat mich eher angeschrien, mir Vorwürfe gemacht und ist dann im Dschungel verschwunden", erzählte Sophie und setzte sich hin. „Trauert er immer noch diesem Canopusweib hinterher?", fragte Gerd mit alter, kratziger Stimme. „Also Gerd, wie kannst du in dieser Situation so reden?", fragte Azura verärgert. „Du weißt genau, was ich von dieser Missie halte und ich bin wirklich froh, dass sie endlich aus diesem Dschungel weg ist!", erwiderte Gerd streng. „Immer noch der alte Dickschädel, wie früher! Hast du's nach diesen vielen Jahren immer noch nicht verstanden? Missie ist ein Engelchen, das keiner Fliege etwas zu Leide tut. Ich finde es wirklich traurig, dass sie verschwunden ist", erklärte Azura. „Pah! Wenn Fox sich diese Missie nicht bald aus seinem Kopf schlägt, dann werde ich ihm niemals mein Amt als Häuptling übergeben! Dann ernenne ich höchstpersönlich Sophie zur zukünftigen Stammesführerin!", zischte Gerd. „Aber Gerd, das kannst du doch nicht machen! Fox ist auserwählt", erwiderte Azura. „DOCH!", zischte Gerd und ging wieder in seine Höhle. „Was? Ich und Königin? Aber, aber ich kann doch überhaupt keinen Stamm anführen und ich will das auch gar nicht", sagte Sophie schnell. „Das musst du auch nicht, mein Schatz. Der zukünftige Häuptling ist und bleibt Fox", erklärte Azura.

Fox befand sich jetzt bei den ehemaligen Krokodilsümpfen und dort bog er dann in Richtung Missies Dorf ab, welches vollkommen zerstört war. Es war komplett mit Schlamm und Erde verschüttet und zugewuchert mit Farnen, Moos und Lianen, die von jungen Bäumen herunterhingen. Er kämpfte sich dann zu dem Dorfstein durch, wo man eine Figur noch teilweise erkannte. Unter dieser Figur befand sich ein kleines Bild von Missie und Fox, wo sie noch Kinder waren und über diesem Bild befand sich ein Regenbogen. „Oh Missie. Wo bist du nur? Als ich klein war, war das mein schlimmster Alptraum, aber jetzt ist dieser Alptraum wahr geworden. Warum nur? Warum ist das passiert!", fragte sich Fox. Dieser versank nun in seinen Gedanken. Dann hörte er in seinem Kopf plötzlich Missies Stimme, die sagte: ‚Foxi, du

bist mein allerbester Freund und wenn
ich irgendwann mal weg sein sollte,
was ich aber nicht glaube, gehe in
Richtung Norden und dann wirst du
mich finden.' Und dann verschwand
die Stimme wieder. Er hörte dann seine kleine Schwester Leila zu ihm sprechen. „Fox, warum redest du mit dem
Stein da?", fragte sie. „Leila, was
machst du denn hier?", fragte Fox.
„Sophie schickt mich. Sie sagt, dir geht
es nicht gut und ich soll dich aufmuntern und mit dir reden", erklärte Leila.
„Ich wusste es! Nie kann ich alleine
weg gehen! Jetzt schickt sie mir schon
ihre Spione hinterher, diese erwachsene Petze!", knurrte Fox. „Sophie sorgt
sich nur um dich, genauso wie unsere
Mama. Sophie hat gesagt, dass Papa
dir sein Amt als Häuptling nie geben
wird", erklärte Leila. „WAAAS!", schrie
Fox. Der Schrei halte dann durch den
Dschungel und das Tal.

Der Angriff

Es vergangen jetzt schon mehr als drei Wochen, als die Animalia auf dem Dschungelplaneten gelandet war. Die Gruppe hatte sich beschlossen, eine längere Zeit auf dem Dschungelplaneten zu bleiben, da es noch viel zu entdecken gab und das war innerhalb einer kurzen Zeit nicht möglich. In der Zwischenzeit gelang es auch Jessica, Shuna vorzustellen. Shilia war davon nicht sehr erfreut. Joey dagegen schon. Er untersuchte sogar Shunas Gift und sammelte dadurch viele Erkenntnisse. „Shuna, dein Gift ist eine hochinteressante Mischung", sagte Joey wissenschaftlich. „Oh nein! Jetzt kommt wieder wissenschaftliches Gerede", befürchtete Debbie-Ann. „Was ist denn so alles in meinem Gift drinnen?", fragte Shuna neugierig. „Eine ganze Menge. Es ist auf jeden Fall das Giftigste, was ich je untersucht habe. Es besteht sogar die Möglichkeit, dass es den Begriff tödlich giftig nicht mehr verdient, sondern unter den Begriff extrem tödlich giftig fällt. Man darf es noch nicht einmal mit dem Finger berühren, da das Gift wie Feuchtigkeitscreme in die Haut zieht und sich sofort im Körper verbreitet", erklärte Joey. „Oh mein Gott!", sagte Shuna geschockt. „Passt mal auf, was ich euch jetzt zeige." Joey ging in das Raumschiff und holte einen Diamanten. Diesen warf er dann in Shunas Gift. Als er im zähflüssigen Gift landete, gab es eine giftgrüne Stichflamme, die alle zurückschrecken ließ. Danach war der Diamant weg. „DU MEINE GÜTE! Der Diamant! Er ist weg!", sagte Debbie-Ann geschockt. „Wahnsinn!", staunte Dave und richtete seine Kamera auf Shunas Gift. „Wir haben gerade die Entdeckung gemacht. Den Giftigsten und Gefährlichsten Stoff des ganzen Universums", übertrieb Dave. „Wie ihr seht ist das Zeug sogar so aggressiv, dass es in der Lage ist einen Diamanten vollkommen weg zu ätzen", erklärte Joey und machte an das Gefäß mit dem zähflüssigen, leuchtend grünen Gift einen dunkelroten Aufkleber mit einem dicken Totenschädel und zwei roten Ausrufezeichen. „Das ist ja schrecklich! Am Ende ist meine Spucke auch noch so giftig", sagte Shuna geschockt. „Da kann ich dich beruhigen. Es gibt zwar ein paar Tiere bei denen das zutreffen würde, aber ich bin mir sicher, dass deine Spucke genauso ungiftig ist, wie bei Shilia oder uns. Aber wenn es dich beruhigt, kann ich gerne noch ein paar Proben von deiner Spucke untersuchen", sagte Joey. Shuna stimmte Joey dann zu und spuckte in einen Eimer, der dann voll war. Als Joey mit der Untersuchung fertig war, konnte er Shuna sagen, dass ihre Spucke ungiftig ist. Irgendwann zog Shilia Jessica zu sich und ging mit ihr hinter einen Busch. „Hast du das eben gerade gesehen?", fragte Shilia. „Ja, das Zeug ist total übel", bestätigte Jessica. „Wäre es dann nicht besser, wenn wir uns nicht mehr mit Shuna treffen?", fragte Shilia. „Shila? Du wirst doch jetzt wohl nicht auf die Idee kommen, Shuna abzuschieben!", verdächtigte Jessica. „Nein – ich doch nicht." „Ja, na klar. Shilia, wir kennen uns jetzt schon ganze vier Jahre und du kannst mir nichts mehr verheimlichen", sagte Jessica. „Na gut. Ich finde es halt gefährlich, wenn sie bei uns ist. Hinter ihr verbirgt sich eine Menge Ärger. Wir Hyänen haben da so einen siebten Sinn und der warnt uns vor Gefahren. Mein siebter Sinn zuckt schon die ganze Zeit sehr heftig und das schon seit der ersten Minute, als ich diese Dschungelhyäne sah. Glaube mir, ich weiß von was ich rede. Die ist sehr gefährlich", erklärte Shilia. „Shilia, Shuna hat ein sehr gutes Herz. Vielleicht irrt sich dein siebter Sinn diesmal", dachte Jessica. „Mein siebter Sinn irrt sich nie! Mit dieser Shuna stimmt etwas nicht. Glaube mir", erklärte Shilia. Jessica schwieg dann.

Als es Abend wurde, saßen alle zusammen am Lagerfeuer und aßen. Shuna war auch dabei und genoss das Essen. „Mmmh, dieses Essen ist einfach nur köstlich", schmatzte Shuna und Jessica konnte sehen, wie sie ihr Fressen zerkaute. „Iiiih Shuna! Mach bitte dein Maul zu, wenn du kaust! Das ist ekelhaft", bat Jessica. „Oh, Verzeihung", entschuldigte sich dann Shuna und schluckte ihr Essen herunter. „Kein Benehmen. Schäme dich", sagte dann Shilia und schüttelte langsam ihren Kopf hin und her. „Shilia, du warst auch so. Vergiss das nicht", erinnerte Jessica.

Als es dann dunkel wurde, und zwei volle Monde am Himmel aufgingen geschah etwas mit Shuna. Sie wurde immer unruhiger und verschwand dann plötzlich blitzschnell in den Büschen. „Hey, was ist denn auf einmal mit Shuna los?", fragte sich Jessica. „Auweia! Mein siebter Sinn zuckt jetzt total heftig", sagte Shilia unruhig. „Shili, du machst mir jetzt echt Angst", gab Jessica zu. „Die war aber schnell weg", sagte Debbie-Ann verwundert. „Irgendwie mysteriös. Sie hat in den Himmel geschaut, sah die zwei Monde, wurde unruhig und verschwand in die Büsche", wunderte sich Joey. „Das erinnert mich an den Film „Der Angriff des Werwolfs". Da gab es so einen Typen, der sich bei Vollmond in einen Werwolf verwandelt hat. Dann ist er durch den düsteren Park geirrt und hat Leute gebissen und umgebracht", erzählte Dave. „Dave, der Film war total grausam", erwiderte Debbie-Ann und schüttelte sich. „Ich fand den total spannend", log Dave. „Dave, gib's ruhig zu. Du hattest bei diesem Film genauso Angst wie ich", erklärte Debbie-Ann. „Na ja, ein bisschen schrecklich war der schon", gab Dave dann zu. „Wie auch immer. So etwas wie Werwölfe gibt es ja nicht. Das Verhalten von Shuna ist aber trotzdem sehr merkwürdig. Wir müssen sie auf jeden Fall im Auge behalten", sagte Joey.

„Ähm Joey, willst du damit sagen,
dass wir jetzt in den Urwald gehen und
sie verfolgen?", fragte Debbie-Ann. „Du
hast es erfasst", sagte Joey ernst. Jetzt
spitzten Shilia und Jessica die Ohren.
„Was! Wir gehen jetzt in den stockfins-
teren Dschungel?", horchte Jessica
auf. „Ja, ihr beide habt richtig gehört",
bestätigte Joey. „Na das kann ja heiter
werden", sagte Debbie-Ann. „Verspüre
ich da etwa Angst?", fragte Dave grinsend. „Halte die Klappe!", kam es dann
streng von Debbie-Ann zurück.

Schließlich marschierten sie mit Taschenlampe durch den Urwald. Joey leuchtete dabei auf eine Spur, Shunas Spur. „Oh Mann, ohne Taschenlampe sieht man hier ja noch nicht einmal die Hand vor Augen", sagte Jessica. Man hörte die Grillen zirpen plus andere Dschungelgeräusche. Sie gingen weiter und weiter und irgendwann bekam Shunas Spur Krallenabdrücke. „Das ist aber komisch. Jetzt sieht man hier auf einmal Krallenabdrücke", wunderte sich Joey. „Vielleicht hat sie ja irgendwie ihre Krallen ausgefahren", dachte Jessica. „Jessie, wir sind doch keine Löwen oder Katzen. Hyänen können ihre Krallen nicht ausziehen und solche Krallen haben wir erst recht nicht", erklärte Shilia. Anschließend schnüffelte sie in die Luft. „Shili, was ist denn los?", fragte sich Jessica. „Ich weiß nicht, aber ich vernehme große Gefahr", warnte Shilia. Aus den Büschen schoss dann plötzlich eine giftgrüne Wolke auf die Gruppe zu. „SCHNELL! WEG HIER!", schrie Shilia. Alles was diese Wolke berührte, starb sofort ab. „Was war das für eine giftgrüne Wolke?", fragte sich Jessica. „Das muss eine Wolke aus Gift gewesen sein. Die kam von dahinten", deutete Joey. Dort gingen sie dann hin und sahen dort dieselben krallenbewehrten Abdrücke. Diese führten dann weiter in den Dschungel hinein. „Das sind die gleichen Spuren, wie auf dem Pfad. Dieses Vieh, was diese Spuren hinterlassen hat, hat auch diese Giftwolke ausgestoßen", erklärte Joey. „Meinst du jetzt etwa, dass uns Shuna angegriffen hat?", fragte Jessica. „Ich weiß es nicht. Diese Spuren kamen aber direkt hinter der Spur von Shuna", antwortete Joey. „Ich wusste doch, dass etwas mit dieser Shuna faul ist. Ich habe es euch gesagt, aber ihr habt mir nicht geglaubt", erklärte Shilia. „Shili, ist ja schon gut, aber Shuna würde uns doch nie angreifen", erklärte Jessica. „Irgendetwas muss aber trotzdem mit ihr passiert sein, sonst wären ja nicht direkt nach ihrer Spur, diese krallenbewehrten Spuren gekommen", erklärte Joey. Sie folgten dann weiter der Spur in den Dschungel. Nach etwa mehreren Kilometern, standen sie vor einem Dickicht in dem die Spuren verschwanden. „Das Vieh muss da reingegangen sein", sagte Joey. Plötzlich sahen sie ein großes, schwarzes Tier weghuschen. „Was war das?", fragten alle geschockt. „Das sah aus wie ein Monster", sagte Debbie-Ann ängstlich. „Auf jeden Fall ist es in den tiefen Dschungel verschwunden und da gehen wir jetzt lieber nicht mehr rein. Zu gefährlich. Wir kehren lieber so schnell wie möglich ins sichere Raumschiff zurück und untersuchen den Platz morgen bei Tageslicht", sagte Joey. Und so kehrten sie wieder um.

Als Jessica und Shilia im Bett waren, unterhielten sie sich noch ein wenig. „Shilia, ich glaube nicht, dass uns Shuna angegriffen hat", sagte Jessica. „Jessie, es war aber so. Glaube mir doch bitte. Wir beide kennen uns schon sehr lange, vier Jahre. Ich bin sozusagen schon deine Hyänen-schwester", erklärte Shilia. „Shili, ich weiß und das will ich auf gar keinen Fall missen. Du hast mein Leben verändert. Ich war, bevor ich dich in der Savanne gefunden habe, immer nur alleine und wurde nur geärgert, du weißt ja schon von wem", erinnerte Jessica. „Ja, das war dieses unmögliche Mädchen, was meinen Zweitnamen trug. Weißt du noch, als wir in den Büschen waren und dieses Biest verjagt haben?", fragte Shilia. „Ja, das war echt stark", sagte Jessica. „Da-

mals war ich ja noch ein kleines Kind.
Jetzt würde ich der auf jeden Fall in
den Hintern beißen", sagte Shilia. „Du
könntest die sogar jetzt auffressen",
trumpfte Jessica auf. „Jetzt übertreibst du aber. Menschen stehen bei
uns Hyänen nicht auf der Speisekar-
te", erklärte Shilia. „Aber bei der könntest du ja eine Ausnahme machen",
erwiderte Jessica. „Könnte ich, mache
ich aber nicht. Außerdem werden wir
der sowieso nicht mehr begegnen", erinnerte Shilia. „Ob wir jemals noch
einmal zur Erde zurückkehren werden? Ich vermisse sie trotz des großen
Abenteuers. Es wäre schön, wenn Joey
noch einmal dort hinfliegen würde,
nur um sie zu besuchen. Danach können wir ja weitere Planeten ansteuern
und neue Abenteuer erleben", dachte
Jessica. „Jessie, ich bin jetzt müde.
Gibst du mir noch einen kleinen Gute
Nacht Kuss auf meine Hyänenschnau-
ze?", fragte Shilia. „Shili, das mache
ich doch immer", sagte Jessica und
gab Shilia einen Kuss auf ihr Maul.
„Heute habe ich nämlich noch keinen
von dir bekommen", erinnerte dann
Shilia. „Gute Nacht, meine Süße", sagte Jessica zum Schluss und danach
schliefen sie beide ein.

Das Rätsel um Shuna

Als die Nacht sich zu Ende neigte, standen Jessica und Shilia noch vor Joey und den anderen auf. Es war kurz nach Sonnenaufgang. Beide gingen aus dem Raumschiff hinaus, in der Hoffnung sie würden Shuna antreffen, weil sie jeden Morgen gewöhnlich zum Frühstück kam. Diesmal trafen sie sie nicht an. „Hey, wo ist Shuna?", fragte sich Jessica. „Vielleicht kommt sie ja heute gar nicht. Ich kann mir vorstellen, dass die irgendwo pennt. Vielleicht hat sie heute Nacht Tausend Opfer mit ihren giftigen Zähnen und ihrem giftigen Atem getötet", übertrieb Shilia. „Shilia! Jetzt bist du gerade wie Dave. Und außerdem wissen wir nicht, ob sie dieses schwarze Ding von heute Nacht war, was da vor uns auf einmal weghuschte! Erinnerst du dich an die pinke Kette?", fragte dann Jessica ernst. „Ja! Die hast du ihr um den Hals gehängt! Das war mein Geburtstagsgeschenk, was du mir nach meinem zweiten Geburtstag geschenkt hast. Das war nicht nett von dir, dass du sie Shuna gegeben hast!", beschwerte sich Shilia. „Shili, du hast genügend andere Ketten von mir, die noch viel schöner sind, als diese", erklärte Jessica. „War aber trotzdem nicht nett von dir", sagte nochmals Shilia. Sie warteten dann, aber vergebens.

Auch in den nächsten zwei Stunden tauchte keine Shuna auf. „Das ist wirklich merkwürdig. Shuna würde doch nicht ihr Frühstück vergessen", sagte Jessica. „Vielleicht hat sie schon im Dschungel irgendwas gefrühstückt", dachte Shilia. „Shuna hat, seit wir sie kennen kein einziges Frühstück verpasst. Sie war sogar zum Mittagessen da, sowohl auch zum Abendessen", erklärte Jessica. „Hat eher alles alleine aufgefressen. Die hat einen Magen, der doppelt so groß ist, wie der von einer normalen Hyäne", sagte Shilia. „Shili, Shuna ist ja auch viel größer als eine normale Hyäne und muss auch deshalb so viel fressen. Sie ist sogar so groß, dass ich auf ihr reiten kann", erklärte Jessica. „Die könnte sogar dich verspachteln. In ihrer Speiseröhre ist ja genügend Platz dafür, genau wie in ihrem Bauch", übertrieb Shilia. „Jetzt übertreibst du schon wieder und klingst irgendwie eifersüchtig. Stimmt's oder habe ich recht?", fragte Jessica. „Nein, ich bin nicht eifersüchtig", verteidigte sich Shilia. „Oh doch, das bist du", erwiderte Jessica. „Mach mir keine Vorwürfe!", schrie Shilia. „Wer schreit hat Unrecht", erwiderte Jessica. „Ich mache mir bloß Sorgen um dich! Ich will nicht, dass dir etwas passiert und ich fühle mich unsicher, dass diese Shuna bei uns ist. Und mein siebter Sinn irrt sich niemals", erklärte Shilia streng. „Shilia, dein siebter Sinn kann sich aber trotzdem auch mal irren", sagte Jessica. „Jessie, ich bin deine Hyänenschwester und deine allerbeste Freundin. Ich will dich nicht verlieren. Ich habe dich auch damals vor diesem Wildschwein gerettet und vor dieser blöden Maria", erinnerte Shilia. „Ich weiß. Wir haben aber jetzt keine Beweise, dass Shuna etwas mit diesem Giftangriff heute Nacht zu tun hatte", erklärte Jessica. „Reicht es denn nicht, dass sich Shuna gestern Abend so merkwürdig verhalten hat? Reicht es jetzt auch nicht, dass sie nicht wie gewöhnlich hier ist?", fragte Shilia. „Ja, das ist schon merkwürdig. Kann auch nur ein purer Zufall sein. Ich weiß was. Wir gehen jetzt in den Dschungel und suchen sie", sagte Jessica fest entschlossen. „Und was ist mit Joey und den anderen?", fragte dann Shilia. „Die lassen wir noch schön weiter schlafen. Es ist ja noch ganz früh", erwiderte Jessica.

Sie gingen dann alleine in den Dschungel. Es war noch schön angenehm und Morgendunst lag in der Luft. Jessicas Taschenthermometer zeigte noch eine Temperatur von 22°C an, aber das Thermometer würde bald wieder auf 42°C ansteigen, wie jeden Tag. Es gab aber auch Tage, bei denen es mit 38°C ein wenig kühler war. Der bisher heißeste Tag, den sie erlebt hatten, betrug 44,8°C.

Am Anfang war die Suche noch erfolglos, bis Shilia irgendwann auf dem Boden, unter ein wenig Laub und Erde etwas Glitzerndes fand. „Hey Jessica, ich habe etwas gefunden", sagte dann Shilia. Shilia hob es auf und hatte dann eine Kette in ihrer Pfote, Shunas Kette. „Hey, das ist doch Shunas Kette, aber warum liegt die genau dort, wo dieses schwarze Ding in die Büsche huschte?", fragte sich Jessica. „Das ist jetzt der Beweis, dass es Shuna war, die uns heute Nacht attackiert hat", erklärte Shilia. „Das kann auch wieder nur purer Zufall sein, dass diese Kette genau hier liegt", erwiderte Jessica. „Jessie, wie viele Beweise brauchst du denn noch?", fragte Shilia verzweifelt. „Wir gehen besser mal zum Raumschiff zurück. Vielleicht ist Shuna ja jetzt da", sagte Jessica.

Als sie wieder beim Raumschiff ankamen, sahen sie keine Shuna, aber einen Joey mit verschränkten Armen vor sich stehen. „Oh, guten Morgen Joey. Wir haben jetzt nur nach Shuna gesucht." „Ja! Ganze vier Stunden! Wir haben uns schon Sorgen gemacht! Ihr habt weder Bescheid gesagt noch habt ihr das Walky Talky mitgenommen!", schimpfte Joey. „Ups", sagte dann Jessica. „Ja! Ups! Für heute bleibt ihr auf jeden Fall beim Raumschiff, ist das klar?", sagte Joey streng. „Okay", erwiderten Jessica und Shilia.

Es vergingen jetzt schon zwei Wochen und Shuna tauchte nicht auf. Auch nach mehreren Dschungelerkundungen fanden sie keine Spur von Shuna. „Tja, wo steckt das Mädchen nur?", fragte sich Jessica. „Sie ist weg und das ist auch gut so", sagte Shilia kalt. „Also Shilia! Wie kannst du das sagen", schimpfte Jessica. „Ich brauche

sie auf jeden Fall nicht", erwiderte
Shilia.

Joey war damit beschäftigt sich noch
einmal die Proben von Shunas Gift an-
zuschauen. Zusätzlich untersuchte er
die Pflanzen, die von der Giftwolke zerstört wurden und Fellproben. Dabei
fand er etwas heraus. „Moment mal.
Das ist das gleiche Gift, wie von Shuna
und auch die Fellstruktur ist genau
dieselbe. Hey Leute! Kommt mal her!
Ich habe etwas herausgefunden!", rief
Joey. „Was gibt's denn?", fragte Debbie-Ann. „Ich habe etwas über Shuna
herausgefunden und zwar ist sie doch
vor zwei Wochen einfach verschwunden. Das Gift und das Giftgas ist ein
und derselbe Stoff, den Shuna in ihren
Fangzähnen hat", sagte Joey. Alle bekamen jetzt den starren Blick. „Was!
Das würde bedeuten…" „Das Shuna
das schwarze Ding war!", sagte Shilia
und beendete Jessicas Satz. „Und
noch etwas. Ich habe Shunas Fellstruktur mit der Struktur von den
schwarzen Haaren, die wir im
Dschungel gefunden haben verglichen
und es war ein und dieselbe Struktur.
Das merkwürdige Verhalten, die plötz-
liche Abwesenheit von Shuna, die
Spuren mit den Krallen und die Atta-

cke mit dem giftigen Gas führen mich zu einem Ergebnis. Shuna hat uns vor zwei Wochen angegriffen", erklärte Joey. „Dann ist Shuna ja tatsächlich ein Werwolf. Wie unheimlich", sagte Debbie-Ann ängstlich. „Ich wusste doch, dass mich das Verhalten an den Werwolf Film erinnert. Dave hatte Recht! Ich hatte Recht", übertrieb Dave. „Dave, das ist genug. Es ist schon schlimm genug, dass sich hier im Dschungel ein Werwolf herumtreibt", erwiderte Debbie-Ann. „Du meinst wohl Werhyäne. Shuna ist kein Wolf", erklärte Shilia. „Ich kann es einfach nicht glauben. Shuna ist doch eigentlich so gutherzig. Sie bringt es noch nicht einmal übers Herz ein Tier mit ihrem Gift zu erlegen", sagte dann Jessica. „Glaube es jetzt einfach. Jetzt sind auf jeden Fall genug Beweise da", erwiderte Shilia. „Ist ja schon gut Shili. Entschuldigung, dass ich so misstrauisch war", gab Jessica dann zu. „Endlich hat sie es verstanden", sagte Shilia und atmete tief durch.

Shunas zwei Gesichter

Nach etwa drei Tagen tauchte Shuna wieder auf. Sie saß vor dem Raumschiff und wartete auf ihr Frühstück. Als es nicht auftauchte, klopfte sie an das Raumschiff. Alle lagen noch im Bett und schliefen. Shilia wurde durch die Klopfgeräusche dann wach. In ihren Ohren hörte sich das Klopfen wie ein gigantischer Donnerschlag an. Deshalb saß Shilia kerzengerade im Bett, mit ihren Pfoten auf der Brust. „Jessie. Jessie, wach auf", weckte Shilia. „Was ist denn? Lass mich noch schlafen", grummelte Jessica. „Am Raumschiff hat es gerade geklopft", erklärte Shilia. Jessica blieb aber liegen. „Komm schon!", forderte Shilia. „Na gut, ich komme ja schon", stöhnte Jessica. Sie gingen dann halb schlafend runter. Als Jessica mühselig die Luke öffnete, saß Shuna gut gelaunt vor ihnen. „Guten Morgen ihr zwei", grüßte sie. „Shuna? Du bist ja wieder da. Wo warst du denn die ganzen Wochen?", fragte Jessica. „Es tut mir leid, dass ich weg war. Ich … war im Süddschungel, eine alte Freundin besuchen. Ich habe sie seit 15 Jahren nicht mehr gesehen. Es tut mir wirklich leid", erfand Shuna. „Ja klar, Wer's glaubt wird selig", sagte dann Shilia. „Ähm, ich habe Hunger. Könntet ihr mir bitte eine Riesenportion Futter bringen? Ich habe nämlich die letzten Tage nicht gejagt und bin regelrecht ausgehungert", lenkte Shuna dann ab. „Wir kennen dein düsteres Geheimnis. Du brauchst uns keine Geschichten zu erzählen oder vom Thema abzulenken", erklärte Shilia. „Shilia hat Recht. Du hast uns etwas verheimlicht und zwar etwas ganz Schlimmes", bestätigte Jessica. Shuna drehte sich dann rasch um und rannte in den Dschungel. „SHUNA WARTE! Lauf nicht weg! Du kannst uns alles erzählen. Wenn du es immer weiter mit dir mitschleppst, wird es immer schlimmer. Gute Freunde verheimlichen sich nichts gegenseitig", rief Jessica hinterher. Dann war Shuna schon weg. „Komm Shilia, wir laufen ihr hinterher, aber vorher hole ich mein Walky Talky", beschloss sich Jessica. Als Jessica dies erledigt hatte, rannte sie mit Shilia in den Dschungel. „Im Dschungel werden wir sie nie finden", schnaufte Shilia. „Ich dachte Hyänen haben eine sehr gute Kondition", sagte

Jessica dann. „Haben wir auch. Es ist aber nicht einfach von Null auf Hundert zu kommen", erklärte Shilia. Sie rannten dann durch den Dschungel. Blätter, Palmenwedel, Lianen und Farne schlugen ihnen ins Gesicht. Diese waren noch vom Tau kühl und feucht. „Es hat keinen Zweck! Die werden wir hier in diesem Gewirr aus Pflanzen und Farnen nie finden", erklärte Shilia. Doch dann durchschlug ein Weinen die Dschungelgeräusche. „Hey Shilia, hörst du das auch?", fragte dann Jessica. „Ja, da weint irgendjemand", bestätigte Shilia. Sie folgten dann dem Weinen und fanden Shuna in ihren Vorderbeinen vergraben. „Shuna?", sagte dann Jessica traurig und ging zu ihr hin. „Geh weg! Lass mich in Ruhe! Ich bin giftig! Ich habe euch belogen und betrogen", weinte Shuna. „Shuna, bitte höre auf zu weinen", bat Jessica. „Lass mich bitte in Ruhe! Ich bin eine Gefahr für euch", weinte Shuna. „Shuna, das bist du nicht. Du kannst uns alles erzählen. Gute Freunde verheimlichen sich nichts gegenseitig und du bist doch meine gute Freundin nach Shilia. Wenn du es immer weiter verheimlichst, was dich bedrückt, wird es noch viel schlimmer und wir können dir nicht helfen. Wenn du uns aber alles erzählst und dazu zählen auch die zwei Wochen wo du nicht da warst, können wir dir helfen. Das liegt jetzt an dir", erklärte Jessica. „Na gut, ich erzähle es euch. Ich bin eine Werhyäne und habe zwei Gesichter. Einmal das Gesicht, was ihr jetzt vor euch seht und einmal das andere Gesicht in das ich mich verwandle, wenn zwei Monde voll am Himmel stehen. Dieses Gesicht ist schwarz und absolut böse. Immer wenn zwei Monde voll am Himmel stehen mache ich zwei Wochen diese Horrortour durch. Deshalb war ich auch nicht da. Es ist so, als ob mich jemand kreuz und quer durch den Dschungel lenkt. Das geht jetzt schon seit 15 Jahren so", erzählte Shuna. „15 Jahre? Das ist ja furchtbar. Dann warst du früher auch bestimmt nicht giftig", dachte Jessica. „Doch, giftig war ich schon immer. Das ist meine Natur. Als Kind hatte ich keine Freunde. Alle hatten Angst vor mir. Später lernte ich aber Missie und Fox kennen und die waren meine Freunde, meine einzigen Freunde. Und jetzt habe ich euch kennen gelernt. Aber Missie und Fox habe ich seit 15 Jahren nicht mehr gesehen.

Ich kann mich noch düster daran erinnern, dass es vor 15 Jahren ein furchtbares Unwetter gab. Und es war noch etwas Anderes im Dschungel. Irgendwelche merkwürdigen Trommelgeräusche. Ich beschloss mich diesen Trommelgeräuschen zu folgen. Als ich ganz nah bei diesen Geräuschen war, wurde es schwarz vor meinen Augen. Ich weiß nicht, wie lange ich weg war, aber als ich irgendwann im Dschungel wieder aufwachte, war etwas anders an mir. Ich suchte eine Wasserfläche um zu sehen, was geschehen war. Und als ich eine Pfütze fand, schaute ich in mein Gesicht und sah dass ich zwei neue Zähne bekommen hatte. Ich habe mir dabei aber nichts gedacht und dachte das wäre normal. So war es aber nicht, denn als das erste Mal zwei volle Monde am Himmel standen, wurde mir schwindlig. Alles hat sich um mich gedreht. Dann sah ich, wie sich meine Frisur veränderte und ihre Farbe änderte. Dann wuchsen mir Krallen und mein Fell färbte sich schwarz wie die Nacht. Dann rannte ich wie eine Irre durch den Dschungel. Als es wieder Tag war, konnte ich mich an nichts mehr erinnern", erzählte Shuna.

„Total die gruselige Geschichte", sagte
dann Jessica. „Das kannst du laut sagen", erwiderte Shilia. „Aber jetzt können wir dir wenigstens helfen. Warum
hast du uns das nicht früher erzählt?",
fragte dann Jessica. „Na ja, ich wollte
euch nicht als Freundinnen verlieren
und euch keine Angst einjagen. Außerdem mag ich euch beide und Jessica, du bist für mich wie eine Hyänen-
schwester und dasselbe gilt auch für
Shilia", sagte dann Shuna. Shilia ließ
dann ihren Kopf hängen. „Shuna, es
tut mir leid", sagte dann Shilia. „Was
tut dir denn leid?", fragte dann Shuna.
„Na ja, wie soll ich das jetzt sagen. Es
tut mir leid, dass ich dich abschieben
wollte", entschuldigte sich Shilia.
„Was, du wolltest mich los werden,
aber wieso?", fragte dann Shuna verärgert. „Ich wollte einfach nur Jessica
schützen und ich war sauer auf dich,
weil du mich als klein bezeichnet hast
und ich war auch noch eifersüchtig.
Jetzt ist alles raus und mein Gewissen
erleichtert", gab Shilia dann zu.
„Shilia! Dann warst du also doch eifersüchtig auf Shuna obwohl du zu mir
immer gesagt hast, du wärst nicht eifersüchtig. Du hast mich angelogen",
schimpfte dann Jessica.

„'Tschuldigung", sagte dann Shilia und schmuste anschließend mit Jessica. „Shilia, das machst du immer, wenn du irgendwas verbrochen hast. Irgendwann zieht das nicht mehr bei mir", sagte dann Jessica. „Verzeihst du mir?", fragte dann Shilia. „Natürlich verzeihe ich dir. Wir sind doch die besten Freundinnen. Aber ich weiß nicht ob dir Shuna verzeiht, dass du sie abschieben wolltest", sagte dann Jessica. „Shuna, verzeihst du mir?", fragte dann Shilia. „Auch ich verzeihe dir", sagte dann Shuna. „Dann ist ja alles jetzt in Ordnung", sagte Jessica.

Sie gingen dann durch den Dschungel, zurück in Richtung Lager. „Keine Sorge, wenn wir bei Joey sind, wirst du diesen schrecklichen Fluch, der dich seit 15 Jahren plagt los", versprach Jessica. „Und wie will er das anstellen?", fragte dann Shuna. „Er wird dir diese zwei Zähne, die eigentlich nicht in dein Maul gehören einfach rausziehen", erklärte Jessica. „Rausziehen?!" Sofort ging Shunas Pfote zu ihrer Wange. „Aua! Das tut doch weh!", sagte Shuna dann geschockt und stellte sich dann die Schmerzen vor und biss ihre Zähne zusammen. „Keine Sorge, davon wirst du nichts merken. Er wird dir eine Betäubung verpassen", beruhigte Jessica. „Betäubung? Das klingt ja total schrecklich." „Ist es aber nicht. Als ich beim Zahnarzt war und gebohrt bekommen hatte, hat mir der Zahnarzt eine kleine Spritze gegeben", erklärte Jessica. „Spritze? Gebohrt? Das hört sich alles nach schrecklichen Schmerzen an", befürchtete Shuna und schluckte ihre Spucke herunter. Danach war ihr Mund trocken. „Hey Shuna, hast du etwa Angst?", fragte Shilia. „Nein – ich doch nicht. Wenn ich das so alles höre, tun mir meine ganzen Zähne im Maul weh, sogar meine Giftzähne", sagte Shuna und rieb sich ihre Wange. „Es ist aber alles halb so schlimm, wie es sich anhört. Ach so, bevor ich es vergesse." „Was denn noch? Willst du mich jetzt hier ärgern?", fragte dann Shuna. „Nein, ich ärgere dich doch nicht. Ich muss nur mal wissen, welche Zähne die neuen Zähne sind. Dazu musst du mich an deine Zähne lassen", erklärte Jessica. „Jessie, wenn du das jetzt tust, sei bloß vorsichtig und komme auf gar keinen Fall mit den Fingern an die Giftkanäle. Auch wenn jetzt kein Gift fließt, können sich da immer noch vertrocknete Reste meines Giftes be-

finden. Die Wirkung ist jetzt zwar ge-
schwächt, aber es reicht immer noch
aus, um jemand zu töten", erklärte
Shuna.

„Und wo sind diese Giftkanäle?", fragte Jessica und untersuchte Shunas Fangzähne. „Hinter meinen Zähnen, oberhalb der Zahnspitzen. Da sind so kleine Löcher mit einem gelblichen Schimmer. Das sind meine Giftkanäle", erklärte Shuna. „Jetzt sehe ich sie auch. Die sind ja eigentlich relativ klein", sagte dann Jessica. „Aber was da an Gift raus kommt, kann über Tausend Jessicas töten. Da genügt schon ein Tropfen", erklärte Shuna ernst. „Was! Tausend Jessicas?", sagte Jessica dann überrascht. „Da staunst du, was? Du hast hier eine echt gefährliche Freundin", sagte dann Shuna. „Okay. Aber jetzt zurück zu deinen Zähnen. Die zwei riesigen spitzen Giftfangzähne sind dir. Die fallen schon mal weg. Aber wie sieht es mit den nadelartigen kleinen Zähnen neben den Schneidezähnen aus?", fragte dann Jessica. „Die gehören auch zu meinem Gebiss", antwortete dann Shuna. „Die sind aber ungiftig, oder?", fragte Jessica unsicher. „Ja, die sind ungiftig aber doch ziemlich spitz. Mit diesen Zähnen halte ich meine Beute fest, während ich mein Gift abgebe", erklärte Shuna. „Shuni, das wollte ich jetzt ehrlich nicht wissen", sagte dann

Jessica. Sie untersuchte dann die vorderen Backenzähne. „Wahnsinn, was kräftige Backenzähne", staunte Jessica. Shilia stöhnte dann. „Jessica, meine Backenzähne sehen doch genauso aus. So ein Aufriss ist das nun auch wieder nicht", sagte Shilia genervt. „Deine sind aber nicht so riesig", erwiderte dann Jessica. „Die sind zwar nicht groß, aber sie können Knochen aufspalten und zerkleinern", sagte Shilia. Nun sah sie, dass nach ihren Giftzähnen noch mal zwei Zähne kamen, die ihren Fangzähnen ähnelten. Einer befand sich an der rechten Seite ihres Oberkiefers und der andere auf der linken Seite. Diese Zähne waren aber etwas kleiner. „Ähm, könnte es vielleicht sein, dass es diese Zähne sind, die direkt hinter deinen Giftzähnen sitzen?", fragte Jessica. „Ja, das sind diese neuen Zähne. Die waren vorher nie da gewesen", bestätigte Shuna. „Bingo! Wenn diese Zähne raus aus deinem Maul sind, bist du geheilt", sagte dann Jessica.

Sie machten sich dann auf dem Weg zu Joey und den anderen. Shuna wiederholte noch einmal ihre Geschichte und Joey beschloss sich danach dieser Sache auf den Grund zu gehen. Aber vorher versuchte er noch Shuna die verzauberten Zähne zu ziehen. Er verpasste ihr zuerst mit der Spritze eine Betäubung und als Shuna kein Gefühl mehr in ihrem Maul hatte, kam er mit einer großen Zange an. Shuna zitterte wie Espenlaub, als sie die Zange sah. „Ganz ruhig Shuna. Du wirst gar nichts merken", versprach Joey. Er ging dann mit der Zange an den Zahn und versuchte ihn zu ziehen. Doch plötzlich geschah etwas. Joey wurde mit voller Wucht gegen einen Baum geschleudert. „JOEY!", schrie dann Debbie-Ann und rannte zu ihm hin. „Oh Mann! Was zum Teufel war denn das?", fragte sich dann Joey. „Das war irgendein Zauber. Man kann einem Werwolf keine Zähne ziehen. Da gibt es ein bestimmtes Heilmittel dagegen. So war es zumindest in dem Film, den ich gesehen habe", erklärte Dave. „Nur, dass das hier jetzt kein Film ist, sondern der Wirklichkeit entspricht. Solange Shuna diesen Fluch hat, ist sie eine tickende Zeitbombe. Wenn wieder zwei volle Monde am Himmel stehen, verwandelt sie sich wieder in dieses schwarze Monster und wird uns vielleicht noch am Ende auffressen", erklärte Debbie-Ann ernst. „Bis es wieder so weit ist, dauert einige Wochen", erklärte Shuna. Sie sprach aber jetzt undeutlich, da sie kein Gefühl in ihrem Maul hatte. „Also, wir brauchen unbedingt das Gegenmittel. Das müssen wir aber finden, bevor sich Shuna in diese schwarze Werhyäne verwandelt", erklärte Joey. „Wir wissen aber nicht, was das Gegenmittel ist und wo man es findet", sagte dann Debbie-Ann. „Ich kenne aber jemanden, der viel über Dschungelkräuter und Gegenmittel weiß. Die habe ich aber seit fünfzehn Jahren nicht mehr gesehen, denn sie ist an diesem Zeitpunkt verschwunden, als ich zur Werhyäne wurde", erklärte Shuna. „Und wer ist es?", fragte dann Joey. „Ihr Name ist Missie. Sie und Fox waren früher meine besten Freunde. Ich habe mich sehr oft mit ihnen getroffen. Ich war damals noch ein kleines Hyänenmädchen. Bei unserer ersten Begegnung hatten sie noch ein wenig Angst, wegen meiner Giftigkeit. Aber ich habe ihnen dann erklärt, dass mein Gift noch nicht ganz so gefährlich ist. Es war zwar tödlich für Mäuse und andere kleine Tiere, aber es hat noch nicht ausgereicht um einen Fuchs, geschweige denn einen kleinen Canopus zu töten", erzählte

Shuna. „Canopus? Das ist doch ein Sternenname", sagte dann Joey. „Nein, hier nicht. Ein Canopus ist hier das gefährlichste Tier im Dschungel. Die haben Zähne im Maul, die kann man mit meinen Zähnen nicht mehr vergleichen, auch wenn meine Giftzähne die gefährlichsten Waffen sind, die ich besitze. Und sie können, wenn sie wollen ein ganzes Tier verschlingen. Sie haben auch riesige, scharfe Krallen, mit denen sie jemanden auf einem Schlag durchlöchern können. Die Krallen sind doppelt so lang, wie meine Giftzähne", sagte Shuna. „Du meine Güte! Das hört sich ja so an, als ob diese Canopuse richtige Ungeheuer sind", sagte Joey und man sah ein wenig Angst in seinem Gesicht. „Oh Mann, wenn ich das so höre, kriege sogar ich irgendwie Angst", erwiderte Debbie-Ann. „Canopuse sind zwar größer und gefährlicher als eine Dschungelhyäne, aber sie sind trotzdem keine Ungeheuer. Viele Dschungelbewohner meinen das, aber es ist nicht so. Missie ist ein Canopus, aber sie ist richtig nett, weise und hilfsbereit. Sie war immer da, wenn man in der Klemme saß. Ihr werdet sie, wenn ihr sie kennt wirklich mögen. Ich bin mit ihr groß geworden und ich habe auch ihre Krönung miterlebt. Sie war etwa zwölf Jahre alt, als sie zur Königin der Canopuse ernannt wurde. Fox sollte eigentlich ihr Mitkönig werden, aber dazu ist es leider nie gekommen, weil seine Familie etwas dagegen hatte. Besonders schlimm war immer sein Vater. Er hat jedes Mal über ihn gesprochen, als wir zusammen gespielt haben und das waren alles nur negative Dinge. Das war auch immer noch das Gesprächsthema, als wir schon fast 20 Jahre alt waren. Fox' Vater ist ein bitterböser Fuchshäuptling und er hasst Missies Volk abgrundtief", erzählte Shuna. „Also das hört sich total übel an", sagte dann Debbie-Ann. „Wenn der wirklich so schlimm ist, dann ist er ja noch schlimmer wie Mrs. Thunder, Marie und Nanny zusammen", sagte dann Jessica. „Mrs. Thunder? Heißt das nicht Donner?", fragte dann Shuna. „Meine Lehrerin hieß so. Die war mein schlimmster Alptraum. Ich höre sie immer noch sagen ‚Hefte raus, Mathebücher aufschlagen! Wird's bald'", zitierte dann Jessica. „Oh Mann, der möchte ich absolut nicht begegnen. Wie bist du denn mit der zurechtgekommen?", fragte dann Shuna. „Ich hatte da so meine gewissen Tricks", erklärte Jessica. „Wie auch immer. Missie ist auf jeden Fall unsere letzte Hoffnung und wir müssen sie unbedingt finden. Die Zeit drängt", sagte Shuna schnell.

Und so machte sich die Gruppe dann auf die Suche nach Königin Missie.

Gefangen im Fuchsdorf

Es vergangen dann schon sehr viele Tage. Tage, die im unendlich scheinenden Dschungel, wie Monate vorkamen. Kalte Nächte und brütend heiße Tage. Einmal stieg das Thermometer sogar auf 45° Celsius an. „Oh Mann, ich kann echt kein Dschungel mehr sehen", stöhnte Debbie-Ann. „Und diese feuchte Hitze verschlimmert den Marsch noch mehr", schnaufte Dave und fächerte sich mit einem großen Blatt Wind zu. „Die Tage des Donners und des Regens fangen bald wieder an", erklärte Shuna. „Tage des Donners?", stellte Jessica in Frage. „Die Regenzeit", erklärte Shuna. „Gibt es hier wirklich nichts Anderes als nur Dschungel, Dschungel, Dschungel?", fragte dann Debbie-Ann. „Hier besteht alles nur aus Dschungel. Ich habe hier noch nichts anderes gesehen. Es gibt vielleicht den einen und anderen Fluss oder kleinen See, aber das meiste ist wirklich nur ewiger Urwald mit vielleicht ein paar kleinen Lichtungen", antwortete Shuna. Anschließend sah sie etwas, was ihr bekannt vorkam. „Moment mal. Ich glaube hier bin ich

schon mal gewesen." Sie schaute sich
dann genauer um und sprang in einen
Busch. „Shuna, wo willst du hin?",
fragte dann Jessica. „Wartet, rührt
euch nicht von der Stelle", rief Shuna
der Gruppe nach. In der Tat. An diesem Ort war sie schon oft gewesen.
Dort hatte sie sich immer mit Missie
und Fox getroffen, als sie noch Kinder
waren. Es gab sogar einen Baum, wo
ihre Freundschaft in Zeichen eingeritzt
war und zwar in Form eines Fuchses,
einer Dschungelhyäne und eines
Canopuses. Oben drüber befanden
sich drei Striche, die einen Regenbogen symbolisierten. Shuna kam dann
wieder hervor. „Kommt mit. Ich möchte euch etwas zeigen", forderte sie.
Shuna führte sie dann zu dem Baum.
„Das ist der alte Treffpunkt von mir,
Missie und Fox. Hier haben wir immer
zusammen gespielt. Wir sind ganz in
der Nähe von Missies Dorf", sagte
Shuna. Sie ließen sich dann von
Shuna leiten. Irgendwann gegen
Nachmittag erreichten sie die ehemaligen Krokodilsümpfe. „Wir sind gleich
da", sagte Shuna aufgeregt. „Das hast
du jetzt schon das 10. Mal gesagt",
stöhnte Jessica. „Aber wir sind jetzt
wirklich gleich da. Nur noch durch die

Büsche und dann erreichen wir einen Abhang mit Blick in ein Flusstal. Und in diesem Flusstal befindet sich Missies Dorf", erklärte Shuna und vergaß, dass es Missies altes Dorf war, wo sie sie jetzt hingeführt hatte. Sie kämpften sich dann durch die dichten Büsche bis zu einem Abhang. Allen juckte es nach diesem Marsch. „Oh Mann, das fühlt sich ja so an, als ob man durch Gift-Efeu gekrochen ist", sagte Debbie-Ann schnell und juckte sich überall am Körper. „Das Jucken lässt gleich wieder nach", beruhigte Joey. „Hoffentlich ganz schnell", hoffte Debbie-Ann. Als sie unten im Tal waren, blickten sie auf ein zerstörtes und mit Schlamm verschüttetes Dorf. Dies war Missies altes Dorf, was sie vor 15 Jahren verlassen musste. In Shunas Gesicht war spürbar ein Entsetzen zu erkennen. „Aber, wo sind denn alle? Missie? Violetta?" Dann fiel ihr es wieder ein. „Oh nein. Das ist Missies altes Dorf. Ich habe euch zum falschen Dorf geführt. Tut mir leid", entschuldigte sich dann Shuna und in ihrer Stimme war Trauer zu hören. „Ist nicht so schlimm Shuna", sagte dann Jessica und strich über Shunas Hals. „Das sieht ja hier so aus, als ob eine Flutwelle hier alles verschüttet hat", stellte Dave fest. „So war es auch. Vor 15 Jahren war hier alles noch in Ordnung und sauber. Alle waren noch da und ahnten nicht, dass eine schwere Flutwelle hier alles zerstören würde. Doch dann kam dieses schreckliche Unwetter", sagte dann Shuna. „Wir können uns hier aber trotzdem ein wenig umschauen", sagte dann Joey. Dies taten sie auch. Dabei untersuchten sie dann auch die alte Dorfsteinfigur mit dem Bild von Missie und Fox. „Das sind Missie und Fox, als sie noch Kinder waren. So habe ich sie kennen gelernt", erklärte Shuna. „Oh, die sind aber süß", sagte dann Jessica. „Das war einmal. Heute sehen sie beide anders aus. Sie sind jetzt beide erwachsen", sagte dann Shuna. „Alles wird irgendwann erwachsen", erwiderte Shilia. Irgendwann hörten sie ein Rascheln im Gebüsch. „Vorsicht!!" Shuna fletschte sofort ihre Zähne und legte sich auf die Lauer. Man sah dann wie an ihren noch weißen Giftzähnen an der Spitze ein leuchtend grüner Tropfen erschien. Der Tropfen blieb dann an der Spitze des Zahns hängen und tropfte nicht ab. „Bleibt, wo ihr seid. Rührt euch nicht von der Stelle",

warnte Shuna. „Wie schafft sie das
bloß, dass der Tropfen am Zahn hängen bleibt?", fragt sich dann Jessica.
Auf der anderen Seite der Büsche befand sich keine Gefahr sondern es
handelte sich um Fox. Dies wusste
Shuna aber nicht. Sie sprang. Fox
konnte dann ihr komplettes Gebiss
erkennen.

Ihre beiden langen Giftzähne richteten sich wie bei einer Schlange leicht nach oben. „AAAAAHH!", schrie Fox. Glücklicherweise erkannte Shuna dann Fox. Sie konnte sich aber nicht mehr stoppen und haute ihre Giftzähne dann in einen Baum und spritzte das Gift dort rein. Der Baum starb in wenigen Sekunden ab und zerfiel sofort zu Staub. Fox dagegen lag schnaufend am Boden. Shuna atmete tief durch und sagte dann: „Fox?" „Shuna?" In Fox' Gesicht wurde es dann wieder fröhlicher. „Das muss Jahre her sein, als wir uns das letzte Mal gesehen haben. Hast du Missie bei dir?", fragte er dann. Shuna musste ihn aber dann leider enttäuschen. „Nein. Tut mir leid Fox. Ich habe aber andere bei mir. Die sind auf der anderen Seite der Büsche. Joey, Dave, Debbie, Jessie und Shilia. Kommt mal her. Ich möchte euch mit jemanden bekannt machen", rief Shuna. Sie kamen dann. „Darf ich vorstellen. Das ist mein bester Freund Fox." „Was sind das denn für Gestalten?", fragte Fox nervös. „Wie nennt sich denn eigentlich noch einmal eure Rasse?", fragte dann Shuna. „Wir sind Menschen. Und das kleine Tier bei uns ist eine

Hyäne. Gibt es auf eurem Planeten nicht so etwas wie wir?", fragte Joey. „Nö. Noch nie gesehen", antwortete dann Fox. „Sie sind mit einem Raumschiff hierhergekommen. Es sind Abenteurer. Sie kommen eigentlich von einem ganz anderen Planeten", erzählte Shuna Fox. „Cool! Das hört sich ja total spannend an", staunte Fox und sein alter Abenteurergeist wachte nun wieder auf. „Wir kommen von der Erde. Das ist unser Heimatplanet. Der ist etwa 59 Lichtjahre von diesem Stern entfernt", erklärte Joey. „Joey, dein wissenschaftliches Gerede kannst du dir hier sparen. Damit kann er nichts anfangen", erklärte Debbie-Ann. „Ein Wiedersehen nach 15 Jahren. Bald liegen sie sich wie bei einem romantischen Liebesfilm in den Pfoten", fing Dave an und richtete seine Kamera auf Shuna und Fox. Dieser schaute dann direkt in Daves Kamera. „Ähm, was ist denn das für ein Ding?", fragte Fox. „Damit kannst du dich selber sehen, wenn ich das Band zurückspule. Auf der Erde nennt man so etwas Kamera", erklärte Dave. „Und Schnitt! Wir haben eigentlich etwas Anderes vor, als über Kameras oder Technik zu sprechen", sagte dann Debbie-Ann.

Als sie Missies Dorf verließen und durch den Dschungel gingen, wurden sie von Gerd und ein paar Fuchswachen aufgehalten. „Aha! Dachte ich es mir doch, dass ich dich wieder in der Nähe von Missies Dorf finde! Wann lernst du endlich, dass deine geliebte Freundin, diesen Teil des Dschungels verlassen hat!", zischte Gerd mit kratziger Stimme, die trotzdem noch so streng wie früher klang. Dann richtete er seinen Blick auf Joey, Shuna, Jessica, Shilia, Debbie-Ann und Dave. „Und wer sind jetzt DIE!", schrie Gerd. „Oh Mann, für sein Alter ist der aber echt ziemlich böse. Der stellt sogar Nanny in den Schatten", sagte dann Jessica.

Und so wurden sie dann alle gefangen genommen. Fox durfte dann auch kein Häuptling mehr werden. Azura gefiel das gar nicht. „Gerd, ich kann es einfach nicht glauben, dass du das getan hast!", zischte Azura. „Ich habe keine andere Wahl! Sophie ist die Einzige, die meine Nachfolge nach Fox sichern kann", erklärte Gerd streng. „Papa, ich will aber nicht Stammesführerin werden. Ich kann das nicht", erklärte Sophie. „Du hast aber jetzt keine andere Wahl!", erwiderte Gerd streng. „Du kannst mich nicht dazu zwingen!", erwiderte Sophie streng, drehte sich um und ging weg. „Gerd, du kannst sie wirklich nicht dazu zwingen. Wir beide waren uns einig, dass das Erstgeborene Kind, die Zukunft unseres Stammes ist. Das hast du gesagt, bevor Fox auf die Welt kam", erinnerte Azura. „Na und, das war mal. Ich habe meine Meinung soeben geändert!"

Es gab dann noch eine längere Diskussion in der Höhle. Sophie befand sich draußen und weinte. „Er kann mich nicht dazu zwingen Stammesführerin zu werden. Ich will das nicht. Ich kann das auch nicht. Ich will das meinem Bruder nicht kaputt machen", weinte Sophie und setzte sich mit dem Rücken vor den Käfig mit Jessica und Shilia. „Sie tut mir echt leid", sagte Jessica und ihr lief ebenfalls eine Träne herunter. „So einen Vater wollte ich auch nicht haben", erwiderte Shilia.

Jessica ging dann mit ihrer Hand zu Sophies Kopf und streichelte langsam über diesen. Sophie drehte sich dann langsam mit verweinten Augen zu ihnen herum. „Du tust mir wirklich leid", sagte Jessica mit sanfter Stimme. „Und mir tut es leid, dass ihr hinter diesen Gittern sitzt. Wer seid ihr eigentlich und wo kommt ihr her?", fragte Sophie und wischte sich ihre Tränen weg. „Ich bin Jessica und das neben mir ist meine allerbeste Freundin Shilia. Offen gestanden, sind wir schon etwas länger hier auf dem Planeten. Ursprünglich kommen wir aber von der Erde. Wir kommen aber alle in friedlicher Absicht. Es ist nicht so, dass wir diesen Planeten hier erobern wollen. Ich finde es hier einfach nur wunderschön", sagte Jessica. „Ich bin Sophie, die Schwester von Fox." „Ihr seid Geschwister?", stellte Jessica dann in Frage. „Ja, ich bin aber jünger wie er", sagte dann Sophie. „Ist dieser Stammeshäuptling eigentlich schon früher so mies drauf gewesen?", fragte dann Jessica. „Nein, so schlimm war er früher nicht. Ich habe ihn wirklich ganz Doll lieb gehabt. Er war zwar streng, aber trotzdem noch fair. Das hat sich erst geändert, als sich Fox mit

Missie angefreundet hat. Ich war damals noch ein kleines Fuchskind, neugierig und verspielt. Ich... bin...eigentlich daran schuld, dass er so geworden ist. Ich war früher wirklich eine echte Petze gewesen. Habe Fox mit Missie zusammen im Dschungel gesehen, Missie zeigte Fox ihre Zähne, und ich habe natürlich gedacht, dass sie ihn verschlingen wollte. Ich, schnell wie der Blitz renne zu meinem Vater und verpetze meinen Bruder. Ich wusste damals nicht, dass Missie die Freundin von Fox war und damit hat der ganze Ärger angefangen. Ich wollte meinen Bruder wirklich nur schützen. Später habe ich sogar selber mit Missie gespielt. Aber diesen einen Vorfall hat er mir bis heute nicht verziehen. Ich habe mich mehrmals bei ihm entschuldigt; er sagte zwar okay, Schwamm drüber, aber in Wirklichkeit hat er die Entschuldigung nie richtig angenommen. Und jetzt zwingt mich mein Vater dazu, dass ich Stammesführerin werden soll, weil Fox euch und eine Dschungelhyäne angeschleppt hat. Ich will aber nicht Stammesführerin werden. Ich habe Fox so viel zerstört und das will ich ihm nicht auch noch kaputt machen", erzählte Sophie und weinte wieder im Anschluss. „Oh, das ist echt übel", sagte dann Jessica. „Ich habe meinen älteren Bruder wirklich lieb und jetzt hasst er mich. Wenn ich dann noch Königin wäre, würde er mich richtig abstoßen", sagte Sophie. „Rede mit deinem Bruder und entschuldige dich wegen der ganzen Vorfälle in der Vergangenheit, aber mit viel Liebe und Zuneigung. Sage ihm, du warst damals noch ein unwissendes Kind gewesen und wusstest nicht, was du tust. Du musst ihm einfach sagen, dass du ihn wirklich lieb hast. Drücke ihn noch am besten oder gebe ihm einen Kuss. Das hilft zusätzlich. Ich kenne mich damit sehr gut aus", sagte Jessica. „Danke Jessica, du hast so ein gutes Herz. Wenn du jetzt nicht hinter Gittern wärst, würde ich dich sofort umarmen", sagte Sophie. Diese ging dann zu Fox. „Viel Glück!", rief Jessica noch hinterher. „Danke."

Fox lag unter einem großen Baum und spielte in der Erde herum. Dann nahm er einen Knäuel und warf ihn wütend in die Büsche. „Fox", sagte dann Sophie. „Hau ab! Lass mich einfach nur in Ruhe! Ich bin fertig mit dir!", zischte er. „Fox, bitte. Bitte schicke mich nicht mehr fort. Bitte. Ich bin deine Schwester", sagte Sophie mit Mitleid. „Es heißt ja bald Königin Sophie! Danke, dass du mir das auch noch kaputt gemacht hast!", zischte Fox. „Fox, Fox ich will nicht Stammesführerin werden. Bitte glaube mir. Du bist der rechtmäßige Häuptling. Du wurdest auserwählt", weinte Sophie. „Nach meinem Vater aber wohl nicht mehr! Lass mich bitte einfach nur alleine", sagte dann Fox. „Fox, es tut mir wirklich, wirklich leid, dass ich in der Vergangenheit so eine gemeine Petze war und dir so viel zerstört habe. Ich war damals noch ein unwissendes Kind. Ich bin jetzt erwachsen und bereue meine ganzen Fehler. Ich bitte dich jetzt um Vergebung. Wir sind Geschwister und ich habe dich wirklich ganz Doll lieb." Anschließend drückte sie ihren Bruder und gab ihm, wie von Jessica angeordnet einen Kuss. „Mehr wie dich um Vergebung bitten kann ich nicht, was du daraus machst ist jetzt dir überlassen", sagte Sophie und ging dann wieder weg.

„Und Sophie, hast du es getan?", fragte dann Jessica. „Ja habe ich. Ich hoffe jetzt nur, dass er mir verzeiht. Das habe ich ihm überlassen", antwortete

Sophie. Anschließend kam Fox auf sie zu gerannt. „Sophie, tut mir leid, dass ich dich vorhin angeschrien habe. Ich nehme deine Entschuldigung an. Und das wirklich ernsthaft", sagte Fox und drückte dann seine Schwester. „Und ich will wirklich keine Königin werden. Das ist einfach nur furchtbar", sagte dann Sophie.

Am nächsten Morgen spielten Felix und Leila in der Nähe von Joey und seinen Freunden. „Hey Felix, wollen wir mal zu den Gefangenen gehen?", fragte Leila. „Gerne doch", erwiderte Felix. Und so gingen sie dann zu ihnen hin. „Oh Shilia, guck mal. Da sind zwei kleine Füchse und der eine sieht fast so aus, wie Fox, als er noch ein Kind war", sagte Jessica und zeigte auf Felix. „Na und! Wir sind hier immer noch gefangen!", sagte Shilia ernst. „Hey Leila, hast du schon jemals eine solche Tierart gesehen? Die eine hat ja noch nicht einmal ein Fell", sagte Felix lästernd. Shilia wurde dann stocksauer. „HEY! Beleidige nicht meine beste Freundin!", zischte Shilia. „Shilia!", zischte dann Jessica zurück. „Der kleine Fuchs hat dich aber aufs Übelste beleidigt und das lässt du dir gefallen?", erklärte Shilia. „Er hat es doch nicht so gemeint. Er kennt halt unsere Rasse nicht", erklärte Jessica. „Oh, du hast aber schöne Sachen an", strahlte Leila. „So etwas nennt man Klamotten", erklärte Jessica. „Was bist du eigentlich für ein Tier? Du läufst auf zwei Beinen, hast diese Sachen an, kannst sprechen, besitzt aber keinen Schwanz und kein Fell. Du bist irgendwie etwas Besonderes. Was für ein Tier bist du? Oder bist du vielleicht gar kein Tier?", fragte Leila. „Ich bin ein Mensch. Ich komme nicht von hier. Ich komme von einem anderen Planeten, den man Erde nennt. Dort gibt es ganz viele von meiner Rasse", erklärte Jessica. „Cool!", staunte dann Felix. „Gibt es dort wo du herkommst, auch so etwas wie mich?", fragte Leila und zwinkerte. „Ja, gibt es. Sie sehen aber anders aus als ihr. Der Schwanz von normalen Füchsen ist nicht gestreift sondern einfarbig und die Füchse von der Erde leben dort, wo es kalt ist. Es gibt aber auch Füchse, die in der Wüste leben. Die sind richtig niedlich. Man nennt diese Füchse auch Fenneks. Sie sind klein und haben große Ohren", erzählte Jessica. „Schade, dass du hinter diesem Ding bist, sonst hätten wir zusammen spielen können", bedauerte dann Leila. „Hey, und was bist du für ein Tier?", fragte dann Felix zu Shilia. „Ich bin eine Hyäne und fresse gerne Fleisch, Knochen und Aas", sagte dann Shilia mit etwas strengen Worten. „IIH! Wenn du so etwas frisst, dann bist du voll eklig." Anschließend richtete Leila den Blick auf Jessica. „Wie kannst du nur mit so etwas befreundet sein! Ich wäre die viel bessere Freundin für dich, als dieses eklige, buckelige Tier neben dir", sagte dann Leila und verschwand dann mit Felix. Darauf bekam Shilia einen bösen Blick und schaute den beiden Jungfüchsen hinterher. „Ich halte mich auch nicht zurück, kleine freche Füchse zu fressen!", knurrte Shilia. Jessica schaute dann mit bösen Blicken auf Shilia. „SHILIA! Du solltest dich echt schämen!", schimpfte dann Jessica. „Was habe ich denn gesagt?", fragte dann Shilia dumm. „Du brauchst jetzt nicht so scheinheilig zu fragen. Du weißt ganz genau, was du gesagt hast", erwiderte Jessica streng. „Ich habe nur gesagt, was Hyänen fressen, mehr nicht", verteidigte sich Shilia. „Und das hat schon gereicht! Du hast damit die beiden Jungfüchse vertrieben", erklärte dann Jessica. „Füchse fressen doch auch Fleisch", erwiderte Shilia. „Vielleicht wissen diese Füchse nicht, was du mit Fleisch gemeint hast", erklärte Jessica. „Dann sind sie total dumm", sagte dann Shilia.

Die beiden Jungfüchse rannten dann zu der Haupthöhle des Dorfes. Dort erschien dann Azura. „Mama, Mama, dieses Tier dahinten ist total ekelhaft! Die frisst so 'n komisches Zeug, was sie Knochen, Aas und Fleisch nennt", sagte dann Leila und streckte vor Ekel ihre Zunge raus. „Ach Schätzchen, wir fressen doch auch Fleisch", erklärte Azura. „Tun wir das wirklich?", fragte dann Leila. „Ja natürlich. Fleisch enthält wichtige Nährstoffe, die man zum Leben braucht. Aber zusätzlich fressen wir auch noch süße und saftige Früchte", erklärte Azura. „Mmmh, ich liebe Früchte", sagte dann Leila. „Ich auch, mein Schatz", sagte dann Azura. Anschließend begab sie sich zu den Gefangenen.

„Guten Morgen, ihr Fremdlinge", grüßte Azura fröhlich und setzte sich vor den Käfig, in dem sich Shuna, Joey, Debbie-Ann und Dave befanden. „Es tut mir wirklich leid, dass ihr in diesen barbarischen Käfigen seid, aber mein dickköpfiger Mann behauptet, ihr wärt gefährlich. Ich persönlich finde, dass ihr überhaupt nicht gefährlich aussieht. Na ja, diese Dschungelhyäne ist schon ein gefährliches Tier. Wisst ihr eigentlich, dass diese Dschungelhyäne zu den Giftigsten Tieren hier im Dschungel gehört?", fragte Azura. „Ja, das wissen wir. Ich habe sogar ihr Gift untersucht und im ganzen Universum gibt es keinen giftigeren Stoff, als das Gift von Shuna", erklärte Joey. „Du scheinst in meinen Augen ein sehr intelligentes Wesen zu sein. Ich kenne eure Tierart jetzt nicht und deshalb möchte ich jetzt Einiges von euch wissen. Aber erst stelle ich mich mal vor. Mein Name ist erst einmal Azura. Wie heißt du und wo kommst du her?", fragte Azura. „Mein Name ist Joey und das sind meine Freunde Debbie-Ann und Dave. Wir kommen von der Erde", antwortete Joey. „Erde? Was genau meint ihr damit?", fragte dann Azura. „Die Erde ist ein ferner Planet. Dort gibt es viele von unserer Sorte. Man nennt uns auch Menschen. So viele Bäume wie uns hier umgeben, so viele Menschen leben auf der Erde. Wir bauen ganze Großstädte, wo über 18 Millionen Menschen auf einem Fleck wohnen", erklärte Joey. „Du meine Güte!", sagte Azura geschockt. „Menschen gibt es dort in allen Formen und Größen", erzählte Joey. Azura war jetzt sprachlos. „Gibt es dort wirklich nur diese Menschen und nichts Anderes?", fragte sie dann. „Na ja, so voll ist die Erde nicht. Es gibt auch Wälder, sogar Dschungel, Seen, Natur und Tiere. Aber böse Menschen, genannt Wilderer töten unschuldige Tiere. Ich hasse Wilderer", erklärte Joey. „Das ist ja grauenhaft und barbarisch!", sagte Azura geschockt. „Wir sind sozusagen von der Erde geflohen und suchen einen Planeten, auf dem Menschen und Tiere in Frieden miteinander leben", erklärte Joey. „Joey, vielleicht gibt es dieses absolute Paradies auch nicht. Kein Planet kann perfekt sein. Niemand ist perfekt. Selbst ich bin mit meinen Kampfsportarten nicht perfekt. Ich bin zwar Profi, aber trotzdem nicht perfekt", erklärte Debbie-Ann. „Das werden wir ja dann auf der weiteren Reise durch das Weltall sehen. Wir haben mit diesem Planeten hier erst drei Planeten besucht", erklärte Joey. „Erinnere mich jetzt bitte nicht an diesen Sumpfplaneten. Der war total hässlich", sagte dann Debbie-Ann. „Ihr

wollt wieder von hier fort?", stellte
Azura dann in Frage. „Ja, müssen wir.
Aber erst wollen wir Shuna von ihrem
Werhyänenfluch befreien und dazu
müssen wir Königin Missie finden, weil
sie laut Shuna die Einzige ist, die das
Heilmittel kennt", erklärte Joey. „Was?
Diese Dschungelhyäne ist auch noch
von einem Fluch befallen! Das ist ja
schrecklich!", sagte dann Azura und
war schockiert. „Und nachts, wenn
zwei volle Monde am Himmel stehen,
verwandle ich mich in eine schwarze
Bestie. Deswegen müssen wir dringend
zu Missie, bevor es wieder soweit ist",
erklärte Shuna. „Missie war die beste
Freundin von Fox. Sie war noch ganz
klein, als ich sie kennen gelernt habe,
aber irgendwann war sie auf einmal
verschwunden. Ich habe sie seit 15
Jahren nicht mehr gesehen", erzählte
Azura. „Wir kennen die Geschichte
schon. Shuna hat sie uns schon erzählt", sagte Joey. „Was? Ist sie etwa
auch eine Freundin von Missie?", fragte dann Azura. „Und eine Freundin
von Fox", sagte dann Shuna. „Ach du
bist die zweite Freundin, von der Fox
mal erzählt hat. Fox hat mir aber nie
gesagt, dass du Shuna heißt und dass
du eine Mintaka bist", sagte dann

Azura. „Er wollte meine Identität nicht verraten, wegen seinem Vater. Deshalb hat er mich geheim gehalten", erklärte Shuna und grinste. „Ist nicht so schlimm. Aber jetzt kenne ich dich ja. Ich hätte dich aber gerne trotzdem noch als kleines Kind kennen gelernt", sagte dann Azura. „Ach so, bevor ich es vergesse. Wir wollen auch noch irgendwelchen geheimnisvollen Trommelgeräuschen auf die Spur gehen. Wurden hier im Dorf in letzter Zeit solche Geräusche wahrgenommen?", fragte Joey. „Wir treiben uns nachts nicht im Dschungel herum. Der Dschungel ist voller Gefahren. Nachts kommt alles Mögliche heraus, was andere jagt und auffrisst. Wenn wir auf die Jagd gehen, dann meistens vor Einbruch der Dunkelheit und wir bleiben auch immer in unserem Revier. Vor allen Dingen gibt es auch noch eine Legende die besagt, dass es hier irgendwo im tiefen Dschungel irgendwelche Wesen geben soll, die sehr gefährlich sind. Niemand hat sie je zu Gesicht bekommen. Diese geheimnisvollen Trommelgeräusche könnten etwas mit diesen Wesen zu tun haben. Das ist wirklich eine ernste Sache. Genau wie dieser Fluch, den ihr er-

wähnt habt. Das klingt alles sehr gru-
selig", sagte dann Azura.

Joey und seine Freunde wurden noch
am gleichen Tag wieder frei gelassen.
Und so konnten sie sich dann auf den
Weg zu Königin Missie machen.

Missies neues Dorf

Die Gruppe kämpfte sich schon wieder eine Woche durch den Dschungel. Sie waren sogar in Begleitung von Fox und Sophie. Die Zeit wurde auch langsam knapp, denn spätestens in zwei Wochen würde sich Shuna wieder in eine gefährliche Werhyäne verwandeln. „Die Zeit wird immer knapper. Wir müssen uns beeilen, denn in zwei Wochen ist es wieder so weit", erklärte Shuna. „In diesem Dschungel ist es einfach schwer sich zu orientieren. Selbst mein Taschencomputer versagt", sagte Joey und blickte auf seinen Taschencomputer, wo der Bildschirm nur unterschiedlich grün war. Irgendwann in den Mittagsstunden raschelte es in den Büschen. Alle schreckten dann auf. „Was war das!" „Vorsicht! In den Büschen hat sich etwas bewegt!", warnte Shuna. „Ich hab's auch gehört", bestätigte Fox. Sofort legte sich Shuna auf die Lauer, bereit zum Angriff. Jessica wurde etwas nervös. „Was könnte das sein?", fragte sie. „Praecipuas", antwortete Fox. „Was ist das?", fragte Jessica dann. „Das ist eine sehr gefährliche Tierart. Die sind in der Lage, ein ganzes Tier in kurzer Zeit zu fressen. Übrig bleibt ein kahl gefressenes Gerippe. Fox und ich hatten schon mal eine Begegnung mit solchen Tieren. Die sind richtig übel", antwortete Sophie. „Und wie groß sind die?", fragte Jessica. „Die sind relativ klein, aber die Rudel die sie bilden sind riesig und das macht diese Tiere richtig gefährlich", erklärte Shuna. Plötzlich war es wieder ruhig. Shuna stand auf und gab Entwarnung. „Wir können weiter gehen." Die Gruppe setzte sich wieder in Bewegung.

Es verging dann noch eine weitere Woche. Es wurde nun relativ eng mit der Zeit. Irgendwann fanden sie einen riesigen Abdruck einer Pfote in der Erde. Dieser Abdruck war so groß, dass sich dort ein Mensch reinlegen konnte. „Du liebe Güte!", sagte Joey etwas geschockt. „Von was für einem riesigen Tier, stammen denn diese Spuren?", fragte Jessica. „Wow! Der ist ja richtig gigantisch", übertrieb Dave. „Welches riesige Tier hinterlässt denn solche Spuren?", fragte dann Debbie-Ann und ihr wurde ein wenig mulmig. Shuna roch dann an diesem Abdruck. Anschließend hatte sie ein fröhliches Lachen im Gesicht. „Shuna, was ist denn los?", fragte Jessica. „Das ist eine frische Canopusspur. Wir haben es geschafft!", freute sich Shuna. „Was? Diese Tiere haben solche riesigen Pfoten?", sagte Jessica überrascht. „Ich habe euch doch gesagt, dass diese Tiere sehr groß sind", erinnerte Shuna. „Jetzt kann ich mir das mit diesen Krallen und den Zähnen auch sehr gut vorstellen. Diese Tiere könnten mit dieser Größe sogar einen Menschen im Ganzen verschlingen", sagte Jessica.

Sie folgten dann der Spur und irgendwann konnten sie einen Canopus sehen. Er war aber relativ weit weg. Es handelte sich um Missie, die auf dem Rückweg zu ihrem Dorf war. „Ach Foxi, wo steckst du nur? Ich vermisse dich", sagte Missie traurig. Sie setzte sich dann traurig hin und erinnerte sich an ihre Kindheit zurück. „Ich hätte nie gedacht, dass wir beide uns irgendwann gar nicht mehr sehen und richtig getrennt sind." Ihr lief dann an der Seite eine Träne herunter.

Die Gruppe dagegen näherte sich Missie. Shuna erkannte irgendwann einen rautenförmigen Fleck an ihrem Hinterteil und wusste darauf, dass es

Missie war, der sie gerade folgten. „Hey, das da vorne ist doch Missie." „Missie?" Fox spitzte sofort seine Ohren, dann blickte er zu dem Canopus und es entstand ein Lächeln in seinem Gesicht. Nun beschloss er sich nach ihr zu rufen. „Missie!", rief er. Sie drehte sich um, erkannte aber ihren Freund noch nicht. „Kennen wir uns?", fragte dann Missie. „Soll das etwa ein Witz sein? Erkennst du mich denn nicht mehr? Ich bin es, Fox", rief er zu Missie herunter. „Du bist aber nicht mein Fox. Mein Foxi hatte keinen dunklen Bart und besaß diese treuen orangen Augen", sagte dann Missie. „Dann komme doch näher zu mir hin und dann wirst du mich erkennen", rief Fox. Dies tat Missie dann auch. Und dann erkannte sie ihren besten Freund. „Foxi! Du bist es ja doch! Was hab ich dich vermisst", strahlte Missie und drückte Fox an ihre Brust. „Was glaubst du, wie vermisst ich dich habe", erwiderte Fox. „Ach Foxi. Mein Schatz", sagte dann Missie. Sie wollte ihn nicht mehr loslassen. Doch dann musste sie ihn aber wieder loslassen. „Ich habe dich mit diesem Bart echt nicht erkannt. Du siehst fast so aus wie dein Vater früher ausgesehen hat",

sagte dann Missie. „Wirklich?", fragte
Fox. „Ja, wirklich", bestätigte Missie.
„Hi Missie", grüßte dann Shuna.
„Shuna? Oh Shuna, ich habe dich seit
Ewigkeiten nicht mehr gesehen", sagte
Missie mit Freude erfüllt. „Freunde
wieder vereint. Das ist wirklich eine
schöne Geschichte", sagte Dave und
filmte. „Hey, wer sind denn deine Be-
gleiter? Die habe ich ja noch gar nicht
gesehen. Würdest du mich ihnen bitte
vorstellen", bat Missie. „Das sind Jessica, Shilia, Sophie, Debbie-Ann und
Joey. Und der die ganze Zeit seine
Kamera auf dich richtet heißt Dave",
stellte Shuna vor. „Freut mich euch
kennen zu lernen. Ich bin Königin und
Priesterin Missie", stellte sich Missie
vor. „Sie kommen von einem anderen
Planeten, den sie Erde nennen", erzählte Shuna.

Dann gingen sie in Missies neues Dorf.
Dieses hatte Ähnlichkeit mit dem alten
Dorf von Missie, war aber viel größer
als das. Es lag an einem kleinen Fluss.
„Missie, ist es wirklich wahr, dass du
ein ganzes Tier verschlingen kannst?",
fragte Jessica neugierig. „Ja, es ist
wahr, aber so etwas tue ich echt nur
im Notfall. Ich kann aber kein Tier verschlingen, was größer ist, als ich

selbst. Wenn ich etwas fresse, dann kaue ich es ein paar Mal durch, bevor ich es schlucke", erklärte Missie. „Shuna hat mir auch erzählt, du hättest extrem große und scharfe Zähne in deinem Maul. Kann ich die mal sehen?", fragte Jessica. „Habe ich auch. Ich zeige sie dir, aber jetzt bitte nicht erschrecken", sagte Missie und zeigte Jessica anschließend ihre Zähne. „BOOAH! Die sind ja unglaublich! Und so schön weiß", sagte dann Jessica. „Zahnpflege ist was ganz Wichtiges", sagte anschließend Missie. Jessica kuschelte sich dann an Missies Bauch.

„Dein Bauch ist so schön kuschelig und warm", sagte dann Jessica. „Oh danke. Wenn du willst, kannst du heute Nacht die Nacht bei mir und Foxi verbringen. Dann hast du meinen warmen und kuscheligen Bauch ganz lange und kannst das Kuscheln mit mir richtig genießen", bat Missie an. „Ich glaube, das würde meiner besten Freundin Shilia nicht gefallen", dachte Jessica. „Ich habe nichts dagegen, wenn du heute Nacht mal mit Missie zusammen schläfst. Mit mir kannst du schließlich immer zusammen schlafen. Und Missie hast du nur für eine Nacht. Und das will ich dir nicht verderben. Ich habe mir geschworen, nie wieder eifersüchtig zu sein", sagte Shilia. „Oh, ich danke dir Shilia", sagte dann Jessica.

Als es dann Abend wurde, befand sich Jessica mit Fox bei Missie in der Höhle. Sie unterhielten sich noch, bevor sie schliefen. „Missie, ich verstehe nicht, dass ihr so einen schlechten Ruf im Dschungel habt", sagte dann Jessica. „Es ist aber leider so. Unsere Vorfahren waren früher richtige Bestien. Vor Millionen von Jahren gab es mal ein riesiges Canopusvolk. Dort waren alle Canopuse alles verschlingende

Bestien und machten den Dschungel unsicher. Aber irgendwann zerbrach dieses riesige Volk und die späteren Canopuse entschieden sich ein friedliches Leben zu führen. Dennoch blieb der schlechte Ruf von uns erhalten. Es gibt auch noch heute Canopuse, die noch genauso leben, wie früher. Dieses Volk hat einen speziellen Namen. Wir nennen sie Thuban", erzählte Missie. „Oh nein, erinnere mich bitte nicht an die", sagte dann Fox. „Hattet ihr etwa schon eine Begegnung mit diesen Thuban?", fragte dann Jessica. „Ja, hatten wir und das war total grauenhaft. Diese Biester haben uns durch den Dschungel gejagt", erzählte Fox. Missie musste dann gähnen. Dabei riss sie ihr Maul sehr weit auf. „Wahnsinn! Du kriegst dein Maul aber echt weit auf", staunte dann Jessica. „Lasst uns jetzt bitte schlafen. Ich bin total müde. Königin zu sein ist echt anstrengend", sagte Missie müde. Jessica kuschelte sich dann an Missies Bauch und genoss ihre sanften Atemzüge. Dabei schlief sie dann sanft ein.

Das Heilmittel

Am nächsten Tag erzählte Joey Königin Missie, warum sie eigentlich zu ihrem Dorf aufgebrochen waren. Darunter befand sich auch die Geschichte von Shuna. Missie war geschockt, als sie das mit Shuna erfuhr. „Shuna, das ist ja furchtbar! Diesen Fluch kann man gerade noch aufheben", sagte Missie. „Was meinst du mit gerade noch?", fragte Shuna dann nervös. „Lass es mich dir erklären. Dieser Fluch plagt dich doch schon ganze 15 Jahre. Und einen Werhyänenfluch kann man nur 15 Jahre nach Ausbruch heilen. Ein Jahr später und du hättest diesen Fluch bis zu deinem Lebensende. Und noch etwas ganz Wichtiges. Dieser Fluch ist übertragbar auf jedes Tier, was in irgendeiner Weise mit dir verwandt ist." Shilia schluckte dann. „Heißt das jetzt, ich kann diesen Fluch auch kriegen?", fragte dann Shilia. „Ja, kannst du. Du bist mit Shuna verwandt. Du kommst jetzt zwar nicht von diesem Planeten, aber du bist trotzdem eine Hyäne. Shuna ist sozusagen eine Großcousine von dir", erklärte Missie. Shilia bekam jetzt einen Schock und Jessica den starren Blick. „Aber keine Sorge. Solange Shuna dich nicht kratzt oder irgendwie verletzt, kannst du diesen Fluch nicht kriegen", beruhigte Missie. „Und was ist jetzt das Heilmittel gegen diesen Fluch?", fragte dann Joey. „Es gibt nur ein einziges Heilmittel gegen diesen Fluch und das ist Wasser aus der silbernen Quelle, also reines Wasser. Dieses Wasser ist so rein, das es Silber funkelt. Das findet ihr aber nur in den heiligen Hügeln und es gibt wirklich nur eine Quelle mit diesem besonderen Wasser. Das müsst ihr mir bringen. Dazu müsst ihr aber den Riesendschungel durchqueren und dieser Dschungel ist sehr unberechenbar und gefährlich", sagte Missie. „Ich dachte, hier gibt es nur einen Dschungel und das ist dieser Dschungel in dem wir uns jetzt befinden", sagte dann Joey. „Nein, hier gibt es verschiedene Dschungelarten. Sie unterscheiden sich in der Pflanzenvielfalt, Größe und dem Alter. Hier gibt es einen Riesendschungel, einen Alt-Dschungel, einen sehr dunklen Dschungel, der so dicht ist, dass man dort nicht durchkommt und einen Mitteldschungel. Der Alt-Dschungel ist eines der ältesten Dschungeln, die es hier gibt. Dort stehen nur extrem dicke, knorrige und alte Bäume. Er ist schon über 800 000 Jahre alt", erklärte Missie. „800 000 Jahre? Das ist ja wirklich unglaublich und interessant", sagte dann Joey. „Oh oh, gleich folgt wieder wissenschaftliches Gerede", befürchtete Debbie-Ann. „Da kann man sich wirklich fragen: Wie schafft es hier ein Baum, so alt zu werden?", stellte Joey in Frage. „Joey, wir haben jetzt eigentlich etwas Wichtigeres zu tun, als über das rätselhafte Alter eines Baumes zu reden. Wir müssen das Heilmittel finden. Die Zeit drängt. Bald ist es wieder so weit und ich verwandle mich in dieses schwarze Monster", sagte Shuna ernst. „Ihr müsst euch jetzt wirklich beeilen. Das ist wirklich die letzte Chance Shuna von diesem grässlichen Fluch zu befreien. Es gibt nur noch diese eine Chance", erklärte Missie in ernsten Worten. „Du hast Recht. Dann lasst uns losgehen", sagte dann Joey. „Und du willst wirklich nicht mitkommen?", fragte Fox dann Missie. „Tut mir leid Fox. Das kann ich leider nicht mehr", bedauerte Missie. „Aber Missie, wir sind doch ein Team", erwiderte dann Fox. „Ich weiß, ich weiß. Ich bin aber jetzt Königin und muss mich um mein Dorf kümmern. Ich hoffe du bist mir jetzt deshalb nicht böse", sagte Missie. „Is' schon okay. Ich hätte mich halt gefreut, wenn wir seit langer Zeit wieder ein Abenteuer bestritten hätten, so wie früher", sagte Fox. „Ich vermisse unsere Abenteuer doch auch, aber wir sind jetzt erwachsen. Du kannst nicht auf ewig in der Vergangenheit leben. Sieh nach vorne in die Zukunft", erklärte Missie. „Das waren echt tolle Abenteuer, die wir zusammen erlebt haben. Erinnerst du dich noch an das erste Abenteuer?", fragte dann Fox. „Ja, wie könnte ich das vergessen. Da haben wir uns kennen gelernt. Ihr müsst aber jetzt ehrlich los. Die Zeit drängt. Bringt mir das Heilmittel so schnell wie ihr könnt und passt gut auf euch auf", sagte Missie. „Ja, passt gut auf euch auf", sagte dann Missies Mutter Violetta noch zum Schluss. Und so brach die Gruppe auf.

Der Hinterhalt

Es vergingen wieder drei Tage, nach dem Treffen von Missie. Die Gruppe befand sich jetzt im Kern des Riesendschungels. Überall hingen Lianen von den Bäumen herunter und die Bäume hatten einen Stammdurchmesser von 75 Metern. „Diese Bäume hier sind einfach nur unglaublich. So dick müssten die Bäume im tropischen Regenwald von der Erde sein. Denen könnte keine Kettensäge mehr etwas anhaben", sagte Joey. „Hier drinnen ist es auch relativ dunkel", kam es von Debbie-Ann.

Jessica unterhielt sich mit Sophie über Fox. „Oh je, dein Bruder hat aber als Kind allerhand viel angestellt", sagte dann Jessica. „Ja, aber ich war trotzdem kein Engel gewesen. Ich habe dir ja schon erzählt, dass ich früher eine echte Petze war", erklärte Sophie. „Shilia und ich waren als kleine Kinder auch keine Engel. Was glaubst du, was Shilia und ich alles so angestellt haben", sagte dann Jessica. „Was denn so alles?", fragte Sophie dann neugierig. Jessica und Shilia flüsterten Sophie dann etwas ins Ohr. „Was flüstert ihr denn da", fragte Joey, der dann einen Blick nach hinten warf. „Ähm, gar nichts", sagte dann Jessica. „Ihr wollt doch wohl nicht etwa mit der Schwester von Fox alleine in den Urwald gehen?", verdächtigte Joey. „Nein, wir unterhalten uns nur zusammen", sagte Jessica und hob ihre Hand. „Es ist diesmal kein Plan von mir, sich irgendwie von der Gruppe zu trennen. Das schwöre ich bei meiner Ehre als Hyäne", erwiderte Shilia. „Dann ist ja gut. Es hätte ja sein können, dass ihr zwei, jetzt drei wieder irgendetwas plant", sagte Joey. „Mann, also so neugierig ist noch nicht einmal der Vater von mir und Fox", sagte dann Sophie. „Er ist aber ein Ekelpaket", sagte Jessica. „Ja, das ist er allerdings", erwiderte Sophie.

Irgendwann ertönten geheimnisvolle Trommelgeräusche. „Hört ihr das auch?", fragte dann Joey. Shuna spitzte ihre großen Ohren. Genau diese Geräusche hatte sie nämlich auch gehört, bevor sie zu einer Werhyäne wurde. „Hey, das sind genau die gleichen Geräusche, die ich gehört habe, denen ich gefolgt bin und nach denen ich zur Werhyäne wurde. Und jetzt kommt mir dieser Riesenschungel auch wieder so langsam in den Sinn. Genau hier ist es geschehen. Das ist der Ort, als ich plötzlich zu Boden geschlagen wurde und mit diesen neuen Zähnen aufgewacht bin", sagte Shuna. „Hier ist auf jeden Fall etwas faul und dieser Sache gehen wir jetzt auf den Grund", beschloss sich Joey. „Aber das Heilmittel", sagte dann Shuna. „Das besorgen wir später. Wir haben noch etwa sieben Tage Zeit, es zu finden. Dahinten sehe ich zwischen den dicken Bäumen ein paar ferne Hügel. Das müssen diese Heiligen Hügel sein, von denen Missie gesprochen hat. Es ist immer gut zu wissen, wenn man weiß, wer für einen solchen Fluch verantwortlich ist. Wenn wir jetzt gleich das Heilmittel besorgt hätten, würdest du zwar geheilt werden, aber es würde bald wieder eine andere Werhyäne geben, die im Dschungel ihr Unwesen treibt. Wenn wir wissen, wer der Urheber ist, können wir diesen vernichten", erklärte Joey. „Eigentlich hast du ja wirklich recht, aber dann müssen wir uns trotzdem beeilen", sagte dann Shuna. „Joey weiß schon, was er tut. Er hat auch schon mit uns zusammen Wilderer ins Gefängnis gebracht", erklärte Debbie-Ann. Sie folgten den

Trommelgeräuschen. „Ich gebe euch
Deckung. Meine Giftzähne sind auf
jeden Fall zum Anschlag bereit", sagte
Shuna. „Zum Anschlag?" „Damit meine ich zum Beißen", erwiderte Shuna.
„Ach so, zur Giftabgabe", sagte dann
Jessica. „Genau." „Hey, wenn Gefahr
droht, kann ich auch etwas tun. Ich
kann blitzschnell zu beißen", erklärte
dann Sophie und sprang nach vorne
und verschwand hinter einem riesigen
Farn. In den Büschen ihrer Umgebung
raschelte es und man sah eine Gestalt
weghuschen. Sophie legte sich sofort
auf die Lauer. „Da ist was im Busch",
sagte sie vorsichtig. Und dann geschah
es. Als Sophie sprang, musste sie
plötzlich laut aufschreien. „AAAAH!"
Dann lag sie am Boden. Die anderen
bekamen einen Schreck, als sie Sophie
am Boden liegen sahen. „SOPHIE! Was
ist passiert?", fragte Fox besorgt. Sie
sagte dann aber nichts, sondern ver-
krampfte sich vor Schmerzen. Irgendetwas hatte sie getroffen. Fox drehte
sie dann um und sah einen großen
Blutfleck. „Nein!", schrie Fox. Alle
rannten dann zu Sophie und Fox. „Sophie!!", schrie Jessica. „Es... wird alles... wieder gut", wimmerte Sophie.
„Was ist passiert?", fragte Jessica

traurig und man erkannte eine Träne
in ihrem Gesicht. „Ich … ich …wurde
von etwas… getroffen. Es… kam… aus
den… Büschen", wimmerte Sophie.
Joey untersuchte Sophies Körper und
entdeckte einen Gegenstand aus Metall. Diesen zog er dann vorsichtig aus
Sophies Körper heraus. Es handelte
sich um ein Wurfgeschoss mit drei
Klingen. „AAAAH!", schrie Sophie.
„Was zum Teufel?!", knurrte Joey. Fox
dagegen weinte. „Sophie, bitte sterbe
nicht. Bitte", bat Fox verzweifelt.
„Fox… ich… habe dich… immer…
als… Bruder… geliebt. Auch früher…als wir…noch…Kinder… waren.
Tut… mir… leid… dass ich…so eine…Petze war", wimmerte Sophie und
hustete. In ihren Augen sammelten
sich Tränen. „Sophie", sagte Shuna
traurig und schloss ihre Augen. Shilia
tat es ihr nach. Joey nahm dann ganz
schnell seinen Taschencomputer und
stellte ihn auf Röntgenfunktion. Damit
fuhr er über Sophies Verletzung. „Auweia, das sieht gar nicht gut aus. Sie
hat eine sehr schwere innere Verletzung in der Bauchgegend. Ich muss
sie sofort verarzten, sonst stirbt sie",
sagte Joey schnell. „Wird sie es schaffen?", fragte Jessica besorgt und

drückte ihren Kopf an Sophies Kopf. „Ich weiß es nicht", erwiderte Joey.

Und so baute Joey das Zelt auf. Er musste sofort handeln. Glücklicherweise besaß er außer wissenschaftlichen Kenntnissen zusätzlich noch ein paar wichtige Medizinkenntnisse und so konnte er Sophie helfen. Fox dagegen saß trübsinnig in der Ecke und weinte wegen seiner Schwester. „Ich bereue jetzt, dass ich die ganzen vielen Jahre so sauer auf sie war und niemals ihre Entschuldigungen angenommen habe. Hätte ich mich nur früher mehr mit ihr beschäftigt. Was mache ich jetzt ohne meine Schwester? Sie ist ein Teil von mir", weinte Fox. „Fox, du musst dir jetzt keine Vorwürfe mehr machen", tröstete Shuna. „Meine Schwester liegt aber jetzt im Sterben. Derjenige, der das getan hat, wird dafür bitter bezahlen!", knurrte Fox, aber weinte dennoch weiter. „Sie wird es schon schaffen. Joey behandelt sie schon. Er gibt sein Bestes, damit sie am Leben bleibt", tröstete Shuna. Nach etwa vier Stunden kam Joey zu der ungeduldig wartenden Gruppe. „Wird sie es schaffen?", fragte Fox traurig. „Fox, ich habe mein Bestes gegeben. Wir müssen jetzt einfach abwarten. Du hast wirklich eine starke Schwester mit einem sehr starken Lebenswillen. Ich hatte sie zweimal verloren, aber dann hat sich ihr Zustand wieder verbessert. Bis sie aber aufwacht und wieder voll ansprechbar ist, können mehrere Tage vergehen. Sie braucht jetzt auf jeden Fall viel Ruhe", erklärte Joey. „Ich komme mir vor, wie in einer Krankenhausserie. Gerade eben hat Dr. Med. Joey Kings eine komplizierte Operation durchgeführt. Wird die Patientin das überleben?", sagte Dave und richtete seine Kamera auf sein Gesicht. „Dave! Das ist wirklich nicht der richtige Zeitpunkt für so etwas. Das ist todernst. Sie kann wirklich sterben!", schrie Debbie-Ann. „Ist ja schon gut", sagte dann Dave.

Joey schaute sich dann das Wurfgeschoss an. „Wer das angefertigt hat, ist auf jeden Fall ein menschliches Wesen." „Meinst du, hier gibt es jetzt doch Menschen?", stellte Debbie-Ann in Frage. „Ich bin der Meinung, dass es hier Menschen oder menschenähnliche Wesen geben muss. Die Trommeln und der Gegenstand hier beweisen das. Azura hat zwar gesagt, dass sie so etwas, wie uns noch nie gesehen

413

hätte, aber die Füchse leben ja nur in einem relativ winzigen Gebiet im tiefen Dschungel, dass vielleicht mal so groß wie Denver ist und dieser Planet ist richtig riesig. Er ist doppelt so groß, wie die Erde. Hier gibt es genügend Ecken, die unbekannt sind. Morgen früh werden wir auf jeden Fall dieses Gebiet hier auf Genaustes untersuchen. Jemand muss aber dann bei Sophie bleiben", sagte Joey. „Ich bleibe bei ihr. Sie ist ja schließlich meine Schwester", sagte Fox. „Wir haben noch sechs Tage Zeit, drei Tage um das Rätsel zu lösen und drei Tage für das Heilmittel. Das wird extrem knapp. Aber wir schaffen das", sagte Joey.

Düsterer Dschungel-
zauber

Es war der nächste Tag. Sophies Zustand hatte sich nicht mehr verschlechtert. Die Gruppe befand sich schon im Dschungel. Fox blieb aber bei seiner Schwester und leistete ihr Gesellschaft.

Alle waren im Dschungel jetzt besonders wachsam. Shilia schaute die ganze Zeit vorsichtig umher. Dabei knurrte sie und war jederzeit für eine Attacke mit ihren Zähnen bereit. An Shunas Zähnen befanden sich zwei frische Gifttropfen, bereit zum Abspritzen. Debbie-Ann war bereit, einen Angreifer mit ihrem Kung-Fu fertig zu machen.

Irgendwann ertönten wieder die Trommelgeräusche. Diese waren jetzt schon viel lauter. Die Gruppe folgte den Geräuschen und kam irgendwann an einen See. „Das ist der See, wo ich die neuen Zähne an mir entdeckt habe", sagte Shuna und die zwei Gifttropfen tropften zu Boden. Dort wo sie den Boden berührten, leuchtete der Boden grünlich auf und hinter ihnen starb ein Baum ab und fiel um. Alle schreckten dann zurück. „Was zum Teufel!" Shuna grinste anschließend. „Ups, jetzt habe ich wohl zum ersten Mal meine zwei Gifttropfen verloren. Tut mir leid", entschuldigte sich Shuna. „Das hätte echt ins Auge gehen können", sagte Debbie-Ann. Sie gingen dann weiter. Die Trommeln waren dann laut und deutlich zu hören und die Truppe blickte auf ein unheimliches, düsteres Dorf. Nicht nur das Dorf war düster, sondern die Bewohner ebenfalls. Diese waren sogar noch düsterer. Es waren keine Menschen sondern menschenähnliche Wesen. Wesen, bespickt mit Stacheln und Dornen, tödlichen Waffen und einem schlanken Tierkörper. Die Gesichter waren blutrot bemalt. Die Köpfe sahen denen von Schakalen ähnlich, waren aber viel länglicher. Die Ohren waren schmal und spitz und die Augen Schlitze.

Die Gruppe schlich sich dann in das Dorf hinein, natürlich ohne gesehen zu werden und versteckten sich hinter dem nächsten Baum. Dort beobachteten sie dann das Geschehen. „Die Typen sehen ja echt schaurig aus, so richtig zum Fürchten", flüsterte Shilia.

„Man sieht sofort, dass die böse sind",
erwiderte Jessica. „Was sind das für
Dinger?", fragte Debbie-Ann leise. „Ich
nenne sie einfach mal
Schakalmenschen. Von denen stammt
dann auch dieses Ding mit den drei
Klingen. Einer von denen muss uns
irgendwie gesehen haben und hat dieses Ding dann auf Sophie geschmissen", erklärte Joey.

Die Schakalmenschen waren durch
und durch bösartig. Einige von ihnen
beherrschten sogar düstere Dschungelzauber. Joey beobachtete dann einen Schakalmenschen mit einer
schwarzen Hyänenmaske. „Na sieh
mal einer an", sagte er ernst. „Was
mag der wohl vorhaben?", fragte dann
Shilia. „Den behalten wir jetzt im Auge", beschloss sich Joey. Dies taten sie
auch. Sie schlichen nun von Hütte zu
Hütte. Irgendwann blickten sie auf einen Ritualplatz, vor dem eine schwarze
Werhyäne stand. Jetzt wurde der
Gruppe einiges klar. „Das ist des Rät-
sels Lösung. Diese Typen sind für die
Beschwörung der Werhyäne verantwortlich. Die benutzen Shuna als
Werkzeug!", erklärte Joey ernst. „Was?
Ich werde von denen benutzt?", sagte
Shuna dann geschockt. „Genauso ist

es. Die haben dich verzaubert und immer wenn zwei volle Monde am Himmel stehen, rufen die dich, damit du Chaos im Dschungel verbreitest. Die wollen, wie es aussieht die gesamte Macht über den Dschungelplaneten übernehmen. Sie wollen über den Dschungel herrschen und andere unterdrücken", erklärte Joey. „Dann ist das ganze also ein düsterer Dschungelzauber", sagte Shuna. „Genauso ist es. Lasst uns von hier verschwinden, bevor die uns entdecken", sagte Joey leise.

Die Gruppe musste jetzt schauen, dass sie das dunkle Dorf so schnell wie möglich, ohne gesehen zu werden verließen. Dies ging aber schief, denn in Windeseile wurde über sie ein Netz geschmissen und sie waren anschließend in der Gewalt der Schakalmenschen.

Shuna, Werkzeug der Schakalmenschen

,,So, ihr dachtet wohl, ihr könntet unser Dorf beobachten. Das war aber ein bitterer Fehler von euch dreckigen Schnüfflern. Das bezahlt ihr mit dem Tode! Das war's für euch, denn Shuna wird euch jetzt alle vergiften!", knurrte ein Schakalmensch. „Shuna wird uns gar nicht vergiften! Sie ist unsere Freundin!", zischte Jessica. „Ach ja? Das werden wir ja gleich sehen. Shuna, höre die Stimme deines Großmeisters und werde aggressiv. Ich befehle es dir! Vergifte diese Schnüffler!", befahl der Schakalmensch mit der schwarzen Werhyänenmaske mit tiefer und dunkler Stimme. Dann geschah etwas. Die Augen der Maske begannen zu leuchten. Gleichzeitig begann auch Shuna zu leuchten. „Ich… kann nicht… dagegen… ankämpfen! RENNT!" Shuna war nun gezwungen ihre Zähne zu fletschen und stieß dann eine giftige Wolke aus.

420

Diese kam ganz schnell auf die Gruppe zu und vergiftete alles, was ihr in die Quere kam. „Schnell weg!", forderte Joey. „Aber was ist mit Shuna?", fragte dann Jessica. „Sie ist verzaubert! Sie wird uns auf der Stelle vergiften!", erklärte Joey schnell.

Shuna galoppierte nun aggressiv hinter der Gruppe her und stieß eine Giftwolke nach der anderen aus. Irgendwann stolperte Jessica über eine dicke Brettwurzel und fiel hin. „JESSIE!", schrie Shilia. Shuna sprang dann mit weit aufgerissenem Maul auf Jessica zu. Ihre Giftzähne klappten wie bei einer Schlange nach vorne, bereit um sie in das Opfer zu hauen und das Gift an den Spitzen der Zähne zu injizieren. „SHUNA! KÄMPFE GEGEN DEN ZAUBER AN! BITTE!", schrie Jessica. „Jessie, steh auf! Sie hört jetzt nur die Schakalmenschen und nicht dich!", forderte Shilia. Jessica stand auf und rannte weiter, gerade noch rechtzeitig. Wo zuvor Jessica gelegen hatte, haute Shuna ihre Giftzähne rein. Alle Pflanzen am Platz starben sofort ab.

Die Verfolgung durch die verzauberte Shuna ging noch eine ganze Weile, bis es der Gruppe schließlich gelang, sie mit einer bestimmten List abzuhängen. Und so konnten sie dann zu ihrem Zelt zurückkehren, aber ohne Shuna. „Arme Shuna", bedauerte Jessica. „Sie hätte beinahe ihre Giftzähne in dich gehauen!", erklärte Shilia. „Diese elenden Schakalmenschen haben sie dazu gezwungen!", erwiderte Jessica wütend. „Ich weiß, ich weiß. Das ist wirklich schlimm", sagte Shilia. „Wir müssen etwas gegen diese Schufte unternehmen. Die sind ja noch schlimmer als Wilderer", erklärte Debbie-Ann. „Es ist jetzt erst mal zwecklos gegen sie anzukämpfen. Shuna ist ihr Werkzeug und ihre schlimmste Waffe. Zusätzlich sind sie ja auch noch mit diesen tödlichen Waffen ausgestattet. Wir müssen auf jeden Fall Shuna von diesem Zauber befreien. Dann haben sie schon ihre beste Waffe verloren. Denn dann können sie Shuna nicht mehr benutzen. Und dann können wir diesen Schuften erst den Gar ausmachen", erklärte Joey.

Fox saß vor der noch bewusstlosen Sophie und redete zu ihr. „Sophie, bitte sterbe nicht. Was soll ich nur ohne dich machen? Du bist ein Teil von mir. Hätte ich mich doch damals mehr mit dir beschäftigt. Es tut mir leid, dass ich die ganzen Jahre so böse auf dich war. Bitte vergebe mir. Ich habe dich lieb." Sophie öffnete dann langsam ihre blauen Augen. „Fox?", sagte sie langsam. „Oh nein, jetzt höre ich schon ihre Stimme aus dem Jenseits", sagte Fox traurig. „Fox, beruhige dich bitte. Ich bin bei dir", sagte Sophie langsam. Dann sah er, dass seine Schwester aufgewacht war. „Sophie, du lebst. Was bin ich so froh", sagte Fox erleichtert. „Joey hat mich gerettet. Er und der Gedanke an dich haben mich am Leben erhalten. Wenn Joey nicht sofort gehandelt hätte, wäre ich gestorben", erklärte Sophie. Sie sprach aber sehr langsam, weil sie noch Schmerzen hatte. „Ich bin bald wieder auf den Beinen", versprach Sophie. „Und ich werde jetzt die ganze Zeit bei dir bleiben und dir Gesellschaft leisten", versprach Fox. Sophie lächelte dann. „Sophie, du lebst", sagte dann Jessica erleichtert und streichelte ihr über den Kopf. „Ich habe noch ein paar Schmerzen, aber sonst geht es mir ganz gut", sagte Sophie langsam. Jetzt kamen auch die anderen ins Zelt. „Sie hat es geschafft", sagten alle dann erleichtert. „Joey, du bist ein

Held. Du hast Fox' Schwester das Leben gerettet", strahlte Debbie-Ann. „Ich bin erst dann ein richtiger Held, wenn wir diesen widerlichen Schakalmenschen das Handwerk gelegt haben", sagte Joey. „Du bist aber trotzdem ein Lebensretter", wiederholte Debbie-Ann. „Ich bin dir auf ewig dankbar, dass du meiner Schwester das Leben gerettet hast", bedankte sich Fox.

Die Heiligen Hügel

Shuna kehrte dann zu den Schakalmenschen zurück. „Shuna, hast du sie vergiftet?", fragte der Schakalmensch finster. Das Lügen konnten sie nicht kontrollieren und so log Shuna die Schakalmenschen an. „Ja Meister, ich habe sie mit meinem Atem vergiftet und dann gefressen." „Gut gemacht Shuna. Wir haben große Pläne. In 5 Tagen ist es wieder soweit und dann verwandelst du dich wieder in die Werhyäne. Dann wirst du Angst und Schrecken im Urwald verbreiten und wir können uns den ganzen Urwald unter die Krallen reißen. Aber diesmal bleibst du für immer diese schwarze Gestalt, so wie es bei deiner Mutter war. Sie war uns eine große Hilfe. Nur durch ihre Hilfe konnten wir dich zur Werhyäne machen, weil sie sehr dumm war und sich für dich geopfert hat. Nur jetzt macht sie nicht mehr sehr viel", sagte der Schakalmensch finster. Shuna war geschockt. Die schwarze Werhyänenfigur war also ihre Mutter gewesen. Sie konnte den Schock aber jetzt nicht zeigen, sonst würde es auffallen. „Du

hast jetzt den Platz deiner Mutter ein-
genommen", sagte der Schakalmensch
mit finsterer Stimme und einem dunklen Lachen. Dann verschwand er.
Shuna rannte dann zu der Figur und
weinte. „Mutter, warum hast du dich
für mich geopfert? Warum? Warum
hast du das getan?", weinte Shuna.
Sie musste sofort alles Joey und seinen Freunden berichten, aber sie
wusste jetzt nicht, wie sie das anstellen sollte, ohne von den bösen
Schakalmenschen gesehen zu werden.

Währenddessen befand sich die Gruppe auf dem Weg zu den Heiligen Hügeln. Diese erreichten sie aber erst am
späten Abend und es war schon dunkel im Urwald. Erst am nächsten Tag
konnten sie sich auf die Suche nach
dem silbernen Wasser machen. Ihnen
blieben gerade noch vier Tage, um das
Wasser zu finden und zu Missie zu
bringen. Nicht nur die Zeit waren das
Problem, sondern auch die gefährlichen Schakalmenschen. Diese waren
das größte Problem.

Die silberne Quelle

„Wir haben gerade noch vier Tage Zeit, dieses silberne Wasser zu finden", sagte Joey. „Die Hügel haben wir ja schon erreicht und dann werden wir auch noch das Wasser finden. Solange wir nicht irgendwie angegriffen werden, schaffen wir das auch noch rechtzeitig", erklärte Debbie-Ann. Anschließend raschelte es in einem Busch. Shilia legte sich sofort auf die Lauer. „Vorsicht!", warnte sie. Sie sprang dann mit aufgerissenem Maul in die Büsche. Dort befand sich aber keine Gefahr und Shilia biss voll in die Erde. Diese spuckte sie sofort wieder aus. Darauf musste Jessica dann heftig lachen. Shilia biss dann noch einmal in die Erde, kaute sie durch und spuckte sie voll in das Gesicht. „IIIH! Das ist voll eklig!", ekelte sich Jessica. „Ein braunes Gesicht steht dir wirklich gut", kicherte Shilia. Jessicas Gesicht wurde dann rot. „Ach Jessie, ich lecke es dir ja schon sauber", sagte Shilia und leckte ihr das Gesicht dann mit der rauen Zungenseite sauber. „Aua! Das tut ja weh", jammerte dann Jessica. „Das ist ja auch der raue Teil meiner Zunge", erklärte Shilia. „Das fühlt sich wie eine Katzenzunge an", erwiderte Jessica. „Na ja, wir haben noch einmal Glück gehabt, dass da nichts in den Büschen war", sagte dann Shilia. „Wenn dort etwas gewesen wäre, hättest du das eh mit einem Biss getötet", sagte dann Jessica. „Nicht unbedingt. Wenn es ein größeres Tier wäre, dann muss man schon mehrere Male zubeißen", erklärte Shilia.

Die Gruppe marschierte durch den Dschungel der Heiligen Hügel. Dieser bestand hauptsächlich aus jungen Bäumen und war deshalb auch sehr dicht. Irgendwann hörte man von weitem Wasser rauschen. „Hört ihr das auch?", fragte dann Debbie-Ann. „Ja, das hört sich nach einem Wasserfall an", erwiderte Joey. Sie folgten dann dem Rauschen des Wassers und kamen an einen kleinen plätschernden Bach. In diesem Bachlauf lag auf dem Boden so viel Gold, dass der ganze Boden schimmerte. „Wahnsinn! Das ist ja Gold", staunte Debbie-Ann. „So viel Gold habe ich ja noch nie gesehen", staunte Joey. „Der ganze Fluss ist damit voll", erwiderte dann Dave. Joey holte sich dann einen Klumpen Gold aus dem Fluss. „So rein, wie dieses

Gold hier ist noch nicht mal das Gold auf der Erde", erklärte Joey. „Und auch noch so viel davon. Man merkt, dass es hier keine Menschen gibt. Wenn es hier Menschen gäbe, hätten die bestimmt schon alles geplündert", erklärte Debbie-Ann. „Und nicht nur das. Ich glaube diesem Fluss müssen wir zur Quelle folgen und dann haben wir auch das silberne Wasser gefunden", sagte Joey. Dies taten sie dann auch. Nach einigen schwierigen Besteigungen der Hügel erreichten sie nun endlich die Quelle des Flusses. Diese war ein Spalt in einem silbrig schimmernden Felsen und das Wasser, was dort rauskam, war tatsächlich silbern. „Fantastisch, das Wasser ist hier ja wirklich silbern", staunte Dave und richtete seine Kamera auf das Wasser. „Das silberne Wasser. Ich glaube der silberne Schimmer kommt von gelösten Silberpartikeln im Wasser", erklärte Joey wissenschaftlich. „Missie hat aber gesagt, es gibt hier auf diesem Planeten nur eine Quelle mit diesem besonderen Wasser", erwiderte Jessica. „Das ist schon möglich, aber für das Aussehen gibt es trotzdem eine wissenschaftliche Erklärung", erwiderte Joey. Sie nahmen dann mehrere Flaschen von dem silbernen Wasser mit und kehrten dann schnell wieder um. Als sie wieder im Riesendschungel waren, raschelte es ganz heftig im dichten Gestrüpp. Shilia legte sich wieder sofort auf die Lauer. „Hoffentlich ist das wieder falscher Alarm", hoffte Debbie Ann. „Nein, diesmal nicht", erwiderte Shilia und wollte gerade ihr Maul aufreißen. „Halt! Bitte nicht attackieren!", sagte eine Stimme schnell und diese Stimme stammte von Shuna. „Vorsicht! Sie könnte noch unter der Kontrolle von den Schakalmenschen sein!", warnte Joey und stellte sich bereit zum Wegrennen hin. „Nein, ich bin jetzt nicht unter der Kontrolle von diesen Schurken. Es tut mir leid, dass ich euch gestern gejagt habe, aber ich konnte nichts dafür. Ich konnte gegen die Macht des Beschwörers nicht ankämpfen", entschuldigte sich Shuna. „Diese Schufte müssen vernichtet werden!", sagte Debbie-Ann streng. „Nein! Jetzt noch nicht. Wir müssen erst das silberne Wasser zu Missie bringen, um Shuna von diesem Fluch zu befreien und dann können wir diese Schurken fertig machen", erklärte Joey. „Und Shuna kann uns dann dabei eine sehr große Hilfe sein, mit ihrem tödlichen Giftatem", sagte dann Jessica. „Hey, und was ist mit mir?", fragte dann Shilia verärgert. „Oh Shili, Entschuldigung. Ich meinte du und Shuna können uns eine große Hilfe sein", entschuldigte sich Jessica. „Es gibt aber ein kleines Problem. Mein Atem ist nicht giftig. Das mit dieser grünen Wolke haben die Schakalmenschen gemacht und nicht ich", dachte Shuna. „Natürlich hast du das gemacht. Ich habe doch gesehen, wie dieser giftige Dampf aus deinem Rachen kam. Dann muss sich doch irgendwo in deinem Bauch eine Giftdrüse befinden, die diesen Dampf produziert. Versuche es doch bitte einmal", sagte dann Jessica. „Na gut, ich versuche es." Sie hauchte dann in die Luft aber man sah nichts. „Seht ihr, es geht nicht", sagte dann Shuna. „Probiere es noch einmal", sagte Jessica. Shuna probierte es dann noch einmal, aber es klappte wieder nicht. „Ich weiß, dass du es kannst. Konzentriere dich", ermutigte Jessica. Shuna hauchte dann ein drittes Mal in die Luft und plötzlich schnellte eine dicke, giftgrüne Wolke aus ihrem Maul. „Ich wusste, dass du es kannst. Du brauchtest nur ein bisschen mehr Selbstvertrauen", lobte Jessica und drückte Shuna. „Danke Jessica." „Wenn du geheilt bist, dann ist diese Giftwolke wahrscheinlich die Einzige Waffe, mit denen wir gegen diese Schufte ankommen", erklärte Joey. „Oh je! Uns läuft die Zeit ja immer noch davon. Diese Schakalmenschen haben auch noch gesagt, das ich bei der nächsten Verwandlung für immer dieses schwarze Ungeheuer bleibe", sagte Shuna ganz schnell. „Und bis wir Missie erreichen, können 3-4 Tage vergehen", erklärte Debbie-Ann. „Und was ist mit Fox und Sophie?", fragte dann Jessica. „Auweia! Die habe ich ja jetzt ganz vergessen! Sophie ist noch zu schwach um selber zu laufen", erklärte dann Joey. „Wir binden sie auf meinem Rücken fest", schlug Shuna vor. „So machen wir das dann auch", stimmte Joey zu. Und so kehrten sie zum Zelt zurück.

Shunas Heilung

Die Gruppe machte sich sofort auf dem Weg zu Missies Dorf zurück. Sophie befand sich auf Shunas Rücken und Fox saß bei ihr. „Das ist ja voll doof, dass ich hier festgebunden bin", beschwerte sich Sophie. „Es ist nur zu deinem Besten. Du bist noch zu schwach, um selber zu laufen", erklärte Fox. „Ich fühle mich aber blendend und laufen kann ich auch wieder", sagte dann Sophie. „Vorgestern warst du aber noch bewusstlos und ich habe gedacht, du würdest sterben", erklärte Fox. „Ich weiß, aber ich würde trotzdem viel lieber selber laufen. Ich fühle mich wieder gut", erklärte Sophie.

Am 4. Und letzten Tag hatten sie Missies Dorf endlich erreicht. Es war schon kurz davor dunkel zu werden. „Du liebe Güte! Was ist denn mit Sophie passiert?", fragte dann Missie entsetzt, als sie diese auf dem Rücken von Shuna festgebunden sah. „Sie wurde von einem Schakalmenschen verletzt", sagte Joey. „Schakalmenschen?", stellte Missie dann in Frage. „Ja, das sind die Hauptverantwortlichen für den Fluch von Shuna. In den Nächten, wo zwei Monde voll am Himmel stehen, beschwören sie die Werhyäne herauf um Angst und Schrecken im Dschungel zu verbreiten. Sie wollen den gesamten Dschungel unterwerfen und beherrschen", erklärte Joey. Missie schaute dann in den Himmel, der schon feuerrot war. „Habt ihr das Heilmittel gefunden", fragte diese dann. „Ja das Heilmittel haben wir hier", sagte Joey und holte zwei volle Flaschen heraus. „Gut. Kommt mit", forderte Missie. Sie gingen dann in eine Höhle, die voller Kräuter und Gewürze war. Dort stand ein steinernes Gefäß in der Mitte. Dort rührte Missie dann das Heilmittel an. „Für das Heilmittel brauche ich dann auch noch einen kleinen Tropfen von deinem Gift, aber wirklich nur einen kleinen Tropfen", erklärte Missie. „Shunas Gift ist doch tödlich und zwar schon in winzigen Dosierungen", sagte Jessica geschockt. „Mit den richtigen Mitteln und in einer sehr geringen Dosierung ist es aber ein extrem gutes Heilmittel. Jedes Gift hat seine guten und schlechten Seiten", erklärte Missie. „Selbst Schlangengifte haben sogar ihre guten Seiten", erklärte dann Joey. „Und so ist es nämlich auch mit dem Gift von Shuna", sagte dann Missie. Sie hatte das Heilmittel dann angerührt und Shuna musste es dann trinken. In Shunas Maul leuchteten dann die zwei neuen Zähne auf und lösten sich vom Zahnfleisch. Die Zähne fielen anschließend zu Boden und zersprangen in Einzelteile. In die Lücken schoben sich dann wieder Shunas richtige Zähne und das waren ihre normalen Giftfangzähne.

Bei dem Beschwörer löste sich dann auch die Maske auf. „Was zum Teufel! NEIN!" Er warf dann eine Waffe gegen einen Baum. „Irgendjemand muss sie geheilt haben!", knurrte der Beschwörer. Er dachte dann an Joey und seine Freunde. Anschließend ballte er seine Fäuste zusammen, zerbrach dann eine Waffe und warf nochmals einen Speer, aber diesmal gegen die Werhyänenstatue, die dann ebenfalls verschwand. „Sie hat uns angelogen! Dafür werden Shuna und diese Fremden büßen!", knurrte der Werhyänenbeschwörer und stampfte mit dem Speer auf.

Kampf und Niederlage

Die Schakalmenschen stürmten dann in Gruppen von 100 Personen in den Dschungel. In Missies Dorf merkte man noch nichts von der drohenden Gefahr. „Jetzt können wir diesen Schakalmenschen den Gar ausmachen", sagte Joey ernst.

Sie wollten gerade aufbrechen, als plötzlich ein Speer ins Dorf flog. Dieser verfehlte Missie ganz knapp. Diese sprang sofort an die Seite. Joey drehte sich dann um und sah jede Menge Schakalmenschen auf das das Dorf zu stürmen. „Vernichtet das Dorf!!", forderte der Anführer der Schakalmenschen. „Wir werden angegriffen!", sagte ein Canopus, der hinter Missie stand. Missie fletschte dann ihre riesigen Zähne und ihre Flecken färbten sich von rotbraun zu blutrot. Dasselbe geschah auch mit ihrer Augenfarbe. „BOOAH! Was gigantische Zähne", staunte Jessica. „Hast du das eben gerade mit den Flecken gesehen?", fragte dann Shilia. „Ja, die haben sich ganz schnell rot gefärbt", er-

widerte Jessica. „Bringt euch in Sicherheit! Schnell! Wir reißen sie in
Stücke!", schrie Missie. „Aber Missie!
Was ist, wenn dir was geschieht? Ich
erinnere dich damit an ein vergange-
nes Abenteuer, wo du fast dein Leben
verloren hättest", sagte Fox besorgt.
Missie dagegen forderte dann:

„Bringt euch schnell in Sicherheit!!
Mach dir um mich keine Sorgen. Wir
machen diese Schurken fertig! Wir
sind Canopuse, die gefährlichsten Tiere im ganzen Dschungel!", forderte
nochmals Missie und rannte mit noch
ein paar anderen Canopusen, darunter
Missies jüngere Schwester Azora und
ihre Mutter, die Violetta hieß in Richtung Schakalmenschen. Und nun ent-
fachte sich ein bitterer Kampf zwischen den Canopusen und den
Schakalmenschen. Man konnte nur
noch das Knurren der Canopuse und
das Kriegsgebrüll der
Schakalmenschen hören.

Nach einer längeren Zeit mischten sich
auch Joey und die anderen in den
Kampf ein. Joey benutzte seinen Grips
und Debbie-Ann attackierte die
Schakalmenschen mit ihrer Kung-Fu
Technik. „Hey du Kleinhirn", sagte
Debbie-Ann. „Dich durchlöchere ich
mit meinem Speer!", knurrte der
Schakalmensch zurück. „Ach ja?" Und
schon hatte der Schakalmensch ein
Bein im Gesicht. Er flog geradewegs
nach hinten und verlor seine ganzen
Zähne. „Wollt ihr verdammten Biester
noch mehr! Nur der Reihe nach, die
Tritte bekommt ihr alle umsonst und

die blauen Augen gibt es als Geschenk dazu! Ich hab auch noch Knochenbrüche im Angebot!", zischte Debbie-Ann und zerschlug noch mehr Schakalmenschen zu Bruch. Danach ergriff eine Horde Schakalmenschen die Flucht. Missie zerfetzte mit den anderen Canopusen weitere Angreifer. Sie war so aggressiv, wie nie zuvor. Selbst Fox hatte Missie noch nie so erlebt. Es wurden dann immer weniger Angreifer.

Irgendwann hatten auch die restlichen Schakalmenschen genug und stürmten in den Dschungel zurück. Es waren aber nicht mehr so viele übrig, wie zuvor. Missie und ihr Volk hatten die Schakalmenschen, zusammen mit Joey und seinen Freunden in die Flucht geschlagen. „Hurra! Wir haben diese Schurken in die Flucht geschlagen!", jubelte Missies Schwester.

„Ich glaube die werden sich nicht mehr so schnell mit uns anlegen", sagte dann Joey. „Die sind aber immer noch da draußen im Dschungel, zumindest die, die übrig geblieben sind. Die Gefahr ist noch nicht gebannt. Sie können wieder kommen und unser Dorf ist jetzt in der offenen Angriffszone dieser Schurken", erklärte Missie. „Ich habe eine Idee. Warum kehrst du nicht einfach mit deinem Volk in das alte Dorf zurück?", schlug Fox vor. „In das alte Dorf? Foxi, unser altes Dorf wurde von einer Flutwelle vollkommen zerstört. Es ist unbewohnbar. Deshalb sind wir doch weggezogen", erklärte Missie. „Mit der Hilfe von mir, Shuna und Joeys Freunden können wir es wieder bewohnbar machen. Und das Beste ist, dass wir endlich wieder zusammen sind", erklärte Fox. Missie setzte dann ein Lächeln auf und drückte Fox an ihre Brust, aber sie musste Fox jetzt hochnehmen, da er viel kleiner als sie war.

Rückkehr ins All

Und nun kehrten sie alle zu Missies altes Dorfs zurück. Sophie war jetzt auch wieder auf den Beinen, als ob sie nie verletzt war. Missie und Fox schauten sich dann den Dorfstein an. Dabei legte Missie ihre Pfote um Fox. „Das waren noch Zeiten. Nicht wahr Foxi?", sagte Missie gefühlvoll. „Jetzt haben wir uns ja wieder", sagte dann Fox und gab Missie einen Kuss. „So Leute. Lasst uns jetzt erst mal diese ganzen Lianen entfernen", sagte Joey und holte eine scharfe Machete hervor und begann die Lianen weg zu schlagen. Shuna benutzte ihren giftigen Atem, um die Lianen zu entfernen. Das ging sogar noch viel schneller, als Joey mit der Machete vorankam. „Joey, den Schweiß hättest du dir sparen können", sagte dann Jessica und grinste. Shuna grinste dann ebenfalls. „Ich muss doch auch irgendwas arbeiten", sagte dann Joey. „Ist ja schon gut Joey." Dave dagegen arbeitete gar nichts, sondern war damit beschäftigt die ganze Arbeit zu filmen. „Dave, ich nehme dir gleich deine verflixte Kamera ab und gebe sie Missie zum Fres-

sen, wenn du uns nicht bald hilfst!",
drohte Debbie-Ann. „Oh nein! Du ver-
fütterst nicht mein geliebtes Baby.
Außerdem würde Missie das sowieso
nicht fressen. Zu reich an Eisen und
schweren Ballaststoffen", dachte Dave
und verbarg seine Kamera unter dem
T- Shirt. „Wenn es mir schmeckt, dann
würde ich es schon fressen, damit habe ich kein Problem", sagte Missie und
grinste. „Schon gut, schon gut. Ich
stecke sie ja schon weg und helfe
euch", sagte Dave und wurde ein wenig brummig. „Du brauchst keine
Angst zu haben. Ich fresse deine Kamera nicht auf. Wir Canopuse haben
zwar einen ausgewogenen Magen, der
alles verdauen kann, aber so etwas
würde meinem Magen auch nicht son-
derlich gut tun", beruhigte Missie.
„Kann dein Magen echt alles verdau-
en?", fragte dann Jessica neugierig.
„Jessie, du bist echt neugierig", erwiderte Shilia. „Ja, mit Ausnahme von
Steinen. Steine können wir Canopuse
nicht verdauen. Wir sind aber trotzdem Allesfresser. Wir fressen Früchte,
Fleisch, Aas und Knochen, wobei ich
Aas hasse. Igitt! Ich habe es mal einmal probiert und dann hat sich mein

ganzer Magen umgedreht", antwortete Missie.

Nach etwa vier Tagen sah Missies altes Dorf wieder so aus, als ob es nie zerstört war. „Mein Volk ist euch auf ewig dankbar. Wir werden euch nie vergessen und deshalb haben wir euch auf unserem Dorfstein verewigt", bedankte sich Missie. „Schade, dass wir wieder Abschied nehmen müssen", bedauerte Jessica und drückte sich an Missies Bauch. „Aller Abschied ist schwer, aber du wirst auf jeden Fall in meinem Herzen bleiben und ich werde dich und deine Freunde nie vergessen", sagte Missie. „Ich würde dich am liebsten zu mir mit nach Hause nehmen, Missie", sagte nochmals Jessica. Missie nahm dann Jessica nochmals in ihre Pfoten und drückte sie an ihren warmen Bauch. „Ich hab dich lieb", sagte sie in warmen Worten und leckte mit ihrer warmen Zunge über das Gesicht von Jessica. Diese musste dann kurz kichern. „Deine Zunge ist so groß, wie mein Kopf", lachte Jessica. „Wie gesagt. Ihr werdet alle für immer in meinem Herzen bleiben", sagte Missie und verschwand dann in ihrer Höhle. „Mach's gut Missie", verabschiedete sich Jessica.

Im Fuchsdorf wurde Fox nun offiziell
zum Häuptling ernannt. Trotz allen
Ärgers gab Gerd sein Amt an seinen
Sohn ab und er akzeptierte jetzt auch
die Freundschaft zwischen ihm und
Missie. Jessica erwartete dann auch
leider der nächste Abschied.

„Jessica, schade dass du gehen musst.
Du wärst echt eine tolle Schwester für
mich geworden", bedauerte Sophie.
„Ja, das ist wirklich schade und deshalb habe ich ein kleines Geschenk für
dich", sagte Jessica und gab Sophie
ein Päckchen in ihre Pfoten. „Oh, da
bin ich aber gespannt", sagte Sophie
schnell und packte es aus. Zum Vorschein kam dann ein kleines Gerät mit
einem Bildschirm. „Ähm, was ist
das?", fragte dann Sophie. „Damit
können wir uns zusammen unterhalten und sehen. Joey hat das gebaut,
damit ich nicht so traurig bin, wie das
letzte Mal, als ich mich auf einem anderen Planeten von Saphire verabschieden musste. Saphire ist übrigens
auch eine Füchsin, genau wie du.
Deshalb fällt mir der Abschied jetzt
nicht ganz so schwer. Ich zeige dir wie
es funktioniert", sagte dann Jessica

und zeigte es Sophie. „Das ist ja cool! Dann kriege ich ja sogar etwas von eurem Abenteuer mit. Danke Jessica", bedankte sich Sophie. „Du musst dich bei meinem Bruder bedanken. Er hat es gebaut." Dies tat Sophie dann auch. „Hey, kriege ich auch so ein Teil?", fragte dann Fox. „Da musst du dann schon zu deiner Schwester gehen", erklärte Jessica. „Fox, du kannst das Gerät auch mal haben. Wir wohnen doch im selben Dorf", sagte dann Sophie.

Und so kehrte die Gruppe zu ihrem Raumschiff zurück. Das dauerte jetzt sehr lange. Wenn Joey nicht seinen Taschencomputer gehabt hätte, hätten sie sich bestimmt noch ein paar Mal verirrt. Nach etwa 12 Tagen erreichten sie endlich das Raumschiff, das schon mit ein paar Lianen zugewuchert war. „Oh Mann, diese Lianen wachsen echt wie das schlimmste Unkraut", sagte Joey verärgert. „Hoffentlich springt das Raumschiff noch an", hoffte Debbie-Ann. „Normalerweise müsste es noch anspringen. Es steht ja eigentlich erst 6 Monate", erklärte Joey. „Was? Wir sind hier schon ein halbes Jahr?", sag-
Debbie-Ann baff. „Nicht ganz. Ich
mit meinem Taschencomputer

mal ausgerechnet, wie lange dieser Planet braucht um den Stern 70 Virginis einmal zu umkreisen und bin etwa auf 400,3 Tage gekommen. Wenn man das hier in einem Kalender ein- bauen würde, hat hier ein Jahr nicht zwölf Monate sondern dreizehn Mona- te", erklärte Joey. „Und du willst wirk- lich nicht mit uns mitkommen, Shuna?", fragte dann Jessica. „Ich bin doch viel zu groß für euer Raumschiff und außerdem ist mein Zuhause hier auf dem Dschungelplaneten und den möchte ich auf keinen Fall verlassen. Du wirst mir aber richtig fehlen", sagte dann Shuna und weinte. „Ich werde dich auch vermissen, Shuna. Schade, dass ich für dich nicht so ein Teil ha- be, was ich Sophie gegeben habe. Joey konnte leider nur eins bauen", bedau- erte dann Jessica. „Ist nicht so schlimm. Vielleicht sehen wir uns ja irgendwann wieder. Ich werde jeden Tag zu den Sternen schauen und dann werde ich an dich denken", sagte Shuna traurig.

448

Jessica fiel Shuna dann noch ein letztes Mal um den Hals und schmuste mit ihr. Sie strich ihr über die Wange und fasste dann an ihre Giftzähne. Dort streichelte sie noch kurz rüber und anschließend bekam Shuna noch einen Kuss. „Ich hab dich lieb", sagte Shuna und ihr fiel ein Tränchen zu Boden. Anschließend verschwand Shuna dann im Dschungel, sie drehte sich aber vorher noch einmal um. „Und wenn ich mal mit dir reden möchte, dann weiß ich ja, wo ich das kann. Du wirst auf jeden Fall für immer meine beste Freundin bleiben", rief Shuna noch hinterher und sprang anschließend in die Büsche. „Mach's gut Shuna und pass gut auf dich auf", rief Jessica noch hinterher.

Als Joey das Raumschiff von den Lianen befreit hatte, stieg die Gruppe ein. „Endlich ist alles wieder im Normalzustand", sagte dann Shilia. „Was meinst du denn jetzt damit?", fragte dann Jessica. „Na ja, wir sind jetzt wieder alleine. Um richtig ehrlich zu sein, fand ich mich die ganze Zeit irgendwie überflüssig", sagte Shilia. „Shilia, du bist nicht überflüssig. Du bist meine allerbeste Freundin, trotz Shuna und Sophie. Die beiden sind ein paar

Freunde von uns. Aber sie haben trotzdem nicht das, was wir haben. Shuna und Sophie habe ich erst als Erwachsene kennen gelernt, aber wir beide kennen uns von klein auf", erklärte Jessica. „Jessie, ich werde dich nie verlassen. Wenn ich jetzt die Wahl zwischen einem gut aussehenden Hyänenprinzen und dir hätte, würde ich mich für dich entscheiden; wobei eigentlich, eine eigene Familie zu haben auch sehr schön wäre", sagte Shilia und dachte dann nach. Einen Moment herrschte dann Schweigen. „Erde an Shilia", sagte dann Jessica und fächelte vor Shilias Gesicht herum. „Oh, ich war gerade in den Gedanken versunken", sagte dann Shilia. „Du musstest wieder an deine Familie denken, nicht wahr?", fragte dann Jessica. „Nicht direkt. Hast du dich jemals schon gefragt, wie es wäre eine eigene Familie zu haben?", fragte dann Shilia. „Nö, dafür bin ich noch zu jung, aber ich kann mir vorstellen, dass es sehr anstrengend sein muss", sagte Jessica. „Bei uns Hyänen ist das anders. Wir leben in größeren Rudeln zusammen, in einer richtig großen Gemeinschaft. Ich stelle mir nur gerade mal vor, wie es wäre, einen eigenen Sohn oder eine eigene Tochter zu haben, um die man sich kümmern kann, der man etwas über das Leben beibringen kann usw.", erzählte Shilia. „Willst du etwa Mutter werden und mich dann auf einmal doch verlassen?", fragte Jessica geschockt. „Nein, nein. Das habe ich nicht gesagt", erwiderte Shilia. „Du hast es aber so gemeint!", sagte Jessica und drehte sich wütend um. „Jessie, ich habe dir versprochen, dass ich dich nie verlassen werde, auch wenn ich jetzt die Mutter von einer Tochter oder einem Sohn wäre. Ich würde immer bei dir bleiben. Außerdem ist es doch noch gar nicht so. Ich bin noch nicht Mutter. Das war nur eine reine Vorstellung", beruhigte Shilia. „Jetzt mal ehrlich. Wenn du jetzt wirklich die Wahl zwischen einem Hyänenprinzen und mir hättest - für wen würdest du dich dann entscheiden?", fragte Jessica. „Jessie, um ehrlich zu sein, wäre das eine schwierige Entscheidung für mich. Ich würde dazwischen stehen. Zum Glück bin ich noch nicht in so einer Situation und ich hoffe, dass ich niemals in eine solche Situation komme. Aber ich denke mir, dass ich mich für dich, meine allerbeste Freundin entscheiden würde", sagte Shilia.

Anschließend startete Joey das Raumschiff. Dieses hob langsam ab und man konnte die Wipfel des Dschungels sehen. Shuna saß auf einer kleinen Lichtung und winkte noch ein letztes Mal nach dem Raumschiff, das dann im All verschwand. „Mach's gut Jessie. War eine schöne Zeit mit dir. Ich werde dich vermissen. Hoffentlich sehen wir uns bald wieder", sagte Shuna und lief schließlich in den Dschungel.

Wie es mit dem Abenteuer dann weitergeht, erfahrt ihr im zweiten Teil der Geschichte.

Florian Fink

Ende des ersten Teils

Fortsetzung folgt...